# 地域づくりの経済学入門 増補改訂版

## 地域内再投資力論

岡田 知弘 著

自治体研究社

## はじめに（初版）

本書は、経済のグローバル化の進行のなかで、どのように自分たちの住む地域を「活性化」あるいは発展させればよいかと考え、悩んでいる皆さんのために書かれたものです。

現在、大都市部の一部の地域を除いて、日本の多くの地域は、産業が衰退するだけでなく、地域社会のコミュニティ機能が弱まり、犯罪や災害が多発するという憂うべき状況にあります。このような状態を打破するために、「構造改革」を実施し、市町村合併を行い、大企業に選んでもらえる地域づくりが必要だといわれています。しかし、このような「改革」によって、本当に、私たちの住む地域が再生し、一人ひとりの住民が元気に生活できるようになるのでしょうか。多くの人は、おそらく疑問をもっているのではないでしょうか。

では、どのように、住民一人ひとりが輝くような地域づくりをすればよいのでしょうか。がむしゃらに頑張っても、長続きしませんし、その努力がどの程度効果があるかわかりません。地域づくりを、合理的かつ効果的にすすめていくためには、地域がなりたっている仕組みを知り、過去の地域開発政策がなぜ失敗したかを客観的に分析することが必要となります。その上で、地域づくりに必要なポイントが何であるかを初めて導き出すことができます。

本書では、私が長年の調査や研究からえた「地域内再投資力」という概念を中心に、具体的な事例をあげながら、地域の現場で地域づくりをすすめる際に役立つ経済学的な見方をできるだけわかりやすくまとめてみました。そして、一人ひとりが輝き、自然環境と人間社会が持続的に発展できるような地域づくりをするためには、この地域内再投資力を地域住民の自治と結びつけて、そのネットワークを押し広げることが決定的に重要であるということを示してみました。これらの議論は、市町村合併問題や地域づくりに取り組んできた日本の各地の地域の人々との交流と議論のなかで、私自身が学び、創りだしてきたものでもあります。

本書は、4部から構成されています。Ⅰ部では、現代において地域づくりを考えていくための基礎的な概念の整理と、経済のグローバル化にともなう日本の地域の構造変化、地域づくりをめぐる政策的対立の全体像を描いています。Ⅱ部では、日本での過去の地域開発政策を振り返り、巨大プロジェクト型開発や企業誘致による開発政策がなぜ失敗したかを分析しています。この失敗から学ぶことで、地域の持続的発展にとって必要な要素が浮かび上がってきます。Ⅲ部では、そのような分析から導き出された地域内再投資力概念について説明した上で、大企業の短期的利益を第一にした地域開発ではなく、住民の生活の向上を最優先にした地域の持続的発展が必要であり、可能であることを、農村及び大都市の事例をもとに展開しています。最後のⅣ部では、地域内再投資力の主体としての基礎自治体の役割の大きさと、その政策の方向性を決定づける地域住民主権の重要性を、「平成の大合併」を機に画期的に広がった住民投票運動の歴史的意義を踏まえて明らかにし、住民自治の新たな地平を展望します。

この本が、全国各地で地域づくりに取り組んでいる、あるいはこれから取り組もうとしている皆さんにとって、なにがしかの役に立つことを願っています。

# 増補改訂版　はじめに

本書は、二〇〇五年に出版した『地域づくりの経済学入門』を一五年ぶりに大幅に改訂・増補したものです。

この間、東日本大震災や熊本地震、あるいは豪雨被害の連続に加え、二〇二〇年には新型コロナウイルス感染症のパンデミックが日本列島を襲い、私たちの命と健康の危機が深まりました。他方で、経済のグローバル化が一層進行し、とくに第二次安倍晋三政権の登場によって、大企業の内部留保が過去最高を記録する対極で、格差と貧困が拡大しました。とりわけ首都圏はじめ大都市圏以外の地域での地域経済・社会の衰退は激しく、「自治体消滅」論を振りかざした「増田レポート」を受けて、「地方創生」政策が開始されました。しかし、それから五年が経過したものの、東京への人口の集中は一層加速し、少子化に歯止めはかかっていません。政府は、さらなる地方自治制度改革を遂行するために「自治体戦略二〇四〇構想」を打ち出し、中核市以上の都市への「選択と集中」をすすめようとしています。

これに対して、「コロナショック」は、従来の新自由主義的な構造改革政策による保健所をはじめとする公共部門の削減や縮小の誤りとあわせて、東京一極集中の危険性や、人間の命と健康、普通の生活の大切さを改めて教えてくれたといえます。今こそ、大都市地域、農山村地域を問わず、一人ひとりの住民が輝く地域社会、自治体づくりが求められているのではないでしょうか。

幸い、本書の初版は、多くの人々に共感をもって受け入れていただき、読み継がれてきました。増補改訂にあたっても、「どのように住民一人ひとりが輝くような地域づくりをすればよいのか」という大きな問題意識は変わりません。今回は、この一五年の間に全国各地で取り組まれた多くの事例をもとに「地域内再投資力」という概念を豊富化し、四部構成で展開してみました。

初版との大きな違いは、以下の通りです。第一に、地域経済や政策に関わるデータや記述を大幅に刷新し、新しい情報を追加しました。新型コロナウイルス感染症の問題も、できるだけ盛り込むようにしました。第二に、初版では紙数の関係で入れられなかった、災害と復興の問題について、地域経済学の視点から加筆しました。第三に、「地域内再投資力」や「地域内経済循環」をめぐる理論面での疑問や批判を意識して、理論的な深化を試みました。第四に、各地の取り組み事例の最新情報を補うとともに、地域づくりに関わる運動や政策事例の記述をできるだけ増やすことにしました。このため、増補改訂版では、初版に比べ一〇〇ページ近くの増頁となっています。

とはいえ、一人ひとりが輝き、自然環境と人間社会が持続的に維持できるような地域づくりを持続するためには、この地域内再投資力を地域住民の自治（地域住民主権）と結びつけて、そのネットワークと地域内経済循環を押し広げることが決定的に重要であるという結論には変わりはありません。

引きつづき、本書が、全国各地で地域づくりに取り組んでおられる、あるいはこれから取り組もうとされている皆さんにとって、なにがしかの参考になれば幸甚です。

地域づくりの経済学入門

——地域内再投資力論——

〔増補改訂版〕 目次

目次

# Ⅰ部　現代の地域づくりを考える

# 第1章　地域と地域づくり

## 1　人間の生活の場としての地域

### 地域とは何か

みなさんは、「地域」と聞いて、どういう広がりをイメージしますか。自分たちが暮らす町内や集落の範囲を思い浮かべる人もあれば、文京区や宇治市といった市区町村の範囲、あるいはもっと広く都道府県という広域自治体や関東や九州といった県を越えた範囲、さらに日本国内だけでなく、「アジア太平洋地域」、「欧州地域」といった複数の国をまとめた経済圏域を連想する人もいるのではないでしょうか。つまり、日常生活のなかでは、私たちは、地球上のある区画を切り取って、それらの間の関係を意識することなく「地域」と呼び合っているわけです。

しかも、ややこしいことに、第二次安倍政権が、二〇一四年秋から「地方創生」という造語を使いはじめ、「地方」という言葉が氾濫しています。この「地方」と「地域」が、同じ意味だと考えている人も、少なからずいます。しかし、「地方」という言葉は、「中央」という言葉の対語であり、あくまでも首都東京にある「中央政府」＝国の視点から、日本列島上に存在している、それ以外の空間や自治体を見下した表現です。したがって、兵庫県などでは、あえて「地方創生」という言葉を使わず、「地域創生」と言い直しています。

でも、「地域創生」という言葉にしろ、本書のタイトルにある「地域づくり」や、「地域の活性化」といった普段よく使う言葉にしろ、同じように「地域」という言葉を使っているのですが、実際のところ、どこで、誰が、何をすることなのか、よくわかりません。その原因のひとつは、「地域」という言葉の不確かさにあるといえます。

「地域」が何を指し、それがどのような内容と仕組みをもっているかを正確に理解しないで、「地域づくり」とか、「地域活性化」や「地域創生」をいくら声高に叫び、闇雲につきすすんだとしても、その努力は徒労に終ることが少なくありません。現に、これまでの日本の地域開発政策や地域活性化政策のほとんどが、失敗の歴史であったといっても過言ではありません（このことについては、後の章で詳しく説明します）。その失敗の原因の多くが、「地域」や「地域経済」の仕組みをよく考えず、しかも、それぞれの地域がもっている個性とは関係なく、時々の政府が示した金太郎アメ的な開発政策を全国どこでも同じように展開したことに起因しているといえます。したがって、少し遠回りになるかもしれませんが、まず、「地域」や、その土台である「地域経済」の内容と仕組みを、正確に知ることが大切です。その上で、自分たちの地域が客観的に置かれている位置と、その個性を見極めて、地域独自の地域づくりの方向性や具体策を考え、実行していく必要があります。

## 地域の階層性

冒頭でも述べたように、「地域」という日常用語は、私たちが日々生活している町内や集落という狭い空間的範囲から始まって、京都市や京都府といった地方自治体の範囲、近畿地方や西日本といった日本列島上の一区画、そして日本という一国の範囲、さらには東アジアやアジアといった国際的な広がりまで、実に多様な範囲を指して、自由気ままに使われています。

しかし、これによって「地域」という言葉はあいまいで、無意味なものであるということにはなりません。言い換えれば、「地域」というのは、町内や集落レベルから地球規模レベルにいたるまでのいくつかの階層を積み重ねた重層的な構造をもつ人間社会の空間的広がりであると考えられます。これは自然界における、素粒子から宇宙にいたる階層性と同じようなものとして捉えることができます。自然の階層性においては、素粒子の運動、分子の運動、さらにそれらが積み重なって形成されている宇宙の運動は、相互に結び付きながら、それぞれ独自の法則性を有しています。これと同じように、社会科学の対象である人間社会においても階層性があり、それぞれの階層ごとに独自の運動法則が働いているといえます。

例えば、世界経済の動きがそのまま各国経済で同様に現象しているかといえばそうではありません。「南北問題」という言葉に象徴される先進国と発展途上国との経済的格差が存在し、例えば「世界的に貿易量が増えた」といっても、先進国と発展途上国では異なった動きを示します。同様に、その一国経済、例えば日本経済をとりあげてみると、各地域が同じような経済現象を示すかといえばそうではありません。都市部と農村部では、地域経済のあり方は大きく違っています。また、都市のなかでも首都圏のような中枢機能を集積した大都市圏と地方中枢都市、小都市とでは、異なった経済の動きを示します。農村部でも、大都市圏周辺の都市的な農業地域もあれば、都市から遠く離れた山村や離島もあります。

一例をあげると、二〇一八年の労働力調査による完全失業率は全国平均で二・四％ですが、沖縄県では三・四％、大阪府では三・〇％である一方、北陸地方や東海地方はずっと低く、石川県と三重県では一・三％となっています。これは、地域ごとの地域産業の構造、就業構造の違いによって生まれてきたものであり、全国平均値は地域ごとの数字を平均したものに過ぎません。私たちは、日常的に、マスコミ等の情報で世界や全国的な経済動向については詳しく知っているつもりでいます。その結果、あたかも世界や日本経済が先にあって、自分たちの住んでいる地域経済のあり方はそれによって決まってくるという錯覚に陥りがちです。しかし、これは逆さまの見方であり、錯覚であるといえます。

### 地域があってはじめて国がある

日本という国は、国内の多様な地域が積み重なって、はじめて成り立っています。人間が生活している地域という足場をもたない一国経済は、そもそも存在しません。それは、歴史的にみれば、ひとつの国が、その領土内の地域を政治的・軍事的に統合して初めてつくられたことをみれば、明らかなことです。小説家の高橋克彦が八世紀の蝦夷の英雄アテルイの生涯を描いた歴史小説『火怨』には、朝廷による蝦夷の「征討」によって、はじめて日本列島上に東北地域を統合した「国家」が出現した過程がダイナミックに描かれています(1)。

近代以降においても、東北に視点をおいて、日本経済の発展をみると、複眼的な視点が得られます。明治時代の産業革命期において、東北では近代的工場制がほとんど普及せず、むしろ産業革命の拠点として人口も増加した東京市場に向けて食料としてのコメを送り出すための大地主制度が発展します。そのころの東北地方と東京との交易関係を見ると、東北からはコメをはじめとする第一次産品や労働力を送り出し、代わりに東京からは工業製品が入ってくるというような、「国内植民地」的な役割を果していたことがわかります。「裏日本」という言葉が生まれたのも、日本資本主義が確立したころのことです(2)。

つまり、一国単位の動きを見て「日本で産業革命が進展した」といったとしても、日本国内の全地域で一度に同じような形で産業革命が起きてはいないのです。産業革命は、東京や大阪などの大都市部と、諏訪湖周辺や四日市、倉敷など、製糸業や紡績業が発展した限られた地域で近代工場制度の普及をもたらしましたが、東北地方では産業革命の中心であった東京に食料と人を送り出す役割を担ったのでした。現代においても、日本の国内における地域経済は、格差を伴いながら、不均等に存在しています。それぞれの地域が、どのような位置に置かれているのかを、見極めることが大切です。

ここまで、「地域」には階層性があり、それぞれの階層は独自の性格や動きをしていると述べてきました。それは、個々の地域経済をジグソーパズルのように組み合わせていけば一国経済ができ、さらに各国経済を同じように組み合わせていけば、あたかも世界地図のように世界経済が成り立っているというような平板なものではないということを言いたかったからでもあります。それは、自然界において、素粒子と分子、さらには宇宙が、それぞれ平面的に組み合わされたものではなく、究極的には基礎的な物質である素粒子を基礎に各階層が関連しあいながら成り立っていることを考えると、わかりやすいかと思います。

そうなると、人間が社会的に活動する場である「地域」の最も基礎的な単位は、私たちが日々生活している町内や集落といった地域であるということがわかります。したがって、「地域」の最も本源的な規定は、個々の自然条件のもとに存在する「人間の生活の場」、生活領域であるということになります[3]。そのような生活領域としての地域が地球上のいたるところで積み重なって、一国経済という地域階層、さらに世界経済という階層をつくり、それぞれの階層では独自の運動法則が働いていると考えることができます。

では、この「人間の生活領域」としての地域は、具体的にはどのような範囲なのでしょうか。社会福祉の研究者の方や食品スーパーの経営者の方の話を聞くと、おおよそ「半径五〇〇メートル圏」

ではないかと考えられます。鉄道や自動車などの交通手段の発達があるのでもっと広いのではないかと考える人もいるかもしれませんが、七五歳以上の後期高齢者や小学校入学前の子どもたちの生活範囲は、平均でみると五〇〇メートル圏になるそうです。しかも、これはあくまで「平均」です。

たまたま東日本大震災の後、大きな津波被害がでた陸前高田市の県立高田病院の病院長をされた石木幹人先生の話をおうかがいすることがありました。そのとき、男性の「健康寿命」は七〇歳であるとお聞きしました。この話では、「健康寿命」の定義は、介護が必要になる人の数が過半を超える年齢のことでした。つまり、男性の場合は、生存していても、七〇歳になると介護が必要になり、自力歩行が難しくなる人が過半を占めることになるということです。これから、東京圏をはじめとする大都市部で、戦後のベビーブーム期に生まれた団塊の世代が一気に後期高齢者の年齢層に入ります。したがって、そのような高齢者数の比率が高まるわけですので、大都市部においても農山村においても、人間の生活領域としての地域は、狭くなっていくと考えるべきでしょう。

## 地域経済の一般性、特殊性、個別性

しかも、現代資本主義の下では、最も微細な地域階層でさえ単独で存在しているのではなく、資本蓄積のグローバル化を通して、一国経済レベルを超えた世界経済レベルの地域階層と深く結合していることが重要です。つまり、地域階層は個々バラバラに存在しているわけではなく、多国籍企業のグローバルな展開によって、それらの地域階層が人類史上かつてない広がりと深さでもって結び付けられているといえます。同時に、多国籍企業の本格的登場と対応したＷＴＯ（世界貿易機関）体制の設立（一九九五年）に加え、その後の各種ＦＴＡ（自由貿易協定）の締結によって、国家の経済政策のグローバル・スタンダード化（実質的にはアメリカン・スタンダード化ですが）が、世界経済―一国経済―地域経済という各地域階層の構造的連関を国家による公権力の行使（条約や各種法令、個別の政策）によってうち固めていることにも注意を払う必要があります。

したがって、日本列島上には、その自然条件、歴史的条件、社会的条件等によって多様な地域が存在し、そこで生じている経済上の問題は一見個別的で特殊なもののように見えますが、経済のグローバル化が進めば進むほど、各地域の地域経済問題に共通する普遍的で一般的な問題が浮かび上がってくる関係にあります。

例えば、資本の海外シフト（海外への工場移転）にともなう産業空洞化、海外からの逆輸入品による地場産業の衰退、ＷＴＯ体制の下でのコメを含む農産物輸入推進政策による農村経済の後退や、大型店規制の緩和・撤廃にともなう商店街の苦境などは、すべて資本や国家政策の「グローバル化」にともなう問題であり、どの地域にもみられることです。ただし、それぞれの地域の産業や経営のあり方や地方自治体の政策によって、問題の現われ方、その深刻さは、地域的に異なっていることはいうまでもありません。ある地域の個別の経済問題を分析する際には、日本経済や世界経済、あるいは他の地域経済と比べながら、問題の一般性と特殊性を導き出すことが必要だということにもなるわけです。

## 2　資本主義時代における自然と人間、都市と農村

### 「人間と自然との物質代謝」の場としての地域

地域というのは、本源的には人間が生活する場、一定の生活領域であるといいましたが、このことは何を意味するのでしょうか。人間は生物であり、生命体である限り、自然の一部です。その自然界において能動的な主体として外的な自然に働きかけながら、人類として生存を続けてきました。人間が外的な自然に働きかけ、衣食住のための生活手段を入手する一方で、廃棄物や排泄物を自然に返し、その地力を高めて、次の衣食住に使う生活手段を得る活動の繰り返しを、人間と自然との物質代謝関係（メタボリズム）と呼びます。

この物質代謝関係こそが、本来的な経済活動であり、人間の生活そのものであるわけです。経済活動は、人間が貨幣を発明する前から存在しているのです。この物質代謝関係は、ある具体的な、一定の領域での人間社会と自然との結合のなかで、はじめて成立します。つまり、生活領域としての地域は、特有の地形をもった山や川や海、平坦地という具体的な自然環境と結びついた人間社会であるといえます。しかも、その人間社会は、先人たちの歴史的営みを地域文化として受け継いだ住民から構成されており、自然環境面でも、歴史的にも、文化的にも、地球上でただ一つしかない、かけがえのない存在なのです。

したがって、地域というのは、自然と人間の関係、人間同士の関係が、一定の空間で総合的に結合した存在であるといえます。この総体性を忘れると、経済活動のためだけの産業開発を急ぐあまり、自然環境や歴史的な景観や文化の破壊という取り返しのつかない絶対的損失を生み出したり、あるいは公害問題という形で住民の生命や健康をも危険にさらすことになります。

他方で、このような地域社会を、土台で支えているものが「地域経済」であるといえます。人間は、政治的活動を行ったり、文化的な活動を行ったりしますが、生物体として生きていくためには、自然に働きかけて衣食住の生活手段を得るための経済活動を必ずしなければなりません。その意味で、地域での経済活動は、それなしに人間は生存すらできないという意味で、地域社会の土台であると規定することができます。

さらに、人間は、その経済活動を行うために、個々バラバラに労働し生活するような存在ではありません。経済活動の根幹である労働をするために、必ず何らかの社会的関係（人間と人間との関係）を取り結び、それを社会的分業として発展させてきたのも、人間の大きな特徴のひとつです。原始共産制から、奴隷制、封建制の社会組織が生み出され、資本主義社会では会社や企業に象徴される資本・賃労働関係が、その物質代謝を担う人間の主要な社会的関係をつくっています。

なお、当然のことですが、資本主義社会だからといって、地域社会のすべてが、経済学のテキストのモデルにあるように、資本家と労働者のみから構成されているわけではありません。実際の地域には、資本家や労働者だけでなく、家族的経営をしている農業者や中小業者もいますし、直接の生産活動に参加しない子どもたちや高齢者層、地方自治体や非営利組織で働く人々やその家族も住んでいます。このような多様な社会関係が、地域ごとに、それぞれ個性をもちながら、存在していることに注意を払う必要があります。

## 資本主義の下における都市と農村

さて、資本主義は、人間社会の生産力を格段に高めましたが、封建時代までの基本的生産手段であった土地とは異なり、ある特定の地域に固着することはありません。むしろ、そのような地域的固着性を常に打ち破って、自らの活動領域を変え、拡大していくところに、その本質があります。そして、資本主義は、利潤をより多く獲得するために、生産力をあげ、商品交換を活発化させ、社会的分業を発達させていきます。その最大の分業が、農工分業であり、都市と農村の分業でした。資本主義の発展は、空間的には、都市の拡大でもありました。その際に、商品交換をより効率的、大規模にするために発明されたのが、貨幣でした。日本の場合は、八世紀になって和同開珎（わどうかいちん）が歴史上初めて流通貨幣として登場しますが、資本主義社会に突入するのは、一九世紀半ばの明治維新後のことになります。

世界で最も早く資本主義社会に移行したのは、イギリスでした。そのイギリス資本主義の生成期に、名著『国富論』（一七七六年）を書いたアダム・スミスは、都市と農村の関係は、相互的かつ互恵的なものでなければならないとしました。つまり、農村から都市に対して、生活手段や製造業原料が送られるかわりに、都市から農村に向かって製造品が送られており、あたかも都市の住民と農村の住民とは互いに相手の召し使いであるかのように発展すべきものと考えられていました[4]。

しかし、このような牧歌的な都市と農村の均衡発展論は、産業革命による資本主義的工業および新興工業都市の発展と対になった都市・農村問題の激化のなかで、現実によって否定されることになりました。すでに一八二一年には、空想的社会主義者ロバート・オーエンが、『ラナーク州への報告』において、「現在の都市と農村に付随する数多くの不都合や害悪を除去し、かつ双方の利点を備えているような社会」、あるいは「精神労働と肉体労働の差別の廃止を行なった社会」などを主内容にした、理想の地域社会像を提起しています[5]。

けれども、オーエンの場合、地域問題が資本主義体制と不可分の関係にあるという視点がないうえ、都市文明とともに分業一般が否定されるという弱点がありました。

これに対しマルクスとエンゲルスは、「都市と農村の対立」という考え方を提起しました。彼らによれば、前資本主義社会においては、土地と労働は未分離であり、都市は農村に包み込まれるように存在していました。ところが、資本主義のもとでは、貨幣経済が現物経済に取ってかわり、土地所有に対する資本の優位が確立しました。資本主義の発展は、農民をはじめとする直接的生産者を土地から強制的に引き離し、生きていくためには労働力を売るしかない彼らを、資本の支配下におきました。こうして、資本の本拠である都市は、膨張を続け、人口・生産用具・資本・必要物・政治的中枢を集中し、農村部に対する都市の支配が決定的になります。他方で彼らは、資本主義的蓄積が進むと、都市内部においては労働者家族の住宅・衛生問題等が深刻化し、農村部（海外植民地も含む）においては都市に食料および工業原材料を供給するための略奪的農業が展開され、都市でも農村でも人間と土地の破壊が進行すると述べています。そして彼らは、このような「都市と農村の対立」を資本主義の根本問題と理解し、その対立の廃棄は資本主義的生産様式の廃絶によってのみ可能であると考えたのでした(6)。

ところで、D・ハーヴェイは、マルクスたちが描いた都市と農村の二区分論は、現代においてはもはや意味がないと指摘しています(7)。彼は、都市こそが現代資本主義における空間の再生産の中心地であり、資本蓄積活動の圧倒的部分を占めていると考えています。けれども、このような捉え方は大きな誤りであるといえます。というのも、現代における大都市の住民も、生命体としての人間である限り、必ず食料や水、空気を摂取しなければならない存在です。いかにグローバル化が進み、巨大な世界都市が生まれたとしても、人間が生きていこうとする限り、食料や水、そして清浄な酸素を供給する農村が必ず必要となります。また、それらを生産するための前提となる土地や土地所有も重要な役割を果たしています。

このような人間と自然の物質代謝関係を基礎にした都市と農村の関係は、グローバル化時代においても厳然として存在しているといえます。もちろん、その際の農村は、国内のそれであるとは限りません。例えば、現段階の日本においては、食料自給率の極端な低さから明らかなように、都市の食料調達先の圧倒的多くの部分は、アメリカや中国など外国の農村であるといえます。すなわち海外の農村との物質代謝関係のなかで、現代日本の都市や農村における人間の再生産が可能となっているといえます。

## 3　地域づくりをめぐる対抗軸

### 資本の活動領域としての地域

さて、資本主義の時代において、人間社会の各階層の地域空間を形づくる経済的な主体は、何よりも「資本」であるといえます。D・ハーヴェイは、「都市を形成するのは資本である」と喝破しました[8]。彼によれば、都市の形成は、土地に固定した人工の構築物である建造環境の形成と教育や保健衛生、警察などの社会的インフラストラクチャの形成の二つから成っています。資本は、それらを、国家や自治体の行財政支出を媒介にしつつ形成し、結果的に、その時代の生産力にふさわしい都市景観が生み出されるとしました。

実は、同じことは、ハーヴェイが軽視した農村地域にも当てはまります。山に植林をしたりダムや道路をつくったり、農業用水路を整備したり、圃場整備を行う主体は、国家や自治体の行財政支出を媒介にした資本です。公共投資によって整備された建造環境である農村の道路を走る自動車やトラクターも、農家の所有物ではありますが、資本の生産物であり、農家の住民の多くも賃労働者として資本の下で雇用されています。したがって、生産力に規定された資本蓄積の態様と空間的広がりが、資本主義時代における都市や農村の地域形成（自然環境・建造環境、社会関係）のあり方を規定しているといえます。

このように考えると、資本主義の時代において、地域は、「資本の活動領域」としても存在していることがわかります。もともと、資本は人間の生活領域としての地域のなかで、人間の経済活動の結果として生み出されたものです。ひとたび生み出され、自律的な運動を始めた資本は、交通手段や通信手段の技術革新によって、地域的な限界を次々と打ち破り、「時間による空間の絶滅」[9]を推し進めていきます。その際に、自らの生産活動やそれに適合した物流や通信のための産業基盤、交通基盤、通信基盤の整備を国家や地方自治体に求めて、自らの姿にふさわしい都市や農村を建造していくことになります。

したがって、資本は、蓄積を拡大すればするほど、当初活動していた「人間の生活領域」をはるかに超えて移動するようになり、現代では多国籍企業という形態をとって文字どおり地球規模の地域空間を活動領域としつつあるわけです。しかも、資本というのは、本来、賃労働者が生み出した価値であるにもかかわらず、その賃労働者を疎外してしまうという本質も併せ持っています。これは、マルクスが『経済学哲学草稿』や『経済学批判要綱』で強調してやまなかった視点です。私は、この疎外論に、空間論なり地域論的視点を入れたいと考えています。

つまり、資本の海外進出にともなう「産業空洞化」という事態は、住民の圧倒的部分を占める賃労働者が生み出した価値である資本が、その賃労働者や住民を切り捨てて、海外に活動の場を移転することを意味します。これは、賃労働者にとっては、「空間的な疎外」にほかなりません。現代の資本蓄積のグローバル化という現象は、空間的に住民の生活領域を超えるだけではなく、そこでの住民の生活条件そのものを奪い、否定するところまで立ち至っているのではないかと思います。この点は、かつて通商産業研究所の中村吉明らが、「企業の私的便益と社会的便益とが乖離するところ」に、産業空洞化の本質を見いだしたことと相通ずるものがあります[10]。

## 地域の形成主体としての国、地方自治体

もっとも、国家や自治体は、資本蓄積のための単なる「媒介物」や調整役にとどまるものではありません。とくに、民間資本の蓄積が希薄な、中山間条件不利地域の過疎自治体ほど、基礎自治体としての市町村が地域形成に果たす役割は、量的にも質的にも大きなものがあります。そして、このような自治体こそが、「平成の大合併」推進論において「不効率」、「無能力」とされた人口小規模自治体でした。

しかも、「住民の生活領域としての地域」を母体にして成り立つ基礎自治体は、中央政府の統治機構の一支点という機能以上に、住民が主権を行使して組織した自治組織としての役割が強いといえます。住民によって選出された首長や議員が、政策を立案するばかりではなく、時には住民の直接的な要求や住民投票によって政策が決定されことになります。基礎自治体は、地域住民の勤労の果実である地方税や、国、都道府県から再分配される地方交付税交付金、補助金を財源として、それ

を施策化して、地域経済や地域社会に再分配し、地域形成を能動的に行っている存在です。このような役割は、経済社会に占める相対的比重は小さくなるとはいえ、大都市自治体についてもいえることです。

## 国家や地方自治体のあり方をめぐるせめぎ合い

以上のようにとらえた場合、国家や地方自治体の経済政策や地域政策が、いったい誰の利益のためにあるのかが問われることになります。そもそも国家や地方自治体の行財政運用の原資は、勤労者（労働者や自営業者、農民など）が生み出した価値です。大企業の法人税なども、つきつめていけば、そこで働いている人々の労働によって作り出された価値であるわけです。国家や地方自治体は、その価値を税金や社会保険料などの形で吸い上げたあと、行財政の運用を通して再分配するわけです。問題は、その再分配が、どこに向かうのかということです。

単純化していえば、経済のグローバル化が進行した現代においては、多国籍化しつつある大企業のためなのか、あるいは国民や住民の生活向上のために再投融資するかという対立軸があるわけです。資本主義社会である限り、国家や地方自治体が、資本の利益を第一にするか、あるいは勤労者の利益を第一にするかという対立は、常に存在する基本問題です。ところが、現代では、その対立を底流におきながら、多国籍化している巨大資本の利益を第一にするのか、あるいは日本列島に住んで生活している大多数の住民や企業の利益を第一にするのかという対立軸が前面に出てきているといえます。

分かりやすい例でいいますと、一九九六年に発表された「橋本行革ビジョン」があります。そこでの時代認識は、現代は多国籍企業が、地球規模で自由に動き回って、互いに競争しあう「大競争時代」であり、日本が引き続きワールドセンターのひとつとして生き残ろうとするならば、多国籍企業が選んでくれるような国づくりをしなければならないというものです。これは、当時、経済団体連合会が提言していた「グローバル国家」づくりの要求に応えるものでした。具体的には、日本の経済社会は高コスト構造になっているから、これを経済構造改革、財政改革をはじめとする六大改革によって低コスト化し、多国籍企業に選択してもらえる国づくりをしなければならないというものです。同様の時代認識は、その後も繰り返し登場してきて、現在に至っています。そこでは、現代は「企業が地域を選ぶ時代」だから、グローバルに移動する企業に「選んでもらえる」ように、税制、インフラストラクチャ、教育環境、住環境等、「地方公共団体の行政すべて」を、企業にとって魅力あるものにしなければならないと強調されています。

これが現在もすすめられている「グローバル国家」づくりの中味であるわけですが、先ほどの視点から見てみると大変興味深いことを言っているわけです。橋本行革ビジョンの大目標には世界のワールドセンターとして「わが国」が生き残ることが掲げられています。つまり、一見国民全体の利益であるかのような国策目標を掲げるわけですが、「わが国」の実体は何であるかは一切触れられていません。第二次安倍政権の下で策定された成長戦略である「日本再興戦略」では、「日本を世界で一番、企業が活動しやすい国」にし、企業の「稼ぐ力」を重視するとしました。いくつかの地方自治体の首長も、これに呼応するかのように「稼ぐ自治体」「稼げる自治体」をめざすとして、カジノ誘致などを推進しています。忘れてはならないことは、憲法上、政府には国民の幸福追求権、生存権、財産権を守る責務があるうえ、地方自治体の最大の責務も「住民福祉の増進」にある点です。これが、今や、新自由主義的な競争観にもとづいて、「今だけ、自分だけ、お金だけ」という政策潮流が臆面もなく表面化してきているといえます。

しかし、誰がそのような政策の利益を受け取るかは明白です。抽象的な意味での「国」や「企業」ではなく、多国籍企業や巨大金融機関や富裕者であるわけです。大方の国民や中小企業の方はどうなるのかというと、おそらくその波及効果として、まわりまわって「したたり落ちる」のだということなのでしょう。

しかし、現在進行している経済のグローバル化と財政危機は、そのようなシナリオが画餅にすぎないことを示しています。一方で消費税率を引き上げたり、医療費などの社会的負担の増大を国民に強要しながら、他方で多国籍企業や巨大金融機関には大盤振る舞いをしている構図です。しかも、規制緩和や構造改革の中で、「雇用破壊」の対象となっている労働者だけでなく、これまで「保守基盤」であるといわれた商店街や中小企業、農家も、その経営基盤を大きく動揺させられており、利益が「したたり落ちる」どころではなく、犠牲を強いられているといってよいと思います。つまり、「グローバル国家」の利益を享受する巨大資本と、その犠牲となる国内諸階層との亀裂がかつてない規模で広がっているといえるわけです。先ほど紹介した通商産業研究所の研究員のことばを借りれば、多国籍企業の私的便益のために、国民や住民の社会的便益が犠牲にされているといえる状況です。

その意味で、現代は、国家や地方自治体の行財政が、グローバル化を進める巨大資本のために動員されるのか、あるいはそれぞれの地域でまじめに働いて価値を生み出している住民の生活向上のために再配分されるのかが、鋭く問われる時代となっているといえます。これは、何も日本だけのことではありません。新自由主義的な考え方で規制緩和や構造改革路線をとる欧米各国で、失業問題や社会不安が深刻化し、政治的動揺が広がっていることは決して偶然ではありません。資本主義社会の矛盾も、資本や労働力の国際的移動が進展するなかでグローバル化しているといえます。

## 地域づくりをめぐる対抗

以上から明らかなように、地域づくりとは、「地域社会を意識的に再生産する活動」であるといえます。ただし、その活動主体は、「住民の生活領域としての地域」と「資本の活動領域としての地域」の二重性に規定されて、住民と資本に大きく分かれます。どちらが主導して、国家や地方自治体の行財政のあり方を方向付けるかによって、その地域づくりの内容もまた大きく異なってきます。

日本の戦前、戦後の地域開発の歴史を振り返ると、とりわけ国土開発政策については、第４章で見るように、時々の「資本の活動領域」にふさわしい地域改造が行われてきたといえます。しかし、その結果、日本列島を構成する個別の「生活領域としての地域」での住民生活が向上し、地域社会の発展が見られたかというと、決してそうではありませんでした。後で詳しく述べるように、地域開発のほとんどが失敗に終わり、地域経済や地方財政の悪化が日本列島上に広がっています。

他方で、このような地域開発政策に代わって、住民一人ひとりが輝くことを目指した地域づくりの内発的な動きが、全国の都市や農村で広がりつつあります。もともと「地域づくり」や「まちづくり」「むらづくり」という言葉は、それほど古いものではありません。本のタイトルを検索すると、一九八〇年代のはじめ頃から、ようやく登場してきます。一九七〇年代の二度の石油ショック後、日本は構造不況に陥り、これまでのような重化学工業一本槍の高度経済成長路線を続けることが困難となります。

他方で、大分県の大山町（現・日田市）や湯布院町（現・由布市）、北海道の池田町などでは、地域の資源を活用した住民主体の内発的な地域づくりの試みが開始されていました。高度経済成長期の「外来型」地域開発を四日市や沖縄の実態をもとに痛烈に批判した宮本憲一が、これらの農村の動きに注目し、「内発的発展」と定式化したのは、一九八二年のことでした。[11]宮本は、そのような発展の背後に「地域自治」が存在していたことを発見しています。

それから二〇年以上が経過し、「平成の大合併」の大波が押し寄せるなかで、住民投票などによって地方自治体のあり方を住民自らが決定する動きが全国各地で広がりました。そして、住民投票条例制定運動を取り組んだ多くの地域において、地方自治体の財政と地域づくりを併せて学習し、住民の手で地域自立計画を策定するところも出現しました。八〇年代初頭に生まれた住民自治に裏付けられた地域づくりの動きは確実に根付き、広がったといえます。

私は、地方自治体の主権者である住民が自ら地域のあり方を決定し、実践する運動を、「地域住民主権」と呼んでいます。これは、「地方分権」という言葉が、単に国と地方自治体との行政権限の再配分のみを意味し、しかもその地方自治体を合併によって広域化して、住民自治の空洞化を図ることを意味しているため、主権者である地域住民の役割をより明確に表現しようと考えたからです。

「平成の大合併」をすすめた西尾勝・元地方制度調査会会長は、二〇一五年の国会で、市町村合併は惨憺たる結果であり、失敗であったことを認めました。しかし、広域化した自治体では、合併による負の影響で、周辺部での人口減少、高齢化・少子化が加速し、市町村の「選択と集中」が地域経済、地域社会の持続性を破壊することになりました。

にもかかわらず、政府は、二〇一八年に入り「自治体戦略二〇四〇構想」を打ち出し、中核市を中心とした連携中枢都市圏に行財政権限や経済機能、公共施設を集中し、周辺の市町村の団体自治や住民自治を制約する方向を検討しつつあります。地方自治体の枠組の大型化とともに、公共サービスや公共施設の産業化を推進することを財界の「成長戦略」の一環として追求しているのです。

これに対して、強制合併に反対した「小さくても輝く自治体フォーラム」に参加する自治体では、住民主体の地域づくりを行い、地域資源と地方自治体の行財政権限を活用して、島根県海士町（あまちょう）や宮崎県綾町（あやちょう）のように人口を増やしたり、維持したりしているところが生まれています。また、合併した自治体でも、新潟県上越市のように住民の生活領域に近いところで二八の地域自治組織をつくり、公募公選で選出される地域協議員の協議により、市から分配された予算の使い道を決定し、生活領域の地域に固有な課題の解決を行う工夫がなされています。さらに、中小企業家同友会、全商連・民商、そして商工会連合会など中小企業団体による中小企業・小規模企業振興基本条例制定運動が広がるなかで、ほとんどの道府県で同条例ができたほか、三割近くの市区町村で制定がなされています。いずれも、多数者のための新しい地域政策であるといってよいと思います。それだけ、地域住民主権の運動も進化しているといえます(12)。

日本国憲法では、住民は、市町村・都道府県という地方公共団体の主権者であるとともに、国の主権者であるとされています。私たちは、生活領域としての地域のあり方だけでなく、基礎自治体をはじめとして、より広域的な地方自治体である都道府県、そして国のあり方をも同時に決定できるわけです。これらの権利を生かして、住民一人ひとりが、人間らしく幸せに暮らせるような方向に向けていくことが、今ほど求められている時はないといえます。

**注**

（1）高橋克彦は、蝦夷、東北に視点を置いて、蝦夷と中央政府との対抗と前者の自律性に光を当てた、一連の歴史小説を描いています。同『火怨』講談社、一九九九年のほか、『炎立つ』日本放送出版協会、一九九二年、『天を衝く』講談社、二〇〇一年、参照。

（2）近代における東北及び「裏日本」については、岡田知弘『日本資本主義と農村開発』法律文化社、一九八九年、古厩忠夫『裏日本―近代日本を問い直す―』岩波新書、一九九七年、阿部恒久『「裏日本」はいかにつくられたか』日本経済評論社、一九九七年、河西英通『東北―つくられた異境―』中公新書、二〇〇一年、参照。

（3）地域を「生きた人間」の生活過程から捉える視点については、尾崎芳治『経済学と歴史変革』青木書店、一九九〇年、参照。

（4）アダム・スミスの地域論については、岡田知弘、前掲書、一五頁以下、参照。

（5）オーエンについては、宮本憲一『都市政策の思想と現実』有斐閣、一九九九年、八四頁以下、参照。

（6）マルクスの地域論と物質代謝論については、岡田知弘、前掲書、一七頁以下、参照。

（7）D・ハーヴェイ、水岡不二雄監訳『都市の資本論―都市空間形成の歴史と理論―』青木書店、一九九一年、三〇頁。

（8）同前書、日本語版への序文、参照。

（9）マルクスは、資本論の草稿である「経済学批判要綱」（一八五七～五八年）の中で、「資本は一方では、交易すなわち交換のあらゆる場所的制限を取り払って、地球全体を自己の市場として獲得しようと努めないではおられず、他方では、時間によって空間を絶滅しようと、すなわちある場所から他の場所への移動に要する時間を最小限に引き下げようと努める」と述べています（『マルクス資本論草稿集』大月書店、一九九三年、二一六頁）。

（10）中村吉明・渋谷稔『空洞化現象とは何か』通商産業研究所、一九九四年。

（11）宮本憲一『現代の都市と農村―地域経済の再生を求めて―』日本放送出版協会、一九八二年、二四二頁以下、参照。

（12）岡田知弘『公共サービスの産業化と地方自治―「Society 5.0」戦略下の自治体・地域経済―』自治体研究社、二〇一九年を参照。

# 第2章　経済のグローバル化と地域の変貌

## 1　地域づくりの正しい処方箋を書くために

### 地域づくりの処方箋

前章で述べたように、「地域づくり」という言葉が社会的に広がりはじめ、各地で実践されはじめたのは、第二次石油ショック後の一九八〇年代初頭からのことです。それ以後、政府も「地域づくり」や「地域活性化」を政策的に推し進めていきます。逆にいえば、それだけ地域経済の後退や地域社会の荒廃が進行していたといえるでしょう。二〇一四年五月には、日本創成会議（増田寛也座長）が「増田レポート」を発表し、人口シミュレーションを元に二〇四〇年には自治体の半数が消滅するとみられるので、それに備えた国家戦略が必要だとしました。同年九月には、この増田レポートを大前提に、第二次安倍政権は「地方創生」政策を開始します。そのような政策を打ち出さなければならないほど地方の地域社会の持続可能性が危機的局面に入ったといえます。

ここで問題なのは、右のような地域経済の後退や地域社会の荒廃、そして人口減少の原因がどこにあるかが、科学的に把握されているかどうかです。医師が患者をきちんと診察し、病気の原因をつきとめないまま、処方箋を書くことは、誰がみても危険です。ところが、それと同じことが、国や地方自治体の地域開発政策や地域づくり政策においては、よく見受けられるのです。正しい処方箋を書くことの重要性を確認するために、ここでは経済財政諮問会議や地方創生に関わる政策文書を、事例として取り上げてみることにします。

## 経済財政諮問会議「骨太の方針　二〇〇一」の地域活性化論

まず、「構造改革」を前面に出して誕生した小泉純一郎内閣の「骨太の方針　二〇〇一」における「地域活性化」に関する記述を見てみたいと思います。いわゆる「骨太の方針」とは、二〇〇一年六月に経済財政諮問会議がまとめた「今後の経済財政運営及び経済社会の構造改革に関する基本方針」を指しています。

同方針の地域政策面での最大の特徴は、「都市再生」に重点を据えていることにあります。橋本龍太郎首相時代に自民党が策定した「橋本行革ビジョン」（一九九六年）以来、同党と経団連の国家戦略はほぼ同じ政策認識に立ってきました。それは、グローバル競争の時代における「企業に選んでもらえる国づくり・地域づくり」の一環として、大都市における多国籍企業の立地条件の整備のために、限りある財政資源を集中しようというものであり、そのために過疎地域の小規模自治体ほど手厚かった地方交付税交付金の削減が明記されました。

同時に、「地方」については、「国への過度の依存」が問題であるとし、その「自立」を図るべきだとしました。すなわち、問題の解決方向は、「均衡ある発展」から「地域間の競争による活性化」に移すべきであり、「自らの判断と財源による魅力ある地域づくり」が必要であるとしたのです。そして、そのような行財政基盤をつくるものとして、市町村合併による広域的な人口大規模自治体の形成が位置づけられたわけです。

さらに、同方針では、「『個性ある地方』の自立した発展と活性化を促進することが重要な課題である。このためすみやかな市町村の再編を促進する」（傍点・岡田）と述べ、市町村合併を地域活性化の手段として明確に位置づけました。この文章を素直に読むと、地域が活性化しないのは、地方の国への過度の依存、すなわち現行の地方行財政制度にあり、これを再編しないと地域は自立的に発展できないという論理になります。単純化していえば、地域の衰退の原因は、従来からの地方行財政制度にあるという見立てです。

実は、これと同じ見方は、一九九一年七月の臨時行政改革推進審議会（第三次行革審）の第一次答申に、すでに登場していました。そこでは、バブル期に拡大した地域間格差を解消し、地域の活性化を図るために、「広域的な行政需要に対応し得る自立的な地方行政体制の確立」が必要であるとし、基礎自治体の合併を勧告したのでした。そこでの「見立て」は、以下のようなものでした。「豊かであると言われながら、その基本となる個人のくらしに不満、不安、不公平を感じるのは、これまでの社会や行政の仕組みの弊害が効用より大きくなってきたからである」。つまり「社会や行政の仕組み」が「制度疲労」をおこし、「弊害が効用より大きくなってきたから」という論理です。では、そのようになった原因は何かということになると、この答申では一切語っていません[1]。これは、前述の二〇〇一年の「骨太の方針」も同様です。これでは、科学的な診断とは、とてもいうことができません。「市町村合併」という処方箋が最初から結論としてあって、診断をそれに合わせて行ったものといわれても仕方のない文章ではないでしょうか。

## 地方創生長期ビジョン・増田レポートでの現状認識

次に、安倍内閣が、二〇一四年一二月に閣議決定した地方創生政策に関わる基本文書「まち・ひと・しごと創生長期ビジョン」をみてみましょう。ここでは、まず二〇〇八年以来、日本が「人口減少時代」に突入したと宣言したうえで、その原因について、次のように説明しています。「我が国の合計特殊出生率（以下「出生率」という。）は一九七〇年代後半以降急速に低下し、人口規模が長期的に維持される水準（「人口置換水準」）。現在は二・〇七）を下回る状態が、今日まで約四〇年間続いている。ところが、少子化がこのように進行しながらも、日本の総人口は長らく増加を続けてきた。これは、出生率の低下によるマイナスを埋めて余りある要因があったからである。その一つは、戦後の第一次及び第二次ベビーブーム世代という大きな人口の塊があったために、出生率が下がっても出生数が大きく低下しなかったことであり、他の一つは、平均寿命が伸び、死亡数の増加が抑制されたことである。この『人口貯金』とも呼ばれる状況が、時代が推移する中でついに使い果されたことが明らかになったのが二〇〇八年であった。これを境に日本の総人口は減少局面に入った」[2]。これは、日本全体の人口動態、出生数、死亡数、合計特殊出生率というデータを並べて、その動きを追跡しただけの記述です。つまり、「なぜ、二〇〇八年から人口減少局面に入ったか」という原因分析がなされていない点に大きな問題があります。

政策文書は、論文とは違うので、そこまで書いていないのではないかと思う人もいるでしょう。そこで、この文書の元になり、今も、「自治体戦略二〇四〇構想」はじめ、安倍政権の政策の基調に据えられている増田レポートの人口分析がどうなっているかを、次に紹介したいと思います。実は、同レポートでも、人口減少がなぜ起きたかという問題をめぐってまともな分析はなされていません。たとえば、「人口減少は、出生数減少という『少子化』によってもたらされている」といった表現や、人口の自然増減（出生数と死亡数の差）や社会増減（転入数と転出数の差）の組み合わせによって決まるという表現に終始します。自治体ごとに、二〇〜三〇歳代女性の人口動態を過去のトレンドをもとに二〇四〇年までに延長して、一見「科学的」にみえるシミュレーション計算しただけの話なのです。そのシミュレーションの仕方にも、いくつもの問題があるのですが、これについては他の著書で詳しく書いていますので、それを参照していただきたいと思います。[3]

さて、増田レポートでは、人口減少の要因が「少子化」にあるとされていますが、では、その「少子化」はなぜ生み出されたと考えているのでしょうか。そういう関心をもって読んでいくと次のような文章に行き当たります。「多くの男女は結婚し、子どもをもつことを希望しているが、社会経済的理由でかなわず、結果として、晩婚化や未婚化がすすんでいるのだ」。では、その「社会経済的理由」とは、なんでしょうか。これこそ、病気でいえば病原にあたるもので、これを確定しないと処方箋は書けません。驚くべきことに、増田レポートの分析には、その具体的内容が書かれていないのです。となると、効果的な政策にはならないのは、あたりまえです。

実際、地方創生の第一期計画の進捗状況を検討した〈第二期「まち・ひと・しごと創生総合戦略」策定に関する有識者会議〉（増田寛也座長）の「中間とりまとめ報告書」（二〇一九年五月二三日）では、「東京一極集中に歯止めがかかるような状況とはなっていない」と認めざるをえませんでした。東京への人口転入数がむしろ増加したのです。また、もうひとつの政策目標であった合計特殊出生率の向上についても、二〇一八年は一・四二となり、三年連続減少を記録したのです（二〇一九年六月八日新聞各紙報道）。しかし、この「中間とりまとめ報告書」でも、なぜ、そうなったのかという分析がみあたらないのです。

現状の調査に基づく本質的な分析なしに、有効な政策も、地域づくり運動の方針も立てられません。では、いったい私たちの住む日本列島は、今どのような状況におかれているのでしょうか。以下では、地域産業の衰退、人口減少の要因を、客観的なデータに基づきながら検討することにしましょう。

## 2　現代日本の歴史的位置

### 人口減少地域の広がり

まず、私たちが、今、どのような歴史的位置に立っているかを確認することから始めたいと思います。一九二〇年に開始された国勢調査をもとに、過去九五年間の人口減少県数の推移を表2－1でみると、一九八〇年代後半以降、日本の人口流動構造が大きく転換していることがわかります。すなわち、この百年近くの歴史のなかで、対前回調査比で人口減少県数が増大したのは、一九三五～四〇年の戦時下での生産力拡充期、一九五五～七〇年の高度経済成長期、一九八五年からの経済のグローバル期の三つの時期だけです。三番目の時期のうち、一九八五年から九〇年まではバブル景気の時代でした。いずれも、大都市圏を中心にした景気拡大期であり、労働力不足のために地方から大量の人口が大都市圏に流入した時期です。とりわけ、高度経済成長期は、中学・高校を卒業した地方の若年層が大量に三大都市圏に流入し、「過疎・過密」という言葉が生まれた時代でもありました。

逆に、二度の石油ショックに襲われた一九七〇年代後半のような景気後退期においては、大都市部における労働力吸引力が低下するため、人口減少県数は大きく減ることになります。九〇年までの時期は、このような景気変動に合わせて人口流動の循環構造が存在していたといえます。

ところが、このような人口移動パターンは、バブルが崩壊した九一年以降、崩れてしまいます。不況期であるにも拘わらず人口減少県数が減らず、むしろ増大していくのです。つまり、資本蓄積のグローバル化にともない、景気変動と同調した形の循環型の人口流動パターンが崩れ、八五年以降列島周縁部の諸県から人口が減り続け、二〇一〇～一五年には大阪府を含め三九道府県に広がったうえ、日本全体の人口増加率も五年刻みの国勢調査で初めてマイナスを記録するという、大きな構造転換を示したのです。近年、人口が増えているのは、首都圏などに限られています。

さらに、二〇〇〇年から一五年にかけての市町村別人口動態を、**表2－2**でみると、人口減少自治体比率は、二〇〇〇～〇五年の七二・三％から、一〇～一五年の八二・四％へと急速に高まっていることがわかります。とりわけ町村部を中心に、一〇％以上の減少を記録する自治体の比率が増える傾向にあります。同一県内でも県庁所在地や人口第一位都市への人口集中が進む一方で、周辺や縁辺部にあたる郡部の町村や小都市では人口が減少するという、同一県内における「一極集中」現象も見られます。

**表2－1　人口減少県数の推移**

（単位：％）

| 比較調査年 | 人口増加率 | 減少県数 |
|---|---|---|
| 1920～25年 | 6.6 | 2 |
| 1925～30 | 7.7 | 0 |
| 1930～35 | 7.3 | 3 |
| 1935～40 | 3.8 | 22 |
| 1940～47 | 5.9 | 3 |
| 1947～50 | 10.7 | 1 |
| 1950～55 | 7.1 | 7 |
| 1955～60 | 4.6 | 26 |
| 1960～65 | 5.1 | 25 |
| 1965～70 | 5.4 | 20 |
| 1970～75 | 6.8 | 5 |
| 1975～80 | 4.5 | 0 |
| 1980～85 | 3.4 | 1 |
| 1985～90 | 2.1 | 18 |
| 1990～95 | 1.6 | 13 |
| 1995～2000 | 1.1 | 24 |
| 2000～05 | 0.7 | 32 |
| 2005～10 | 0.2 | 38 |
| 2010～15 | -0.7 | 39 |

資料：総務庁統計局監修『国勢調査集大成　人口統計総覧』東洋経済新報社、1985年。総務省統計局ホームページ。

## 高齢化の進行と年金世帯の増加

　さらに、高齢化も著しく進展しました。高齢化率（全人口に占める六五歳以上の人口比率）は、国勢調査によると、一九九〇年では一二・一％でしたが、二〇〇〇年には一七・四％に、さらに二〇一〇年には二三・〇％となり、一五年には二六・六％へと累増し、いまや先進国中最高の比率になっています。さらに、都道府県別にみると、大きな差異があります。最も高齢化率が高いのは秋田県で、三三・八％に達しており、これに高知県の三二・八％、島根県の三二・五％が続きます。逆に、最も低いのは沖縄県の一九・六％であり、これに東京都の二二・七％、愛知県の二三・八％が続いています。

　東京都をはじめとする大都市圏では、高度経済成長期に地方から集団就職等で流入した団塊の世代が一気に後期高齢者として増加することが予想されており、高齢化は、農村部や大都市を問わない問題として登場してきています。他方で、家計だけでなく、地域経済に占める年金の比重も高まってきています。厚生労働省の「平成三〇年　国民

広がり

| 市町村数の割合（%） | | | | |
|---|---|---|---|---|
| 2000～05 年* | 2005～10 年 | 2010～15 年 | | |
| | | 総数 | 市 | 町村 |
| 100.0 | 100.0 | 100.0 | 100.0 | 100.0 |
| 27.6 | 23.6 | 17.6 | 24.5 | 11.7 |
| 0.1 | 0.1 | 0.1 | 0.0 | 0.1 |
| 0.9 | 1.0 | 0.6 | 0.4 | 0.8 |
| 4.3 | 4.1 | 1.8 | 1.9 | 1.7 |
| 8.2 | 6.2 | 4.7 | 5.9 | 3.6 |
| 14.2 | 12.3 | 10.5 | 16.3 | 5.6 |
| 72.3 | 76.4 | 82.4 | 75.5 | 88.3 |
| 18.5 | 16.2 | 15.1 | 22.9 | 8.5 |
| 24.3 | 19.2 | 19.1 | 23.6 | 15.2 |
| 24.9 | 32.4 | 35.0 | 26.3 | 42.3 |
| 4.3 | 8.4 | 12.3 | 2.7 | 20.6 |
| 0.2 | 0.2 | 0.9 | 0.0 | 1.6 |

含まれている。
成。

表2-2　人口減少自治体の

| 人口増減率階級 | 市町村数 | | | | |
|---|---|---|---|---|---|
| | ＊<br>2000～05年 | 2005～10年 | 2010～15年 | | |
| | | | 総数 | 市 | 町村 |
| 総数 | 2,217 | 1,728 | 1,719 | 791 | 928 |
| 人口増加 | 613 | 407 | 303 | 194 | 109 |
| 20.0% 以上 | 3 | 1 | 1 | 0 | 1 |
| 10.0%～20.0% 未満 | 19 | 17 | 10 | 3 | 7 |
| 5.0%～10.0% | 95 | 70 | 31 | 15 | 16 |
| 2.5%～5.0% | 181 | 107 | 80 | 47 | 33 |
| 0.0%～2.5% | 315 | 212 | 181 | 129 | 52 |
| 人口減少 | 1,603 | 1,321 | 1,416 | 597 | 819 |
| 0.0%～2.5% 未満 | 411 | 280 | 260 | 181 | 79 |
| 2.5%～5.0% | 539 | 331 | 328 | 187 | 141 |
| 5.0%～10.0% | 553 | 560 | 601 | 208 | 393 |
| 10.0%～20.0% | 96 | 146 | 212 | 21 | 191 |
| 20.0% 以上 | 4 | 4 | 15 | 0 | 15 |

注：＊　東京都特別区部は1市として計算。また、東京都三宅村は総数にのみ
資料：総務省統計局「平成27年国勢調査人口速報集計結果」（2016年）から作

生活基礎調査」によると、二〇一八年六月時点での「高齢者世帯」は、全世帯の二七・六％にあたる一四〇六・三万世帯と推定されます。このうち、約半分にあたる四八・六％が一人世帯です。また、公的年金・恩給を受給している高齢者世帯のなかで「公的年金・恩給の総所得に占める割合が一〇〇％の世帯」は過半の五一・一％に達しています。[4]農山村の集落に調査に入ると、ほぼ全世帯が年金世帯である場合も少なくありません。

このように生産活動に従事しない高齢者が増加することは、これまで通りの産業立地政策中心の地域振興のやり方では、高齢化地域の振興策がうまくいかないことを意味します。また、同時に、高齢者のもつ知識や技能、人的ネットワーク、さらに年金収入を生かした地域づくりの方策が重要性を帯びていることを示しています。

ともあれ、このような人口流動パターンの転換や人口減少、高齢化地域の拡大は、どうして生じたのかを解明しなければなりません。「少子・高齢化」を、経済成長にともなう「自然現象」、あるいは宿命だと考える人や政策文書が多く見受けられます。けれども、経済成長を成し遂げた「先進国」のなかで、なぜ日本だけが特段に「少子化」が進行しているのでしょうか。「自然現象」や「宿命」論では、その謎を解くことすら、思考停止によって放棄することになってしまいます。「人口減少」を、これまでの社会的要因の歴史的な蓄積のなかで発現している現象ととらえることが、必要ではないでしょうか。そこで次に、各地域の人口扶養力の土台をなす、地域産業及びその就業構造の変化に焦点を移すことにしましょう。

## 3　就業構造の転換

### 総就業者は一九九五年以降減少

まず、国勢調査に基づく日本の就業者数は、人口減少に先立ち、一九九五年から二〇〇〇年にかけて、初めて減少しました。就業者数には、会社や公共機関、NPO（非営利組織）に雇われて働いている人だけでなく、農家や個人商店・事業所の経営者や家族就業者、役員も入っています。この時点では、沖縄、滋賀、埼玉、愛知の四県を除く四三都道府県で就業者数を減らしていました。この数字のなかには、例えば、滋賀県や埼玉県に住みながら、大阪府や東京都に通勤している人も含まれています。

その後の就業者数の推移を全国合計で示したのが、表２－３です。二〇〇〇年から一五年にかけても、調査のたびに総就業者数は減少し、一五年の間になんと四一一万人も減っているのです。しかも、二〇〇五年から一五年までの一〇年間で、就業者数を増やしているのは沖縄県だけになっており、他の四六都道府県では東京都も含めて、就業者数が減ってしまいました。

## ものづくり産業の大幅後退とサービス経済化の急伸

第二に、二〇〇〇年から一五年にかけての変化を産業別に見ると、ここでも大きな特徴を見いだすことができます。二〇〇〇年時点で就業者数が最も多かった製造業が減少しただけでなく、第二位の卸売・小売業、第三位の建設業が、それぞれ二四四万人、二三九万人、二〇一万人の就業者を減らす一方で、サービス産業のなかでも医療・福祉が二七五万人、そして「分類不能の産業」が二四〇万人も増えているのです。農林漁業も、絶対数では小さいものの軒並み三九～三〇％の大幅な減少率を記録しました。

すなわち、農林漁業や製造業、建設業など、「ものづくり」＝生産機能が、この一五年の間に大幅に後退し、代わって医療・福祉を中心とする「サービス経済化」が大きく進行したといえます。製造業はグローバル化にともなう生産の海外移転や逆輸入による雇用減、建設業は三位一体の改革・市町村合併等による地域建設業の後退、卸売・小売業は大型店・コンビニエンスストアの増加と流通の「中抜き」やネット通販の拡大、個人消費の減少の影響であると考えられます。また、医療・福祉が増えているのは、高齢化にともなう医療・福祉需要の増大によるものです。

ここで注目したいのは、従来の産業区分である第一次産業、第二次産業、第三次産業では、いずれも減少している一方、それらに属さない「分類不能の産業」が激増していることです。資料の元になっている国勢調査は属人調査ですので、一人の回答者が多くの産業にまたがってダブル・ワーク、トリプル・ワークをしているケースや、農業をやりながら農産加工品を生産し、それをインターネットで直接販売しているケース等が増えていることによると考えられます。情報技術の進展のなかで、従来の産業区分のあり方も、見直しが迫られているといえます。

（単位：千人）

| 同左構成比 | 増減数 | 増減率 |
|---|---|---|
| 100.0% | -4,113 | -6.5% |
| 3.5% | -887 | -30.0% |
| 0.3% | -99 | -39.1% |
| 0.0% | -24 | -52.2% |
| 7.4% | -2,005 | -31.6% |
| 16.2% | -2,442 | -20.4% |
| 0.5% | -55 | -16.3% |
| 2.9% | 125 | 8.0% |
| 5.2% | -173 | -5.4% |
| 15.3% | -2,393 | -21.0% |
| 2.4% | -322 | -18.4% |
| 2.0% | 133 | 12.5% |
| 3.3% | -55 | -2.8% |
| 5.5% | -554 | -14.6% |
| 3.5% | -332 | -13.8% |
| 4.5% | 56 | 2.1% |
| 11.9% | 2,750 | 64.3% |
| 0.8% | -212 | -30.5% |
| 6.0% | 92 | 2.7% |
| 3.4% | -116 | -5.4% |
| 5.4% | 2,401 | 315.5% |
| 3.8% | -986 | -30.7% |
| 23.6% | -4,471 | -24.3% |
| 67.2% | -1,056 | -2.6% |

類に組み替えて集計している。
年及び05年では、産業大分類「サービス業
年及び15年は派遣先の産業に分類している

表2－3　日本の産業別就業人口の推移（2000～2015年）

| | 2000年1) | 2005年1) | 2010年 | 2015年 |
|---|---|---|---|---|
| 総　数 | 63,032 | 61,530 | 59,611 | 58,919 |
| A農業、林業 | 2,955 | 2,767 | 2,205 | 2,068 |
| B漁業 | 253 | 214 | 177 | 154 |
| C鉱業、採石業、砂利採取業 | 46 | 31 | 22 | 22 |
| D建設業 | 6,346 | 5,441 | 4,475 | 4,341 |
| E製造業 | 11,999 | 10,486 | 9,626 | 9,557 |
| F電気・ガス・熱供給・水道業 | 338 | 295 | 284 | 283 |
| G情報通信業 | 1,555 | 1,613 | 1,627 | 1,680 |
| H運輸業、郵便業 | 3,218 | 3,171 | 3,219 | 3,045 |
| I卸売業、小売業 | 11,394 | 10,760 | 9,804 | 9,001 |
| J金融業、保険業 | 1,751 | 1,514 | 1,513 | 1,429 |
| K不動産業、物品賃貸業 | 1,065 | 1,118 | 1,114 | 1,198 |
| L学術研究、専門・技術サービス業 | 1,974 | 1,910 | 1,902 | 1,919 |
| M宿泊業、飲食サービス業 | 3,803 | 3,664 | 3,423 | 3,249 |
| N生活関連サービス業、娯楽業 | 2,404 | 2,330 | 2,199 | 2,072 |
| O教育、学習支援業 | 2,606 | 2,675 | 2,635 | 2,662 |
| P医療、福祉 | 4,274 | 5,332 | 6,128 | 7,024 |
| Q複合サービス事業 | 695 | 668 | 377 | 483 |
| Rサービス業（他に分類されないもの）2) | 3,452 | 4,289 | 3,405 | 3,544 |
| S公務（他に分類されるものを除く） | 2,142 | 2,085 | 2,016 | 2,026 |
| T分類不能の産業 | 761 | 1,168 | 3,460 | 3,162 |
| 第1次産業 | 3,208 | 2,981 | 2,381 | 2,222 |
| 第2次産業 | 18,392 | 15,957 | 14,123 | 13,921 |
| 第3次産業 | 40,671 | 41,425 | 39,646 | 39,615 |

注：1）調査年ごとに、産業分類の改定を行っており、過去の調査年の産業分類は改定後の産業分
2）「労働者派遣事業所の派遣社員」（2010年は153万1千人、15年は154万4千人）は、2000
（他に分類されないもの）」のうち産業小分類「労働者派遣業」に分類されていたが2010
ことから、時系列比較には注意を要する。

資料：総務省統計局「平成27年国勢調査　就業状態等基本集計結果　結果の概要」2017年4月。

## 事業所数・経営体数も減少

ところで、地域のなかで、住民が働いたり、雇われたりするのは、会社や協同組合、公共団体の事業所や農家・農業法人です。それらの事業所や経営体がどうなっているのかを、二〇年の期間をとって、見てみましょう。どの地域においても地域経済のなかで最大部分を占める民営事業所数と同従業者数の動向を統計で確認してみます。総務省（二〇〇一年までは総務庁）の『事業所・企業統計調査』によると、事業所数は一九九六年の六五二万事業所から二〇〇六年の五八七万事業所へと全体で六五万事業所が減少、従業者数も五七五八万人から五六七八万人へと八〇万人の減少をみました。この間、大きく従業者を減らした産業は製造業、卸売・小売業、建設業であり、逆に最も増えたのは医療・福祉業でした。その後、同種の調査は「経済センサス」に継承されますが、調査方法を変えたためデータの連続性はありません。それを前提に、二〇一六年「経済センサス」をみると五五八万事業所で、従業者数は五六八七万人となっています。二〇一二年から一六年の間に絞り込むと、従業者数九人以下で事業所数、従業者数とも減少する一方、従業者数一〇人以上の事業所で増加する形で、二極化が進行していることがわかります。

農家数も、大きく減少しました。農林水産省の「農林業センサス」によれば、販売農家は一九八五年に三三一万戸存在していましたが、九五年には二六五万戸、そして二〇一〇年には一六三万戸まで減少し、ほぼ半減しました。同センサスでは、政府の法人育成政策に基づいて、二〇〇五年調査から、農家と法人組織等を合わせた「農業経営体」を新たに調査するようになりますが、この農業経営体数も、二〇〇五年の二〇一万体から、一五年には一三八万体へと一〇年間で三割も減少しているのです。

さらに市町村の数も、「平成の大合併」によって一九九九年の三二二九から二〇一四年四月には一七一八となりました。小泉純一郎内閣期の「三位一体の改革」による地方交付税の削減によって、地方公務員数も激減しました。一九九九年から二〇一七年の間に市町村職員数は全体として二割近く減少しましたが、これに合わせて都道府県職員数も二七％超削減されたのです。

いずれにせよ、農林水産業や製造業、地域商業は、地方の地域経済では基盤産業であり、その後退は就業機会の縮小を通して、人口扶養力も萎縮させることに帰結したのです。また地方自治体の広域化と職員削減も、地域住民サービスの後退によって、住民の定住条件の悪化を意味しました。

## 不安定就業の増大と低所得者の増大

第三に、雇用構造の変化があります。表２－４で、一九九七年から二〇一七年にかけての「就業構造基本調査」を比較すると、役員を除く雇用者総数は、男女計で四六九万人の増加を記録していますが、その内訳をみると正規職員・従業員が四〇三万人減少する一方で、パート、アルバイト、派遣社員、契約社員、嘱託等の非正規雇用は実に八七四万人も増加していることがわかります。結果として、非正規雇用の比率は、一九九七年の二四・六％から二〇一七年の三八・二％まで、調査の度に上がっていきました。一九九六年の「橋本行革」以来、本格的に進められてきた雇用流動化政

表２－４　雇用者数の雇用形態別動向

（単位：千人）

| 男女計 | 役員除く雇用者 | 正規職員・従業員 | 非正規職員・従業員 | 非正規比率 |
|---|---|---|---|---|
| 1992年 | 48,605 | 38,062 | 10,532 | 21.7% |
| 1997年 | 51,147 | 38,542 | 12,590 | 24.6% |
| 2002年 | 50,838 | 34,557 | 16,206 | 31.9% |
| 2007年 | 53,263 | 34,324 | 18,899 | 35.5% |
| 2012年 | 53,538 | 33,110 | 20,427 | 38.2% |
| 2017年 | 55,839 | 34,514 | 21,326 | 38.2% |
| 増減数 | 4,692 | -4,028 | 8,736 | |
| 男 | 役員除く雇用者 | 正規職員・従業員 | 非正規職員・従業員 | 非正規比率 |
| 1992年 | 28,971 | 26,100 | 2,862 | 9.9% |
| 1997年 | 30,157 | 26,787 | 3,359 | 11.1% |
| 2002年 | 29,245 | 24,412 | 5,949 | 20.3% |
| 2007年 | 29,735 | 23,799 | 5,911 | 19.9% |
| 2012年 | 29,292 | 22,809 | 6,483 | 22.1% |
| 2017年 | 29,980 | 23,302 | 6,678 | 22.3% |
| 増減数 | -177 | -3,485 | 3,319 | |
| 女 | 役員除く雇用者 | 正規職員・従業員 | 非正規職員・従業員 | 非正規比率 |
| 1992年 | 19,634 | 11,962 | 7,670 | 39.1% |
| 1997年 | 20,990 | 11,755 | 9,231 | 44.0% |
| 2002年 | 21,593 | 10,145 | 10,257 | 47.5% |
| 2007年 | 23,528 | 10,526 | 12,988 | 55.2% |
| 2012年 | 24,246 | 10,301 | 13,945 | 57.5% |
| 2017年 | 25,859 | 11,211 | 14,648 | 56.6% |
| 増減数 | 4,869 | -544 | 5,417 | |

注：増減数は、1997年と2017年の比較である。
　　非正規比率＝非正規職員・従業員／役員除く雇用者×100%
資料：総務省「就業構造基本調査」各年版による。

策の結果、不安定就業の拡大が進行したのです。

男女別に分けてみると、大きな違いが生じています。男性の場合、正規職員・従業員は、三四九万人も減少しましたが、非正規雇用は三三二万人の増加に留まり、結局、雇用者総数が一八万人減少することになりました。他方、女性の場合、正規職員・従業員数の減少は五四万人と比較的少ないものの、非正規雇用者は五四二万人も増加し、女性の雇用者総数は男女計の雇用者総数の増加数四六九万人を上回る四八七万人を記録しました。つまり、この二〇年間の雇用者数の増加のほとんどが、女性の非正規雇用であったということがわかります。しかも、その結果、女性の非正規雇用比率は、二〇一七年に五六・六％に達し、男性の二二・三％をはるかに上回ったのです。

なお、都道府県別にみると、役員を除く雇用者に占める非正規雇用比率が四〇％を超えたのは、二〇〇七年時点では沖縄と京都の二府県だけでしたが、一七年には一〇府県に増加しています。

問題は、非正規雇用の増大だけでなく、正規雇用であっても低所得者が増えているところにあります。二〇一〇年代半ば以降、全国各地で最低生活費調査が行われました。それによると、二〇歳代の独身男性が「ふつうの生活」をするには、最低賃金一五〇〇円（時給）にほぼ相当する年収三〇〇万円がなければいけないことがわかりました。その三〇〇万円未満の年収をえている就業者の数は、「就業構造基本調査」で知ることができます。後藤道夫は、物価上昇分も調整した推計を行い、年収三〇〇万円未満層の比率が、一九九七年の一九％から、二〇一七年には二三％に高まったとしています。(5)

## 少子化傾向を生み出す基礎要因

さて、ここで、最初に問題提起した少子化傾向を生み出した要因について、検討してみたいと思います。一般に、先進国になり、高学歴化すると、非婚化傾向が高まるとされています。しかし、それ以上に、結婚適齢期の青年たちが、結婚し、子どもを産み、育てるだけの社会経済的条件にあるかという問題があります。「少子化対策」の決め手として、保育所の整備や保育士の確保問題が、クローズアップされています。もちろん、この問題も重要ですが、そもそも結婚や子どもを望んでも、その条件が整わない青年たちがこの間、政策的に増加している点を忘れてはなりません。

日本の人口減少は、二〇〇八年頃から顕在化していますが、二〇〇〇年代に小泉構造改革の結果、派遣労働者の適用範囲の拡大が行われたことが重要です。**表2-5**は、総務省が二〇一〇年度に実施した調査結果です。年収別、雇用形態別既婚率を、二〇～三〇歳代で比較しています。全体の既婚率は、女性よりも男性の方が低く、三〇歳代男性でも二三・三%に留まっています。女性については、既婚者の無収入・非正規雇用就業が比較的多いため、男性とはやや異なった傾向にありますが、基本的に年収が多いほど既婚率が高いといえます。しかし、決定的な問題は、男性の三〇〇万円未満年収層の既婚率が一ケタである点です。これは、非正規雇用の既婚率が三〇歳代でも五%台

| 女性（参考） | | |
|---|---|---|
| 全年齢層 | 35～39歳 | 40～44歳 |
| 64.6% | 71.5% | 76.8% |
| 56.3% | 86.6% | 85.4% |
| 77.0% | 90.0% | 92.7% |
| 69.7% | 71.5% | 78.2% |
| 50.5% | 50.5% | 58.0% |
| 47.5% | 45.4% | 52.6% |
| 44.2% | 45.4% | 45.4% |
| 48.5% | 57.9% | 46.8% |
| 54.6% | 63.5% | 54.3% |
| 54.4% | 48.8% | 50.0% |

に留まっていることと対応しています。また、男女とも学歴が高いほど既婚率が高いという傾向もみて取れます。低所得の不安定就業状態は、長時間労働を強制し、「ブラック企業」の下で肉体的精神的な不健康状態をつくりだします。つまり、若年層の就業機会の安定化と所得向上なしには、子どもをつくる大前提となる結婚が、そもそも不可能なのです。

表２－５　年収別・雇用形態別既婚率

（単位：％）

| | 男性 | | 女性 | |
|---|---|---|---|---|
| | 20代 | 30代 | 20代 | 30代 |
| 合計平均 | 18.9 | 23.3 | 24.4 | 30.0 |
| 300万円未満 | 8.7 | 9.3 | 25.7 | 35.7 |
| 300～400万円未満 | 25.7 | 26.5 | 16.2 | 17.1 |
| 400～500万円未満 | 36.5 | 29.4 | 22.7 | 20.0 |
| 500～600万円未満 | 39.2 | 35.3 | 32.9 | 23.0 |
| 600万円以上 | 29.7 | 37.6 | 34.0 | 16.3 |
| 正規雇用 | 25.5 | 29.3 | 8.8 | 15.5 |
| 非正規雇用 | 4.1 | 5.6 | 16.9 | 18.1 |
| 中学校・高等学校 | 20.1 | 16.7 | 26.5 | 25.3 |
| 専門学校、短大等 | 19.7 | 16.9 | 26.2 | 28.2 |
| 大学・大学院 | 16.8 | 27.1 | 20.1 | 32.1 |

出所：内閣府「平成22年度結婚・家族形成に関する調査報告書」。

表２－６　所得階層別年齢別既婚率（2017年）

| | 男性 | | | | | |
|---|---|---|---|---|---|---|
| | 全年齢層 | 20～24歳 | 25～29歳 | 30～34歳 | 35～39歳 | 40～44歳 |
| 総数 | 48.3% | 1.5% | 10.5% | 19.6% | 26.6% | 27.4% |
| 50万円未満 | 28.7% | 0.3% | 7.5% | 9.4% | 19.2% | 12.4% |
| 50～99万円 | 38.2% | 1.1% | 3.1% | 9.2% | 19.6% | 22.6% |
| 100～149万円 | 48.6% | 0.5% | 5.5% | 12.3% | 12.4% | 16.9% |
| 150～199万円 | 47.7% | 2.8% | 6.5% | 9.3% | 14.9% | 19.7% |
| 200～249万円 | 49.9% | 6.8% | 11.3% | 20.1% | 24.0% | 23.4% |
| 250～299万円 | 54.3% | 3.3% | 19.7% | 23.6% | 34.8% | 27.4% |
| 300～399万円 | 60.0% | 2.6% | 19.4% | 32.7% | 38.2% | 35.0% |
| 400～499万円 | 69.5% | 8.8% | 27.6% | 37.8% | 40.5% | 44.0% |
| 500万円以上 | 81.0% | 0.0% | 41.7% | 49.0% | 75.4% | 81.6% |

資料：総務省「就業構造基本調査」2017年版から作成。

さらに、表2－6は、二〇一七年の「就業構造基本調査」結果に基づいて、年齢層別所得階層別の男性既婚率を見たものです。とくに二五〇万円未満の所得階層では、四〇歳代前半の男性を含めて、四分の三以上の人々が未婚であることが明確になっています。この低水準は男性の全年齢層平均や女性の既婚率と比較すれば明白です。本気で「少子化」問題を解決するためには、この青年層の非正規雇用問題と低賃金問題の解決が必要不可欠だといえます。

にもかかわらず、第二次安倍政権は二〇一五年に、労働者派遣法の改悪を行い、さらなる派遣労働の拡大に道を開きました。さらに、「働き方改革」によって残業時間を規制する一方、シェアビジネスの市場拡大を図るための副業の解禁も行いました。これでは、新たなワーキングプアを拡大し、少子化傾向を加速するだけだといえます。

本章では、経済のグローバル化にともなう地域経済や地域社会の変貌について、政策文書での分析の甘さ、あるいは欠如を批判する形で、主として地域産業や就業構造の側面から見てきました。次章では、このような地域の荒廃ともいえる事態が、どのようにして生み出されたかについて、より詳しく見ていきたいと思います。

**注**

（1）　同答申については、岡田知弘「行革審答申で地域は本当に『豊か』になるのか」『賃金と社会保障』第一〇六四号、一九九一年八月、参照。

（２）首相官邸のホームページ https://www.kantei.go.jp/jp/singi/sousei/info/#an6、参照。
（３）増田レポートについては、増田寛也編『地方消滅―東京一極集中が招く人口急減―』中公新書、二〇一四年、岡田知弘『「自治体消滅」論を超えて』自治体研究社、二〇一四年、参照。
（４）厚生労働省ホームページによる https://www.mhlw.go.jp/toukei/saikin/hw/k-tyosa/k-tyosa18/index.html。
（５）後藤道夫・中澤秀一他『最低賃金一五〇〇円がつくる仕事と暮らし―「雇用崩壊」を乗り超える―』大月書店、二〇一八年、参照。

# 第3章　地域社会の持続可能性の危機

## 1　何が地域経済を衰退させているのか―「二重の国際化」の進行―

### 企業の海外シフトと資本蓄積の国際化

前章でみた地域産業の後退、就業機会の縮小・不安定化を生み出した最大の要因として、一九八〇年代後半以降急速に進行した「二重の国際化」を指摘することができます。第一に、海外直接投資の急増に象徴される資本蓄積の国際化、そしてグローバル化です。日本の製造業の海外直接投資は、一九八五年から急速に増大し、海外への生産シフトが進みました。一九八五年度時点ではわずか二・九％に過ぎなかった製造業の海外生産比率は、**図3‐1**のように一九九五年度には八・三％、二〇一〇年度には一八・一％と増加し、二〇一七年度には二五・四％に達しました。

とりわけ、八〇年代前半の輸出産業であり、日本経済のリーディング産業であった、自動車を中心とする輸送機械産業と電気機械産業の海外シフトは著しく、二〇〇三年度の海外生産比率は前者

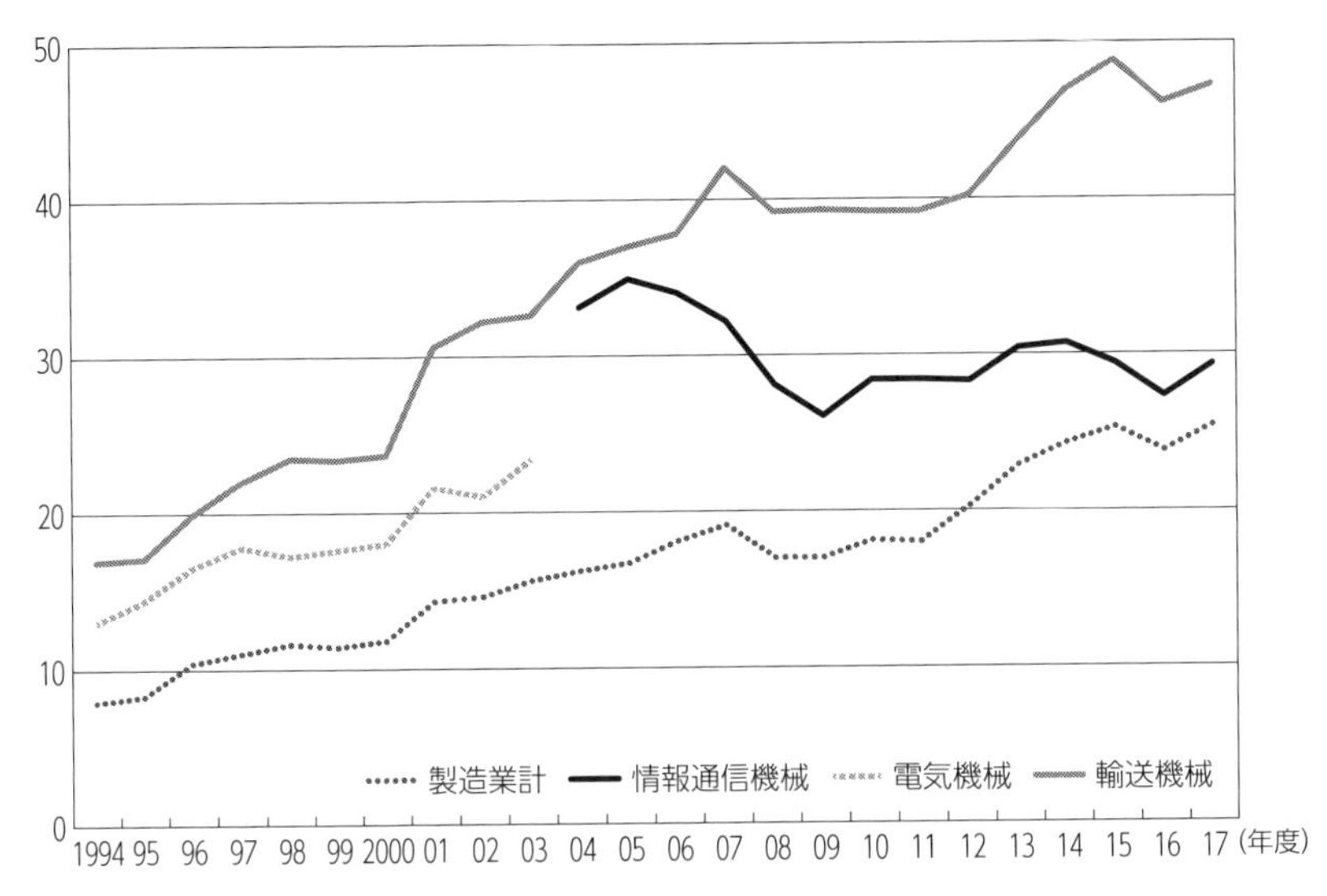


**図３－１　国内製造業の海外生産比率の推移**

注：海外生産比率＝現地法人売上高／（現地法人売上高＋国内法人売上高）
資料：経済産業省「海外事業活動基本調査」各年版。

で三二・六％、後者で二三・四％となりました。このような海外への生産シフトは、一方で国内農村部に展開していた分工場やその下請け工場の閉鎖、リストラ、廃業を促進するとともに、新規の国内工場立地件数を大幅に減少させることになりました。

このような海外への工場移転と海外生産比率の高まりは、輸送機械で最も顕著であり、二〇一七年度には四七・二％に達しています。他方で、非製造業を含む資本蓄積のグローバル化は、投資収益の大都市集中を引き起こしました。**図３－２**によれば、データが唯一わかる二〇〇〇年時点において、投資収益と貿易収益を合計した海外売上高の七割が東京都に集中し、これに大阪府と愛知県を加えると実に九割が大都市に集中していたことがわかります。これは、海外

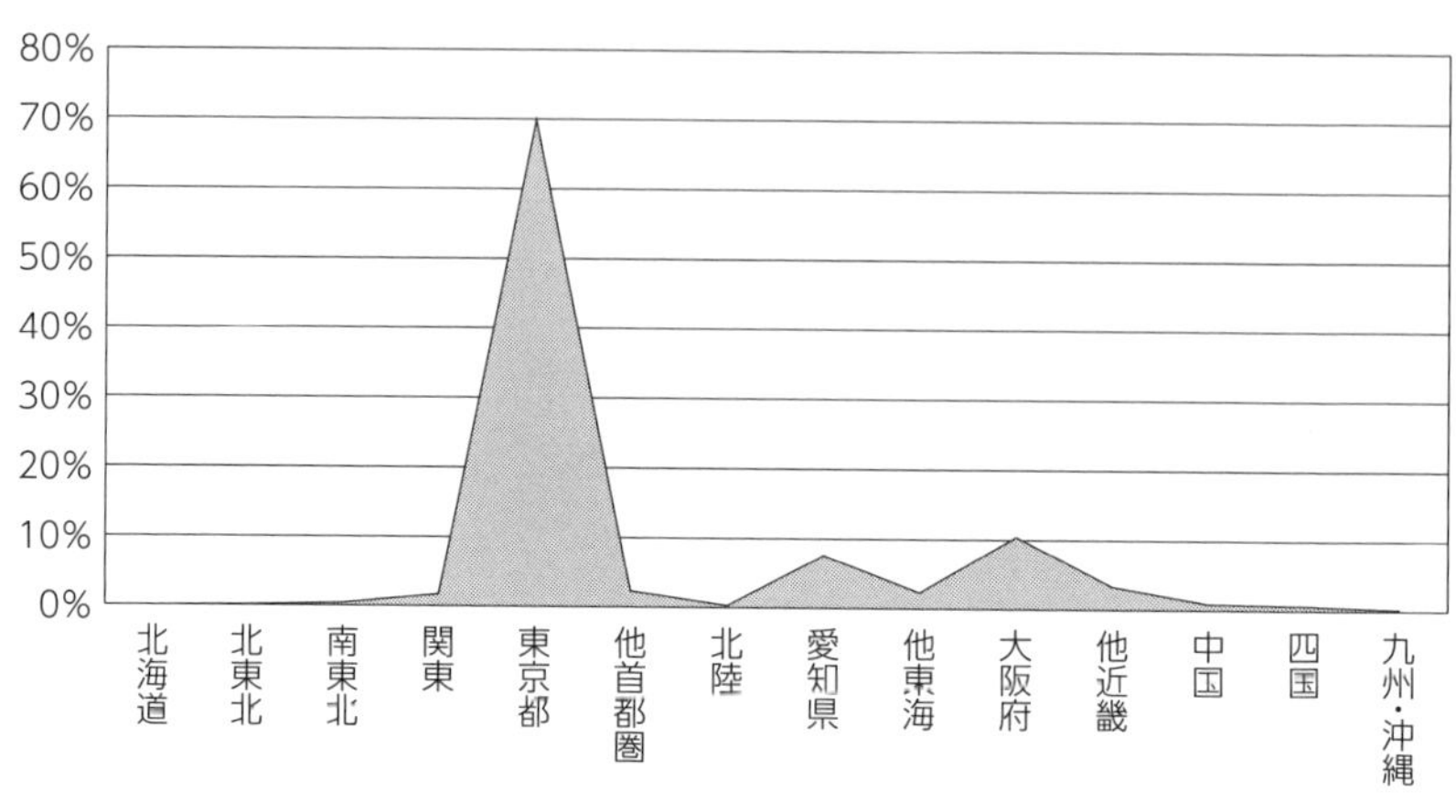


**図3－2　海外売上高の地域的集中**

資料：経済産業省『平成12年度企業活動基本調査報告書』2001年。

に現地法人を展開する多国籍企業の圧倒的多くが東京都内に本社を置いているからです。

## 経済構造調整政策と「政策の国際化」

第二の国際化は、以上のような多国籍企業のグローバルな蓄積活動を支援する「政策の国際化」です。きっかけは、一九八〇年代前半の日米貿易摩擦でした。一九七〇年代に二度の石油ショックを経験した日本の自動車及び電気機械メーカーは、積極的な合理化投資と下請企業からの調達コストの引き下げに成功して、アメリカや欧州への「集中豪雨型輸出」を行い、日米貿易摩擦という国際問題に発展しました。ちなみに、アメリカから日本への輸入は一九八〇年の二四四億ドルから八五年の二五八億ドルとほぼ横這いで推移したのに対して、日本からの米国向け輸出は三一四億ドルから六五三億ドルへと実に二倍以上も増え、日本の対米貿易黒字は七〇億ドルから三九五億ドルへと急増したのです。これらの貿易黒字のうちの七五％は対米輸出企業上位五〇社の自動車、電気機械メーカーが生み出したものでした。

この結果、一九八〇年代前半にかけて自動車、半導体などの個別産業分野で、貿易摩擦問題が連続的に浮上していきました。これを解決するために、一九八五年九月のプラザ合意では、「円高ドル安」が日米間で合意されます。しかし、財政赤字と貿易収支の「双子の赤字」に苦しむアメリカは一九八五年に純債務国に転落します。このころに、対日強硬論が台頭し、自動車など個別産業だけでの調整にとどまらない抜本的政策を日本政府に要求するようになりました。

そこで当時の中曾根康弘内閣下の首相の私的諮問機関（座長は前川春雄・元日銀総裁）で立案されたのが、一九八六年四月の「前川レポート」（「国際協調のための経済構造調整研究会報告書」の略）でした。同レポートは、日米首脳会談用に作成されたものでしたが、日本の経済構造や地域住民の生活に大きな影響を与える重要な内容を盛り込んでいました。日本政府は、個別産業間の調整にとどまらず「従来の経済政策及び国民生活のあり方を歴史的に転換すること」、つまり日本の「経済構造」そのものの「変革」を、国会にも諮らずに対米公約したのです。

具体的には、内需主導型経済構造への転換のために、規制緩和による内需拡大、積極的産業調整、農産物貿易自由化をはじめとするいっそうの市場開放、製品輸入の促進のほか、直接投資の促進そのものを謳っていました。

注意したいのは、このような政策自体は、中曾根内閣のもとで進められていた行政改革に対して、

表３－１　品目別食料自給率の推移

（単位：％）

| | 1965年度 | 1975年度 | 1985年度 | 1995年度 | 2005年度 | 2015年度 | 2018年度 |
|---|---|---|---|---|---|---|---|
| 米 | 95 | 110 | 107 | 95 | 98 | 98 | 97 |
| 小　麦 | 28 | 1 | 14 | 7 | 11 | 15 | 12 |
| 大　豆 | 11 | 4 | 5 | 2 | 5 | 7 | 6 |
| 野　菜 | 100 | 99 | 95 | 83 | 77 | 80 | 77 |
| 果　実 | 90 | 84 | 77 | 49 | 41 | 41 | 38 |
| 豚　肉 | 100 | 86 | 86 | 62 | 50 | 51 | 48 |
| 牛　肉 | 95 | 81 | 72 | 39 | 43 | 40 | 36 |
| 魚介類 | 100 | 99 | 93 | 57 | 51 | 55 | 55 |
| 砂糖類 | 31 | 15 | 33 | 31 | 34 | 33 | 34 |

注：2018年度は、概算値。豚肉・牛肉については飼料自給率を考慮しない値。
資料：農林水産省ホームページ掲載、「品目別食料自給率」による。https://www.maff.go.jp/j/zyukyu/zikyu_ritu/012.html

経団連など日本の財界がたびたび要求していたものであり、いわば「外圧」によって正当化した側面も見られることです。

ともあれ、アメリカ政府は、その後も国内通商法による制裁措置を武器に、各種個別交渉、日米構造協議やガット・ウルグアイ・ラウンドなどの場を通して、公共投資枠の拡大と建設事業参入、大規模小売店舗法の規制緩和、農産物貿易の自由化などを強く求めてきました。その集大成がＴＰＰ（環太平洋経済連携協定）でしたが、トランプ大統領が同協定交渉からの離脱を決め、アメリカと日本は独自の二国間の通商協定を結び、二〇二〇年一月に発効しました。

以上で見てきたように、一九八〇年代後半以降の経済のグローバル化は、経済構造調整政策の遂行による国内流通産業や農業の再編という側面でも進行していました。これらの産業は、輸出産業ではないにも拘わらず、貿易摩擦解消のための犠牲となったといえます。

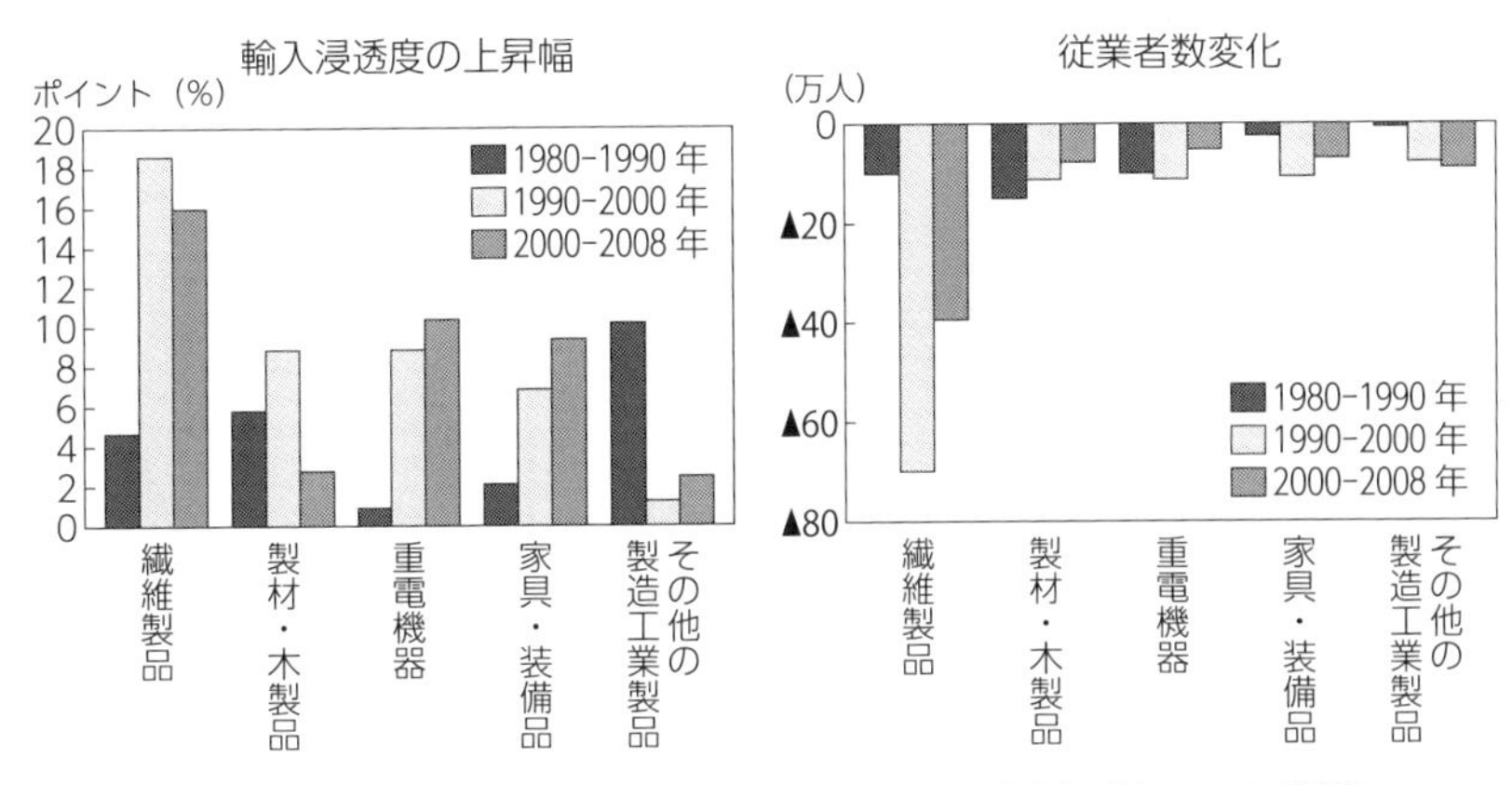


**図3－3　輸入浸透度の高まりと従業者数の変化（減少が大きい5業種）**

注：原資料は（独）経済産業研究所「JIP データベース 2014」。なお、輸入浸透度は、鉱工業製品の供給量に占める輸入品の割合（数量ベース）である。

資料：中小企業庁『中小企業白書』2015 年版、98 頁。

とくに、積極的な輸入促進政策の対象となったのは、農産物であり、中小企業性製品である繊維品、木工家具類等でした。例えば、**表3－1**は、一九六五年度以降の主要農産品目の自給率の推移を示しています。一九八五年度以降、これまでの小麦や大豆、砂糖類だけでなく、野菜、果実、豚肉、牛肉で自給率が大きく減少していることがわかります。米（こめ）についても、市場開放を行った結果、近年、一〇〇％を割り込んできています。一方、中小企業の生産額比率が七割を超える中小企業性製品の輸入浸透度も、**図3－3**に示したように、一九八〇年代後半以降の輸入促進政策の結果、急激に高まり、その結果、従業者数も大きく減少する事態になりました。最も典型的な衣料品の場合、一九九〇年の輸入浸透度は四八・五％でしたが、それが九五年には七〇・一％、さらに二〇一五年には九七・二％に達しているのです。

このように、政府による積極的輸入促進政策の結果、

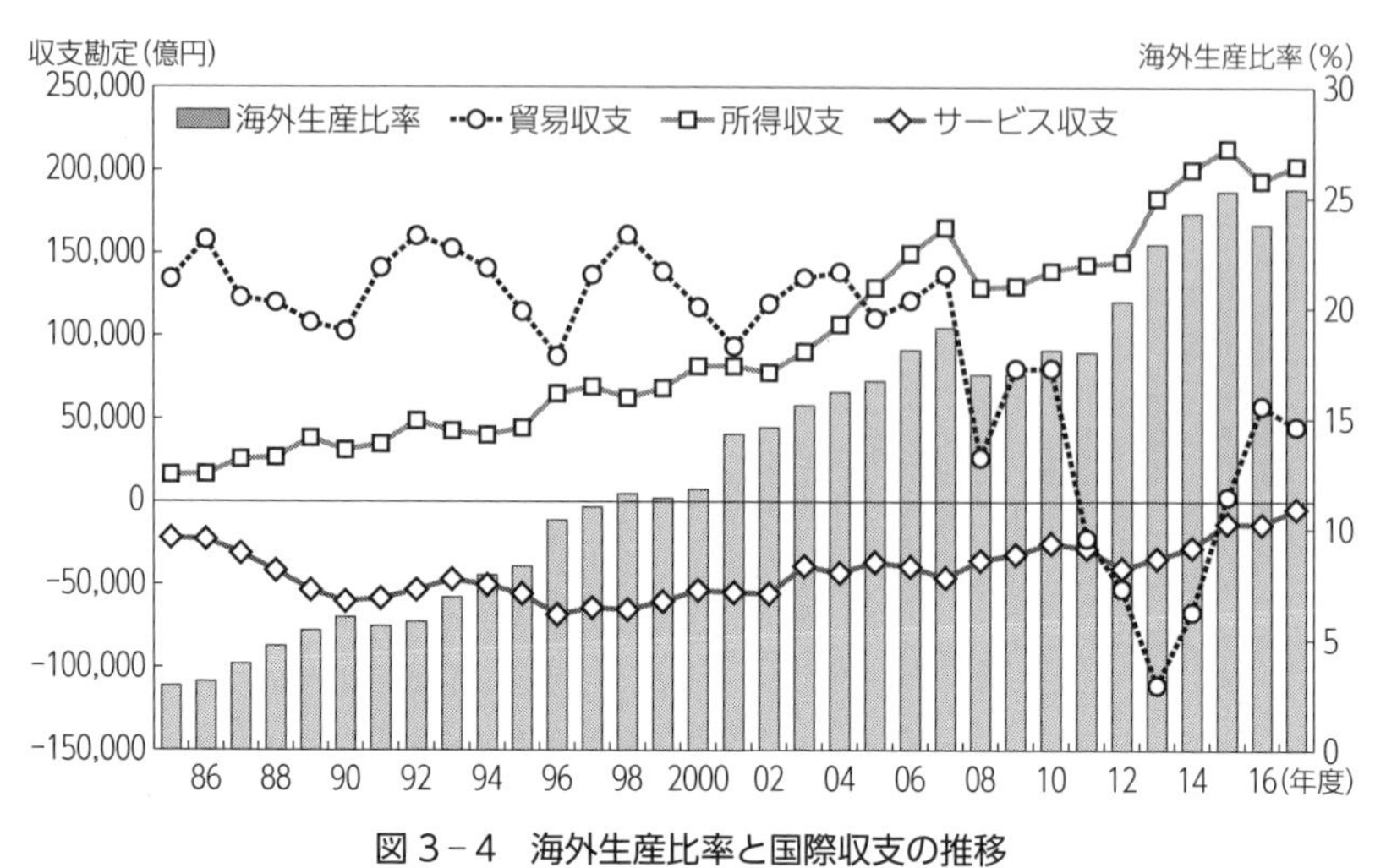


図３－４　海外生産比率と国際収支の推移

出所：財務省「国際収支総括表」、経済産業省「海外事業活動基本調査」各年版から作成。

価格競争に敗れた国内の農業や地場産業の衰退が加速することになりました[1]。

## 経常収支構造の変容

以上のような「二重の国際化」にともない日本の経常収支構造も転換期を迎えました。**図３－４**からもわかるように、二〇〇五年度に、日本の貿易収支と所得収支の黒字幅が戦後初めて逆転する現象がおこりました。所得収支は、対外投資収益の差額を意味し、日本は「貿易国家」から「投資国家」へとその姿を変えつつあることを如実に示したといえます。その後、二〇一一年度から四年間、貿易赤字を記録し、円安基調によっていったん貿易黒字になったものの、全体として貿易黒字の幅は小さくなり、再び赤字になる可能性が高まっています。

ここで留意すべき点は、高度経済成長期以来の日本経済の再生産構造が大きく崩れつつあることです。

すなわち、加工貿易方式によって得た貿易黒字だけでは翌年の食料とエネルギーを安定的に確保できない構造になりつつあるのです。

世界にはアメリカやイギリスなどの「投資国家」が現に存在していますが、これらの国と日本とでは決定的な違いがあります。すなわち、日本は穀物自給率が二八％、石油の自給率がほぼ〇％であるのに対し（二〇一七年時点）、米英両国とも国内に盤石な食料供給源及び石油資源を保有しているということです。ここに、日本の急速なグローバル化が孕む危うさがあります。石油産出国や食料輸出国において、ひとたび政治不安や戦争、天候異変が起きると、国内の経済的な再生産が大きく攪乱されるだけでなく、人間が生活するために絶対必要な食料・エネルギー源さえ確保できなくなるという危うい地盤の上に立った「投資国家」が出現しているのです。食料・エネルギーの大半を海外に依存した物質代謝関係が、今や危険ラインに達しているといえます。

つまり、今日の地域経済の衰退の主要な原因は、「骨太方針二〇〇一」が示したような地方行財政制度にあるのではなく、一九八〇年代後半からの三〇年余の間に進行した「二重の国際化」にあるといえます。しかも、経済のグローバル化と野放図な「政策の国際化」は、個々の地域社会における雇用・生活不安を拡大するだけでなく、日本の地域社会の持続的発展の条件そのものを蝕んでいるといってよいでしょう。というのも、地域社会に責任をもつべき市町村の「合併」についても、次章以降で見るように、財界が「グローバル競争にうちかつために」という考え方で、政府に対して行政改革を要求して推進されたものだからです。その前に、グローバル化やそれに対応した「構造改革」の結果、地域社会がどのような問題を抱えるようになったかを、いくつかのポイントにそって、確認しておきたいと思います。

## 2　社会的安定性の動揺

### 住み続けられない地域の広がり

二〇〇〇年代に入り、日本では、経済のグローバル化が進行するだけでなく、「自己責任」論を前面に立てた新自由主義的な構造改革が進行しました。その結果、経済的な側面での「格差と貧困の拡大」だけでなく、それと連動した形で地域社会の不安定化が進行しました。

**表3－2**は、二〇〇八年の夏に、私も参加して、全国の四つの自治体の住民を対象にして行ったアンケート結果の一部です。四つの自治体のうち、北秋田市（秋田県）と唐津市（佐賀県）は、「平成の大合併」で合併した農村的な「都市」です。他方、守口市と東大阪市は、いずれも大阪市に隣接する大都市圏の自治体です。注目してもらいたい点は、「地域で暮らしていくうえで、一番困っている問題は何ですか」と尋ねたところ（複数回答）、いずれの自治体も「隣近所のつながりが弱くなった」と答えた住民の比率が最も高かったことです。大都市圏の東大阪市と守口市では四割を超えたほか、農村部の唐津市で三四％、北秋田市で二七％と最大部分を占めていたのです。隣近所づきあい、つまりコミュニティのつながりが弱くなっていることを多くの住民が指摘しているのです。

**表３－２　地域で暮らしていくうえで　一番困っている問題（複数回答）**

（単位：％）

| | 北秋田市 | 守口市 | 東大阪市 | 唐津市 |
|---|---|---|---|---|
| 買い物が不便になった | 15.4 | 11.7 | 10.4 | 23.8 |
| 交通が不便になった | 20.0 | 5.3 | 9.8 | 15.9 |
| 病院が遠くなった | 22.3 | 13.6 | 10.5 | 7.9 |
| 福祉サービスが受けられない | 3.2 | 3.3 | 3.3 | 5.1 |
| 郵便局が不便になった | 9.7 | 5.6 | 4.7 | 10.0 |
| 金融機関が不便になった | 15.5 | 16.3 | 12.0 | 14.5 |
| 学校・保育園が遠くなった | 6.6 | 1.7 | 2.6 | 4.4 |
| 消防・救急体制が弱くなった | 7.7 | 6.0 | 14.1 | 5.6 |
| **災害の危険が増している** | 21.4 | 28.9 | 27.4 | 18.2 |
| **隣近所のつながりが弱くなった** | 26.6 | 40.1 | 41.7 | 34.4 |
| その他 | 9.2 | 15.9 | 13.5 | 16.6 |
| 総計 | 100.0 | 100.0 | 100.0 | 100.0 |
| サンプル数（％ベース） | 907 | 753 | 569 | 572 |

資料：地域循環型経済の再生・地域づくり研究会『地域循環型経済の再生・地域づくり研究会中間報告』2008年10月。

第二位以下は北秋田市で、病院が遠くなったことや災害の危険が増していること、そして金融機関や買い物が不便になったこと、同じく農村部の唐津市では買い物が不便になったこと、災害の危険が増していること、交通が不便なことなどとなっています。他方、守口市と東大阪市では共通して災害の危険が増していることが第二位になっているほか、やはり買い物、病院、金融機関の利用が不便になったことをあげているのが特徴的です。いずれも、経済構造調整政策とその後の小泉「構造改革」においてターゲットとされた小売業、医療、金融機関の再編によって生じた問題であることがわかります[2]。

## 社会的孤立と自殺・犯罪

これまで述べてきた経済的矛盾の深化・拡大は、自己責任を強調する「構造改革」とも連動しながら、今や、人間の生命の根源・基本的価値・生存条件を脅かすまでに立ち至っています。

先ほど指摘した地域コミュニティのつながりの弱体化は、人々の「社会的孤立」の進行とも表現できます。ニッセイ基礎研究所が二〇一〇年度に実施した調査によると、誰にも看取られず、死後二日以上経過して発見された「孤独死者数」は約三万人と推定されています。また、ＵＲ（独立行政法人都市再生機構）団地内での孤独死者数は一九九九年から二〇〇九年の間にほぼ一〇倍に達しており、その比率は単独高齢者世帯の増加によって、今後もさらに高まると予想されています。同調査報告書では、二〇〇五年に実施されたＯＥＣＤ（経済協力開発機構）の調査結果を紹介し、日本人の「孤立度」（家族以外の人との交流のない人の対人口比率）は、二〇か国中最高の一五・三％になっているとのことです[3]。

この「社会的孤立化」は、高齢者単独世帯だけでなく、若い年齢層にも広がっています。子どもの貧困を調査研究するなかで、「生活困窮や低所得は、経済的な困窮だけに留まらず、地域や人とのつながりから阻害され社会的孤立にも陥りやすい」傾向があり、所得が低い世帯ほど、保育所以外に、子どもを預かってくれる人がいないと答える親の比率が高くなることが明らかになっています[4]。

第二に、「社会的孤立化」の最悪の帰結として、自殺者数が高水準になっています。警察庁の調査によると、自殺者数は一九八〇年代初頭時点では二・〇万人でしたが、一九九八年に三万人に達し、以後、一四年連続、三万人を超えました。二〇一二年以後、三万人を下回り、二〇一八年にはバブル崩壊前の水準（二一・一万人前後）まで減少してきています。ピークの二〇〇三年には三・四万人に達し、旧ロシア諸国を除く先進国のなかでも最も高い自殺率でした。

自殺者数の動向は、景気循環と強い関係にあるといわれています。実際に、一九九〇年代後半に、政府による不良債権処理が始まると、中高年齢者の男性において急増し、なかでも「経済・生活問題」を理由とした自殺者が、「健康問題」を理由とするそれに匹敵するようになりました。自営者及び被雇用者においては、「経済・生活問題」を理由とする自殺者が最大を占めていたのです。人口一〇万人当りの自殺率を、都道府県別にみると、二〇〇二年時点では秋田県が四二・一人とトップであり、これに、青森県、岩手県が続きました。二〇一八年時点では、山梨県がトップ（二四・八人）であり、以下、青森県、和歌山県、岩手県、新潟県、秋田県、福島県の順になっています。いずれも農林業を基盤とする地域や被災地であることに注目したいと思います。二〇一〇年代後半では「健康問題」を理由とする自殺が最も多く、これに「経済・生活問題」、「家庭問題」が多い結果となっていますが、それらが複合化した形で、「社会的孤立」のなかで死を選ぶ人が多いことを物語っています(5)。

自殺者数は減少していますが、それを上回る孤独死が増加しており、憲法一三条にある「すべて国民は、個人として尊重される。生命、自由及び幸福追求に対する国民の権利については、公共の福祉に反しない限り、立法その他の国政の上で、最大の尊重を必要とする」という規定からは未だ大きくかけ離れた実態だといえます。

第三に、二〇〇〇年代前半には、刑法犯罪認知件数も増大しました。『警察白書』によれば、昭和期においてほぼ一四〇万件台で推移していた認知件数は、急激に増加し、二〇〇二〜〇三年には二八〇万件とほぼ倍増しました。他方で、検挙率は昭和期の六〇％前後から、二〇〇三年には二三％まで低下しました。当時の犯罪内容について、同白書は、「強盗や住宅対象の侵入盗が増加しているほか、少年による凶悪犯が多発し、来日外国人等による組織犯罪が深刻化」していると指摘しました(6)。当時の人口当たり犯罪認知件数は、地方ほど増加率が高く、しかも郊外の幹線道路沿いに立地する二四時間営業の大型ショッピングセンター、コンビニ、カラオケ、ファミレス、パチンコ店の林立によって匿名化された空間が犯罪の温床を作っているとの指摘もありました(7)。

その後、政府は警察官の増員によって、犯罪の抑制と、検挙率の向上に努めました。地方の一般職公務員が三割以上も減少する中、二〇〇二年度からの「地方警察官一万人緊急増員三か年計画」に続き、二〇〇五年からの三か年増員計画もあって、二〇〇一年度の二二・八万人体制から二〇一八年度には二五・九万人体制へと大幅に増員されたのです。防犯体制の強化によって、街頭犯罪及び侵入犯罪を中心に、認知件数は二〇一八年に戦後最少の八一・七万件まで減少、検挙率も三七・九％まで回復してきています。ただし、高齢化の進行にともなう「オレオレ詐欺」に代表される特殊犯罪、インターネットやＳＮＳの普及によるネット犯罪、さらにストーカー犯罪が増加しているほか、配偶者や子どもへの暴力的虐待事案の相談・通告件数も増加しつつあり、傷害や殺人につながる社会病理が深く広がってきている状況にあります(8)。

このような社会や家族内での人間関係の亀裂や不安定化は、警察力の増強による「警察国家」化によって解決できる問題ではありません。最も重要なことは、犯罪の温床となっている崩壊しつつある地域社会のコミュニティ能力を高めることではないでしょうか。

## 3　大災害の時代と深まる「生存の危機」

### 自然災害の続発と脅かされる命

最後に、「自然災害」の頻発による尊い生命と住民の生活条件の喪失があります。今や日本は地震・津波・火山災害が集中的に発生する時代、「大災害の時代」に入っているといえます。地殻変動が活発になる時期を「活動期」といいますが、一九九四年に地震学者の石橋克彦・神戸大学教授が、日本列島が〝活動期に入った〟と警告しました（『大地動乱の時代―地震学者は警告する―』岩波新書）。出版の翌年に起きたのが阪神・淡路大震災でした。

それ以降、ほぼ毎年地震災害が日本を襲い、御嶽山の噴火のような火山災害も起きています。そして東日本大震災が二〇一一年三月に起きました。これは約千百年前の貞観の大地震の時とほぼ同じ津波領域をともないました。この貞観大地震を起点にして前後五〇年に起きた自然災害を調べると一八年後に南海トラフ地震（仁和大地震）が起きたほか、富士山・開聞岳・鳥海山が噴火しています。京都では群発地震もありました。プレートが動き、直下型地震が集中的に起きる時期は五〇年から一〇〇年続くといわれています。現に東日本大震災後も熊本、鳥取、大阪、北海道胆振東部地震がありました。

自然活動としての地震そのものは昔も今も変わりませんが、地上に建設されている施設は違います。人間がつくり出したものであり、原子力発電所も火力発電所もそうです。北海道胆振東部地震では電力供給体制のあり方の再検討を迫るブラックアウト現象が発生しました。災害は、純粋な意味での自然災害ではなく、必ず社会的問題と絡んできます。自然現象を制御することはできませんが、政策によって事前に対応できる問題でもあります。大災害は必然的に起こりうるということを前提にした地域づくりに取り組む必要があるということです[9]。

しかも、どの災害においても、命や財産を失ったり、ケガをした被災者の多くは、高齢者をはじめとする社会的弱者です。また、どの地域においても地域の社会や経済を担う圧倒的多くの経済主体は中小企業・業者です。高齢者の多くが、公的な支援がなければ、住宅再建も経営再建もできません。ところが、阪神・淡路大震災の際の「創造的復興」という考え方が、その後の東日本大震災や熊本地震でも震災復興の理念に据えられて、「復興災害」と言われる二次被害が広がっていったのです[10]。

例えば、阪神・淡路大震災の時に「創造的復興」ということで、神戸新空港などの建設を優先しました。しかし発注先企業はほとんど県外企業でした。一〇年経っても「八割復興」に止まっていた原因の一つは、地元企業に発注しなかったことにあります。東日本大震災でも同じような構図が再現されています。除染、防潮堤建設、かさ上げなどすべて大手のゼネコンに発注され、地元中小企業への発注は後回しになりました。一方、震災避難者数は復興庁によれば、二〇一九年一一月時点で四・九万人に達しています。この調査では、福島県の原発災害被災地からの「自主避難者」が除かれており、最少の数値であるといえます。しかも、震災関連死者数は、二〇一九年九月末日時点で三七三九人に達しています。なかでも、福島県は二二八六人と最も多くを占め、その数は震災による犠牲者数一九七七人をはるかに上回っており、まさに「人災」「政策的災害」といってよい事態です。[11]

「惨事便乗」によって大型プロジェクト導入を優先するのか、あるいは被災者の生活再建を最優先する「人間の復興」を具体化していくのかが、鋭く問われているといえます。「人間の復興」は、関東大震災の折に、東京商科大学（現・一橋大学）教授の福田徳三が提唱した復興理念ですが、現行の憲法でいえば、故馬場有・福島県浪江町長が強調したように、憲法で定められた幸福追求権（一三条）、生存権（二五条）、財産権（二九条）を、国が被災者のために保障することにあります。あわせて、それを具体化するための生活再建のためのさまざまな施策や、その根拠となる中小企業・小規模企業振興基本条例等を制定し、その具体化を図ることが重要になっています。[12]

### 新型コロナウイルス感染症による社会的危機

二〇二〇年一月に発生した新型コロナウイルスは、中国から日本、韓国に広がり、さらに欧米、そして全世界に拡大しました。株価は世界的に大きく値下がりし、日本国内では観光・交通業界から始まり小売・飲食市場の急速な収縮、さらに海外生産にシフトしていた製造業のサプライチェーンの寸断まで広がりました。企業倒産や解雇、就職内定の取り消しも社会問題化しただけでなく、マスクや消毒液、さらにデマによるトイレットペーパー不足まで顕在化し、医療・福祉施設では患者や働き手の健康や生命の危機にまで及びました。

新型コロナウイルス感染症も、生物起源による人の命や健康の大規模な棄損なので、「自然災害」のひとつととらえることができます[13]。地震、津波、風水害は、ある特定地域に限定した形で発災し、非被災地からの支援も可能です。ところが、感染症は人の移動を介して国内外を問わず、短期間に感染症被災地にしてしまいます。そうなると、国だけでなく、地方自治体とその主権者である国民・住民の役割が大きくクローズアップされることになります。

**図3-5**は、改正新型インフルエンザ等対策特別措置法に基づく緊急事態宣言が東京都はじめ七府県に発出された二〇二〇年四月七日頃の都道府県別感染状況を図にしたものです。感染確認者数の全国構成比（四月一〇日時点）と四月三日から一〇日にかけての感染確認者増加数に占める各都道府県

増加寄与率
感染確認者構成比
人口構成比
山口県 徳島県 香川県 愛媛県 高知県 福岡県 佐賀県 長崎県 熊本県 大分県 宮崎県 鹿児島県 沖縄県

(2020年4月3日～10日)

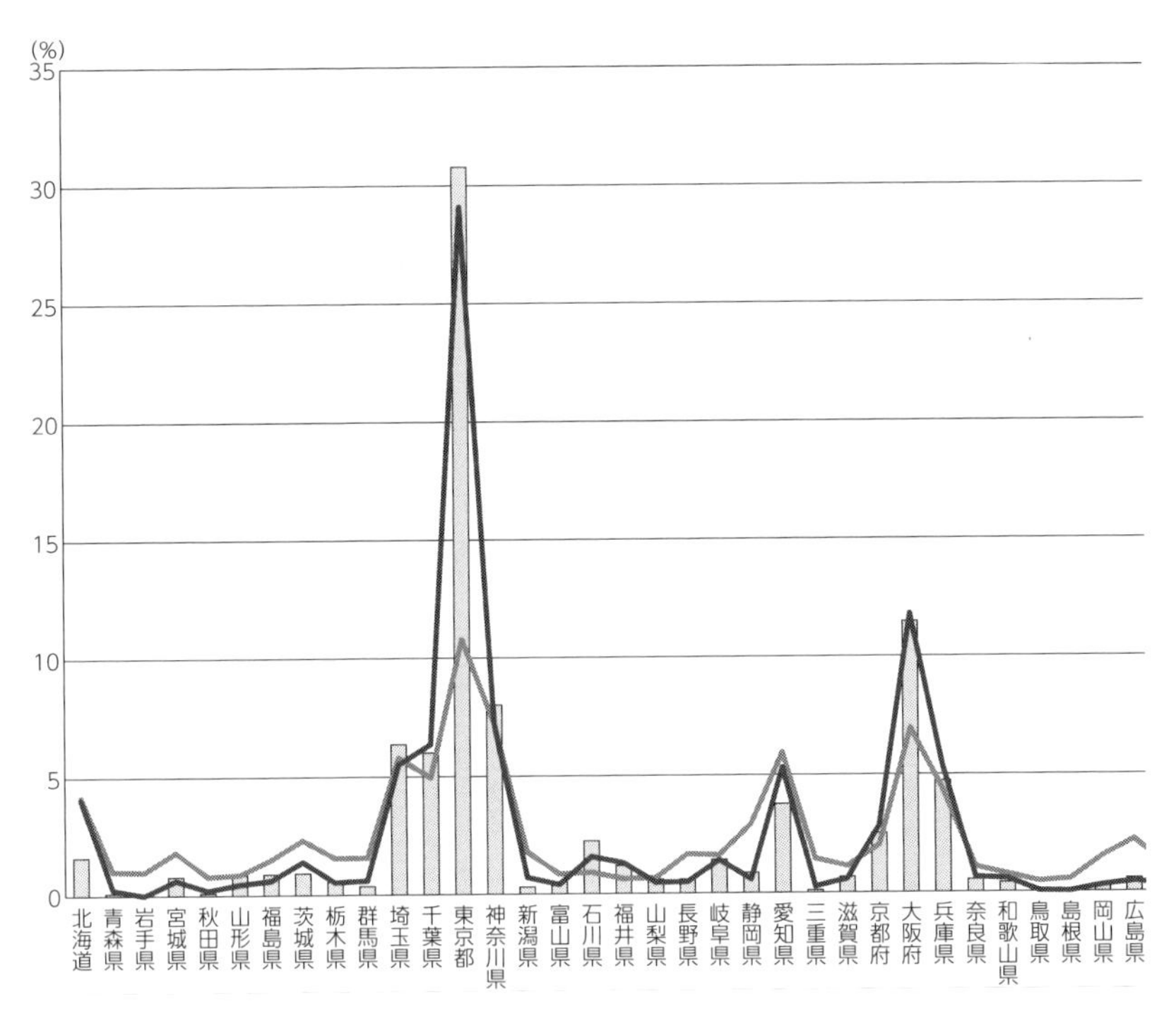


**図３－５　新型コロナウイルス感染確認者の都道府県別構成比と増加寄与率**

注：感染確認者とは、PCR 検査で陽性判定が出た人を指す。
資料：感染確認者数は厚生労働省発表資料。人口は、2020 年 1 月 1 日時点での住民基本台帳人口。

の比率（これを増加寄与率と呼びます）を棒グラフで、同年一月一日時点の住民登録人口構成比を折線グラフで示しています。明らかに東京、大阪をはじめとする大都市圏で、人口比をはるかに上回る増加寄与率になっていることがわかります。とくに東京は増加寄与率が人口構成比の約三倍に達し、感染確認者構成比さえも上回っており、感染の勢いが強いことを意味しています。これも、東京都をはじめとする大都市部への一極集中の負の側面だといえます。

新型コロナウイルスを含め、

新型ウイルスによる感染症は、経済のグローバル化が進行し、人とモノの移動が大量・高速になされるなかで、これまでも度々、地域的感染あるいは世界的な爆発的感染（パンデミック）を引き起こしてきました。これも経済のグローバル化にともなうリスクの増大のひとつであるといえます。

日本では、韓国はじめ諸外国に比べて、新型コロナウイルス感染症に対するPCR検査の少なさが問題になりました。実は、その背景には、一九九〇年代半ば以降の地方分権改革や行財政改革、市町村合併、合併に対応した都道府県組織の縮小再編によって、保健所の数も機能も、大きく減少してしまったことがありました。厚生労働省社会保障・人口問題研究所の社会保障統計年報データベースによると、全国の保健所数は、一九九七年の七〇六カ所から二〇一六年の四〇八カ所に大きく減少し、医師数も一〇七三人から七二八人に、そして臨床検査技師数も一三五三人から七四六人に削減されていたのです。

あわせて、新型コロナウイルス感染症の際に問題になった「医療崩壊」の背景にも、政府による医療費抑制を最優先した「効率性」や「選択と集中」重視の政策があったといえます。ぎりぎりの体制であったため、医療現場での感染症病床、医療用器具（医療用マスク、防護服、人工呼吸器等）、医療スタッフの不足問題が顕在化しました。厚生労働省は、公立・公的病院の再編統合策を依然として推進する姿勢です。これによって地方の公立・公的病院からの医療スタッフの流出が起こりました。医療従事者が安心して働くことができ、かつ将来の新型感染症等に対応するためにも、病院の「選択と集中」政策を直ちに撤回し、医療スタッフ面でも病床面でも余裕のある病院・医療政策が求められています。

## 地域社会と地球の持続可能性を維持するために

地殻変動に伴う地震や火山災害に加えて、気候変動に伴う集中豪雨による土砂災害や大洪水も、ほぼ毎年、日本列島を襲っています。近年、台風が強い勢力を保ったまま上陸し、東京や大阪の大都市圏を直撃するケースが増えています。同様のことが今後も続くと気象学者は警告しています。水害現場に行くと、単なる洪水被害に留まらず、停電に伴う社会的災害が、企業、病院、ライフライン施設などを襲い、複合的な災害になっています。

これらの気候変動に伴う災害は、地球温暖化現象に起因していると言われています。多国籍企業によるグローバルな規模での競争は、資源の浪費だけでなく、その経済活動にともなう大量の産業廃棄物質や二酸化炭素、エネルギーを土壌や大気、河川、海洋に放出しています。その結果、個別の汚染地域だけでなく、地球全体の生命維持能力が損なわれるような段階に入りつつあるといえます。人間がそれほどの破壊的能力をもつに至ったのは、おそらく原爆を開発した第二次世界大戦期以降のことであると考えられ、地球史の時間尺度でいえばごくわずかな瞬間にしかすぎません。

多くの感染症研究者が警告しているように、グローバル化が進行し、人とモノの移動が大量・高速になされるなかで新型感染症は、こののちも度々地球全体を襲うと考えられます[14]。地域社会の持続性を保障するためには、この感染症対策も必要不可欠であるといえます。

このようなリスクが高まるなかで、国連が掲げたＳＤＧｓ（持続可能な開発目標）は、持続可能な地域社会を作るために必要なものとして各方面で好意的に受け止められています。ここで重要なのは、例えば、ＳＤＧｓの最大の課題である地球規模の自然破壊や貧困・格差は、いったい誰がどのように生み出したかという本質的な問題です。その多くは多国籍企業が生み出した問題であり、本来、そうした大企業をコントロールしなければならないはずですが、ＳＤＧｓでは「パートナーシップで目標を達成しよう」という目標が掲げられています。官民協力、いわゆる公共サービスの民営化を進めるという考え方です[15]。

日本の環境破壊や地域格差の拡大は、戦後の地域開発政策を振り返ればわかるように（これについては次章で述べます）、大企業の私益追求優先によって生み出されてきました。今後は、環境や貧困、医療アクセス、水の確保などをビジネスチャンスとしてとらえる多国籍企業が登場してくると考えられます。この問題を抜きにしては、持続可能な社会の実現はできないと思います。

ところが、政府はこのＳＤＧｓを達成するために、ＡＩや情報技術を全社会的に活用する「Society 5.0」を推進するとしています。それに向けた「自治体戦略二〇四〇構想」の具体化を急いでいますが、総務省が主唱する同構想においても、前述したように市町村合併の弊害について検証することなく、都市圏へ行政・経済・医療福祉機能等の「選択と集中」を強化するとしています[16]。

「自治体戦略二〇四〇構想」では、ＡＩなどを導入すれば「公務員を半減できる」などとうたっていますが、先に述べたように、日本の場合、人口に対して公務員数が少なすぎることこそが問題です。さらに公共サービスや公共施設、水道を「成長戦略」のターゲットとしてとらえたり、マイナンバーカードや保険証等の個人情報を含むビッグデータの活用をさまざまな企業活動に広げようとしています。国民の命や暮らしよりも少数の企業の金儲けを重視しているのです。

では、真に持続可能な地域づくりのために、何が必要なのでしょうか。これまで述べてきたように、日本の地域社会の持続可能性を奪ってきた要因の多くが国の政策だったといえます。だとすれば、これを根本から改めることが第一に必要です。

あわせて、個々の地域でできることもあります。近年、中小企業振興基本条例を制定して、地方自治体が地域の企業、協同組合と積極的に連携して、地域経済全体の再生と住民生活の向上を目指す取り組みが急速に広がっています。これは、中小企業振興と地域づくりを一体的に把握し、自治体の責務だけではなく、中小企業、大企業、大学、住民の役割を定めるものであり、最近では、地域経済循環、農商工連携、防災を目的に入れる自治体が増えています。これこそが真に「パートナーシップで目標を達成しよう」とする取り組みではないでしょうか。

さらに、地域内経済循環、再生可能エネルギーを推進する自治体も出てきています。条例を定めて、自然エネルギーと地域内経済循環を基本に生活・福祉・景観・環境政策を結合し、所得の域内循環と経営維持、地域社会、景観形成、環境保全の相互連関を図る自治体も現れているのです。年金を出発点にした資金循環と仕事おこし、医療・福祉の向上とをつなぐ取り組みも各地で行われています。実は、その多くが、平成の大合併に反対した「小さくても輝く自治体フォーラム」に参加した小規模自治体です。

そこでは、住民自治と団体自治が結合して、一人ひとりの住民の生活の質を向上させ、例えば合計特殊出生率が日本一の町や、健康寿命を延ばしている町村が多く見られます。これが難しいのが、大都市です。それでも、新潟県上越市のように地域自治区をつくり、一定の予算を認めて、住民参加の地域づくりをすすめているところがあります。歩いて暮らせる「人間の生活領域」としての地域に、産業と暮らしを支える公衆衛生・医療・福祉サービスを充実することが、災害や感染症にも対応できる持続力の源泉になるのです。住民の参加があるからこそ、政策効果も高いといえます。だからこそ、主権者としての住民の主体的学びと取り組みが重要になっています。

今を生きている世代が、次の世代が健康に生きられるように、個々の地域だけではなく、地球そのものも持続可能な状態でバトンタッチしていくためには、野放図なグローバル化をすすめる競争を管理し、生存条件である自然環境を保全、再生していくことが必要不可欠になっているといえます。

注

(1)　さしあたり、日本化学繊維協会『繊維ハンドブック』二〇一七年及び、拙稿「一九九〇年代大不況と地域経済の構造変化」『土地制度史学』第一六七号、二〇〇〇年、参照。

（2）この調査については、岡田知弘・地域循環型経済・地域づくり研究会編『地域調査は地域づくり─「地域循環型経済・地域づくりの運動」から─』自治体研究社、二〇一〇年、参照。
（3）（株）ニッセイ基礎研究所特別研究プロジェクトチーム「長寿時代の孤立予防に関する総合研究　概要版」二〇一四年一二月、https://www.nli-research.co.jp/files/topics/42101_ext_18_0.pdf?site=nli、ＮＨＫ「無縁社会プロジェクト」取材班編著『無縁社会』文藝春秋、二〇一〇年、参照。
（4）内閣府「平成二八年度子供の貧困に関する新たな指標の開発に向けた調査研究報告書」二〇一七年三月、https://www8.cao.go.jp/kodomonohinkon/chousa/h28_kaihatsu/index.html、参照。
（5）警察庁生活安定局地域課『平成一五年中における自殺の概要資料』二〇〇四年七月、及び厚生労働省社会・援護局総務課自殺対策推進室警察庁生活安全局生活安全企画課「平成三〇年中における自殺の状況」二〇一九年三月。
（6）警察庁『平成一六年版　警察白書』二〇〇五年。
（7）三浦展『ファスト風土化する日本─郊外化とその病理─』洋泉社、二〇〇四年。
（8）警察庁『令和元年版　警察白書』二〇一九年。
（9）岡田知弘『震災からの地域再生─人間の復興か惨事便乗型「構造改革」か─』新日本出版社、二〇一二年、参照。
（10）塩崎賢明『復興〈災害〉─阪神・淡路大震災と東日本大震災─』岩波新書、二〇一四年。
（11）復興庁「復興の現状と課題」二〇一九年一二月、及び復興庁「東日本大震災における震災関連死の死者数（令和元年九月三〇日現在調査結果）」二〇一九年一二月。
（12）岡田知弘・自治体問題研究所編『震災復興と自治体─「人間の復興」へのみち─』自治体研究社、二〇一三年、第一二章、参照。
（13）ベン・ワイズナーほか『防災学原論』築地書館、二〇一〇年、岡田晴恵・田代眞人『感染爆発に備える─新型インフルエンザと新型コロナ─』岩波書店、二〇一三年では、生物起源による感染症も自然災害の一つとしてとらえています。

（14）岡田晴恵・田代眞人、前掲書及び、山本太郎『感染症と文明―共生への道―』岩波新書、二〇一一年を、参照。

（15）詳しくは、岡田知弘『公共サービスの産業化と地方自治―「Society 5.0」戦略下の自治体・地域経済―』自治体研究社、二〇一九年、参照。

（16）「自治体戦略二〇四〇構想」については、白藤博行・岡田知弘・平岡和久『「自治体戦略二〇四〇構想」と自治体』自治体研究社、二〇一九年、参照。

# Ⅱ部　地域開発政策の失敗から学ぶ

# 第4章　戦後地域開発政策の展開と地域

## 1　国土政策、地域政策とは何か

### 国土政策、地域政策と地域形成

この章では、現代における地域づくりのあるべき方向性を導きだすために、戦後日本の地域開発政策、とりわけ国が主導し、多くの地方自治体も受け入れた国土総合開発法に基づく開発政策の検証をしてみたいと思います。国土総合開発法は二〇〇五年に廃止されると同時に、新たに国土形成計画法が制定されました。同法に基づく全国計画と広域地方計画が二〇〇八年度と二〇一五年度に決定されました。本章では、このような新たな国土政策についても、検討することにします。

ところで、国土政策あるいは地域政策とは、いったいどういう政策なのでしょうか。前述したように、現代の資本主義においては、資本と、国家、地方自治体が能動的な地域の形成主体であるといえます。地域の形成には、第1章で指摘したように、「資本の活動領域としての地域」と、「住民の生活領域としての地域」という二つの側面があります。本来それらは一体のものでしたが、経済の発展とともに分離し、そしてさまざまな地域の階層性を生み出すことになります。

あわせて、資本蓄積の拡大にともなって、「資本の活動領域としての地域」の範囲が拡大し、それに対応した形で国家および地方自治体の政策体系や枠組みの再編を求めることにもなってきます。それが現代における「政策のグローバリゼーション」であり、それにともなう世界的規模での地域統合の動きだといえます。国内においては、市町村の大合併や道州制論議という形をとって、より広域的な「自治体」の範囲、あるいは地方政府の範囲を求める動きが活発化することになります。

ですから、国土政策や地域政策は、一国内の各地域階層における地域構造の計画的再編を目的とした、国あるいは地方自治体による政策群である、とひとまず定義づけることができます。すなわち市町村レベルでの開発政策もありますし、都道府県レベル、あるいは首都圏や近畿圏というブロックレベル、国家レベルで、それぞれ地域政策や国土政策がつくられている、と捉えられます。

戦後の日本の場合、長らく国土総合開発法に基づいて、国主導の国土政策、すなわち全総（全国総合開発計画）による国土計画の役割が大きく、しかも国からのトップダウン的な開発主義的な政策を展開してきたところに大きな特徴があります。したがって地方自治体による地域政策（ひとまずこれを地域振興政策と呼びます）の比重、あるいは自律性は、量的にも質的にも限られたものでした。

## 国土政策の歴史的起源

これから国土政策の形成と展開について見ていきたいと思いますが、そもそも「国土政策」という概念は、戦時下の日本において生まれたものです。よく言われているように戦後に始まったものではない点に注意する必要があります。戦時期の近衛新体制（一九四〇年）のもとで、当時、いわゆる国家総動員資源政策の一環として、この国土計画づくりが推進されたという歴史的な事実があります(1)。

その際にモデルになったのは、ナチスドイツの国土計画であり、ソビエト連邦のゴスプラン（国家計画委員会）でした。このとき、国土計画の対象は日本列島だけではなくて、実は「大東亜共栄圏」も射程においた「日本帝国」内の産業、インフラストラクチャ、文教、衛生施設等の配置を、部門ごとにまとめあげたものでした。

それは、戦後の全国総合開発計画づくりと同じ手法でつくられたところに特徴をもっています。その最大の目的は、軍事力による資本の領域的な拡大であり、その立地条件の整備をはかるところにありました。

実際には、この戦時国土計画は、戦況のめまぐるしい変化のなかで閣議決定すらできませんでした。しかし、企画院を中心に蓄積されたプランニングの技術や、工場立地の規制・誘導、あるいは農地転用の統制など一部具体化された国土計画的な政策手段は、戦後に引き継がれていくことになります。

また当時、国土計画について献策を行った昭和研究会の提言には、国土計画法の制定や計画を推進する官僚機構としての国土計画庁の新設、すなわち開発官庁の一本化を盛り込んでいることも注目されます。というのは、これは田中角栄が一九七〇年代前半に構想した総合開発庁構想につながりますし、二〇〇五年の国土総合開発法改正において国土計画と国土利用計画を一体化することを盛り込んでいることにも、つながっていると考えられるからです(2)。

## 2　国土総合開発法体制の成立

### 国土総合開発法の制定と特定地域開発

戦後すぐに、内務省国土局のもとで、復興国土計画などの立案作業が行われますが、内務省の解体でこの試みは頓挫します。その後、地域開発の主導権は、占領軍のニューディーラーの影響力の強かった経済安定本部や大来佐武郎に代表される外務官僚に移ることになります(3)。

このとき考えられていた開発構想は、アメリカのＴＶＡ（テネシー川総合開発計画）をモデルにした総合開発構想でした。国内においてせいぜい二カ所程度の拠点を設けて、そこで水資源の総合開発を行い、戦後の復興につなげていくという構想だったのです。しかし、旧内務省の官僚や政治家の反発もあって、両者の妥協の産物として一九五〇年にできたのが国土総合開発法でした。この結果、全国計画を上位において、トップダウン的な計画体系をつくりあげることになりました。

けれども実際には、河川総合開発方式による特定地域計画のみが事業化され、全国総合開発計画は策定されませんでした。一九六二年になって、ようやく新産業都市を盛り込んだ初めての全国総合開発計画が策定されます。

## 国土総合開発法制定の政治経済的背景

もう一つ、注意すべきことは、一九五〇年に国土総合開発法が制定された政治・経済的な背景です。当時、日本は単独講和を目前にして、経済自立化戦略をつくる必要に迫られていました。しかも、それ以前に米国の占領政策の転換があり、日本を「反共の防波堤」とするために、一定の経済開発を行う必要を認めるようになっていました。とくに貿易ができない状況でしたから、国内資源の開発を最優先しなければなりませんでした。それを、GHQのアッカーマンなどが主張しました。彼らと先ほどの経済安定本部、あるいは大来佐武郎らがつながって、日本の地域開発政策が具体化することになるわけです。

もう一つはアメリカの事情です。当時のトルーマン大統領によるポイントフォア計画です。アメリカでは、戦後のマーシャルプラン等々によってドル散布が、財政危機、ドル危機を起こしてしまいました。そこで、アメリカ政府は、民間資本の輸出に切り替える政策を展開します。その際、ポイントフォア計画をつくり低開発国、未開発国に優先的に投資を行うことにしますが、投資収益の送金を保証する必要があったために、あまり例のない元利送金の保証を盛り込んだ外資法が、開発援助の対象となった日本で制定されることになります。

## 特定地域開発をめぐる経済的利害と帰結

このとき吉田茂首相に対して、アメリカ資本のＧＥ（ゼネラル・エレクトリック）やＷＨ（ウエスチング・ハウス）などの重電資本が猛烈な売り込みを行った事実もみておく必要があります。すなわち、特定地域開発による水資源開発――これはダムをつくることによって電力開発を行い、同時に九電力体制への再編をともなうものでした。そこで新しい市場創出が期待されたわけです。

具体的に言えば愛知用水事業（長野県と愛知県）、あるいは只見川総合開発事業（福島県と新潟県）において、これらのアメリカの重電資本が参入していますし、只見川総合開発事業に関して言えば、田中角栄が事業決定に深く関与したという歴史的な事実も存在しています。ここに一九五〇年に国土総合開発法、あるいは特定地域計画が生まれた政治・経済的な意味があります。

しかしながら、この特定地域開発の実績を見ると、指定地に立候補した地域の総面積が国土の三分の一を超えてしまい、当初の構想からするとかなり大規模なものとなりました。したがって予算が限られているなか、効果も分散してしまいました。結果的にみれば、九電力に再編された後の電源開発が中心事業になったといえます。

この開発事業の結果、ダム開発によって水源地の山村部の集落、あるいは農地が水没する反面、大都市地域がその受益によって重化学工業化、あるいは都市化をすすめるというかたちで日本の経済復興が行われていきました。

## 3　高度経済成長と全総・新全総

### 所得倍増計画と「全国総合開発計画」

一九六〇年代に入って、池田勇人内閣の所得倍増計画による経済成長政策が進められます。そして一九六二年、全国総合開発計画が初めてつくられますが、宮本憲一が指摘するように、まさに「所得倍増計画の地域版」という役割を果たしていました。(4)

この全国総合開発計画の立案にあたって、当初は、すでに産業が集積している太平洋ベルト地帯にさらに集中的に投資をする、「太平洋ベルト地帯構想」が出てきました。しかしこれは、地方からの反発があって頓挫します。

その結果、「新産業都市建設」を中心にすえた拠点開発方式――後進国の開発モデルと言われるものですが――を採用することによって、日本列島上に所得倍増計画の開発拠点としての新産業都市を展開していく政策がとられました。

その手法は、国民所得倍増、あるいは経済成長の「隘路」と呼ばれた道路、工業用水、港湾といった社会資本への投資の集中であり、それをもとにした企業誘致でした。これによって地域経済、地域産業全体の発展をはかるという、地域開発の夢が語られていくわけです。

この夢が、現実にはどういうかたちで終わったのかということに関しては、宮本憲一によるすぐれた研究があります[5]。現実には、企業誘致に成功したところでは公害問題など社会的費用が増大し、それに対する財政的支出によって財政危機が深化する。他方、企業誘致に失敗したところも多く存在し、そこでは先行投資にともなう財政危機にあえいでしまう結果になってしまったわけです。

その結果、一九六〇年代末から東京や大阪をはじめとして主要な地方自治体で「革新自治体」が生まれ、自民党は大都市部を中心に大きく後退し、国会でも議席を失っていくという政治的な危機の局面に当面することになります。このとき、国土政策の根本的な転換を図る流れが台頭することになります。

## 新全総から「列島改造計画」へ

その中心にすわったのが田中角栄でした。彼が中心になって、一九六八年に自民党の「都市政策大綱」が発表され、六九年には新全総がつくられ、さらに彼の著書としての『日本列島改造論』が七二年に出版されます。この一連の、新しい都市政策、あるいは日本列島改造政策はいったい何を意味していたのでしょうか。

当時、日本は、貿易立国政策をすすめるなかで国際収支の黒字化基調が定着する段階に入ってきました。そこで、エネルギー資源は石油に切り替えていく、農林水産物は積極的に輸入していく政策がとられて、農地や山林がつぶされ宅地化していました。それにともなって土地の所有も利用も

「流動化」させ、工業基地化し、あるいは都市化やレジャー基地化する政策をはかり、これらを高速交通網によって結びつける、いわゆる「一日交通圏」構想をつくっていくことになります。

　これによって「公共事業の産業化」が目的意識的に追求されていく時代に入っていきます。すなわち、後に「土建国家」と呼ばれる政治・経済体制が、これを機につくられていくことになるわけです。けれども、このような高度経済成長路線は、七一年のドルショック、七三年の石油ショック、そして食料危機に直面し、経済成長の外的条件の崩壊によって突き崩されることになります。

　しかも国内においては、過剰蓄積が土地投機をまねき、それに石油ショックが加わることによって、石油関連商品の買占めが洗剤やトイレットペーパーにも広がり、「狂乱物価」と呼ばれる事態となり、国民生活が大混乱に陥りました。不況と物価上昇の同時併進という異例の事態であり、「スタグフレーション」という言葉まで生まれました。

　この高度経済成長の最終局面において田中角栄が打ち出した政策は、ある意味で注目すべきものでした。すなわち、一九七三年に新国土総合開発法案を準備し、国土総合開発庁の発足を構想しました。これらは日本列島改造に象徴される開発促進のための一元的、トップダウン的な国土計画と開発体制の整備をねらうものでした。とりわけ土地計画に関しては、中央政府から市町村までトップダウン的な一体性を実現することによって、より合理的に土地の流動化を図って、開発に結びつけていく考えだったわけです。

　しかし、当時の社会経済情勢を反映して国会でたいへんな反発にあいます。その結果、土地取引や地価抑制を目的にした国土利用計画法、および国土庁の発足という、彼自身の当初の目的とはまったく異なった方向へと転換することになります。しかもその後に発覚したロッキード疑獄で田中角栄は退陣し、この構想は、見果てぬ夢として終わります。

## 4　三全総から四全総へ

### 構造不況と三全総

その後、日本は低成長の時代、すなわち構造不況の時代に移ることになります。当然、それに対応した全総の見直しも必要になってきます。

一九七七年に策定された三全総の大きな特徴は、これまでの開発重視から環境重視へ転換をしたことにあると思います。ただし、これも宮本憲一が指摘したことですが、「二・五全総」と呼ばれたことに示されるように、新全総が盛り込んだ大規模な公共事業、交通ネットワークの建設等々は継承していたことにも注意しておく必要があります[6]。

この三全総のもう一つの特徴は、ドル危機、石油ショック、食料危機を経験した後だっただけに、「総合安全保障」を重視したことです。ここにも大きな時代的な特徴があります。

このような政策的な背景のもとに、開発方式としては河川の流域圏を基盤とした「定住圏」構想をうちだします。ここで自然と調和をした人間の居住空間の形成がうたわれますが、あわせて産業政策の弱さが指摘されることになります。

当時は構造不況のもとで、これまで日本経済をリードした、いわゆる重厚長大型の鉄鋼、石油化学等の重化学工業にかわる産業の展望が見えなかったところに大きな制約がありました。

## テクノポリス構想

その後、一九八〇年代に入ると、テクノポリス政策が通商産業省（現・経済産業省）サイドから提起されます。新たな産業の展望という点では、アメリカのシリコンバレーでコンピュータをはじめとする先端産業が成長し始めていました。日本においてもこの電子機器やバイオテクノロジー、あるいはニューセラミック等の先端産業の立地の動きが現れつつありました。

これに対応したかたちで、日本でもシリコンバレーをつくっていくことが経済政策的な目的となるわけです。しかしながらこのテクノポリス構想は、日本のなかでの国土のアンバランス（不均衡）を是正する地域政策ではなくて、新しい先端産業の立地条件を整備するという意味で、まさに産業立地政策というかたちですすめられたものでした。

当初は、やはり数か所を指定するつもりでしたが、新産業都市と同様、多くの地域が手をあげたため、たくさんのテクノポリスが指定されることになります。しかも、この先端産業の立地都市以外は、大分県の一村一品運動に象徴される地域産業おこしを、各自治体の自立自助で行うことを奨励するというものです。このように、いわば安上がりの地域政策を提起することに留まっていました。

## 中曾根内閣と前川レポート・四全総

ところが一九八六年に、中曾根康弘が政権につくことによって開発主義的な動きが復活し、加速していくことになります。いわゆる「アーバンルネサンス」を中曾根首相は強調しましたが、その背後には、日米間で大きな問題となってきた日米貿易摩擦がありました。輸出を重視することで貿易黒字を稼いでいくという低成長時代の蓄積様式が、アメリカとの通商摩擦を引き起こしてしまったのです。これを回避するために「内需拡大」を行う必要にせまられていたのです。

このため、一九八六年四月、当時の中曾根康弘首相は、アメリカのレーガン大統領との首脳会談に際して、「前川レポート」を持参し、それまでの輸出主導型経済構造から内需主導型経済構造へと転換する経済構造調整を対外公約するに至ります。

この内需主導型経済構造を作り上げるために策定された国土計画が、第四次全国総合開発計画（四全総）でした。同計画では、前川レポートにある内需拡大のための具体的プロジェクトが盛り込まれていました。

内需拡大の核をなす公共投資計画は、当初の四三〇兆円から、その後の日米構造協議をつうじて一九九四年には六三〇兆円へと膨れ上がりました。ところが、財政状況が厳しくなるなかで、高度経済成長期のように補助金を投下して公共投資を行っていくことは難しい時代になっていました。そこで登場したのが、規制緩和・民間活力（民活）の導入という手法でした。

日本の経済界も、中曾根首相に対して規制緩和・民活による市場拡大を強く要求しました。その中心になったのが、一九八三年に設立されたＪＡＰＩＣ（日本プロジェクト産業協議会）でした。ＪＡＰＩＣは、鉄鋼、造船、プラント等、石油ショック後に構造不況に陥った重厚長大型産業の企業群によって結成された団体であり、当時のトップは経団連会長も務めていた新日本製鐵の斎藤英四郎会長でした。ＪＡＰＩＣは、従来のように公共事業の受注を待つのではなく、積極的に大型プロジェクトを提案していくことによって、収益の安定的確保を図ろうとしたのです。具体的には、東京湾横断道路や幕張メッセ、あるいは関西新空港や中部新国際空港、京都駅ビル、さらにリゾート開発や博覧会・イベントの開催等々のプロジェクトを、経団連傘下の関西経済連合会や中部経済連合会等の地域組織とともに提案し、それが四全総のなかに盛り込まれました。

中曾根首相がとくに力を入れたのは、「アーバンルネサンス」による東京大改造でした。都市計画法、建築基準法の改正によって、高さ規制、立地規制等を緩和することにより、都心部での大規模再開発や臨海部でのウォーターフロント開発を進め、多国籍企業時代にふさわしい「世界都市＝東京」の形成をめざしたのです。四全総の中間報告では、東京一極集中を是認し、加速する素案を作成しましたが、地方六団体等からの強い反発を受けたので、最終的には「多極分散型国土の構築」を目標とすることにし、四全総は一九八七年に閣議決定されました。

四全総の開発戦略は、「交流ネットワーク構想」と名付けられ、各種地域拠点（中枢都市機能、先端技術産業、農林水産業、国際交流等）の整備とあわせて、それらを結ぶ基幹的交通・情報・通信体系の整備、ネットワーク化を推し進めるとして、新全総で提起された新幹線、高速道路、空港の整備を公共投資として進め、最終的に「全国一日交通網」を構築することを目標としました。

以後、内需拡大政策の名による東京大改造をはじめとする都市再開発と地方でのリゾート開発がすすめられていきます。リゾート開発は、当時の日本の「働き蜂」＝長時間労働が批判されるなかで余暇時間を拡大すること、そのために余暇ビジネスを育成する目標も重ねて、法律もつくって、全国的に推進されていきました。リゾート地域には、道路や水道、電気・通信網が必要不可欠であり、ホテルやスキー場、マリーナを含む建設市場の形成が期待されたのです。

他方、ドル安・円高調整で、鉱産物や中小企業性製品、農産物の輸入が拡大し、輸出型の地場産業や中小企業は大きな打撃を受け、農村と農業は、さらに深刻な後退を迫られることになります。

こうした全国いたるところでの開発にあおられたかたちで、バブル景気が地価高騰をともないながら出現することになります。あわせて東京への一極集中が加速することになるわけです。

## 5　経済のグローバル化と国土開発政策の転換

### 「最後の全総」＝五全総の策定

しかしながら、このバブル景気もそれほど長くは続きませんでした。九一年にはバブルが崩壊し、さらに海外への直接投資が本格化するなかで、日本経済は本格的な産業空洞化現象を生み出すことになります。

日本の場合、資本が海外へ出て行くことによる産業空洞化に加え、積極的に農産物や中小企業性製品、あるいは鉱産物を輸入することによって、それまで地方経済の基幹であった産業部門が大きく落ち込んでいく点で、アメリカの産業空洞化現象よりも深刻であったといえます。後者を私は「政策的な産業空洞化」と呼んでいるのですが、いわば二重の空洞化現象に陥っていくことになります。

しかも財政危機が一段と深化するなかで、新しい国土計画のあり方が大きな問題になっていきました。一九九八年につくられた五番目の全国総合開発計画（五全総）の策定にあたった下河辺淳は、国土計画、あるいは全総の呼称を使うことを嫌いました。[7] あえて「新しい全国総合開発計画」と言ったり、「二一世紀の国土のグランドデザイン」という呼称を考えたりしました。

これは四全総への批判があまりにも強かったことのあらわれです。同時に、経済のグローバル化が進むなかで、一国の国土計画そのものがもつ限界性、矛盾が明らかになってきたことも背景にあります。そのなかで新しい時代に即した計画行政の必要性を考えていたといえます。

実際、「最後の全総」という言い方もされています。その五番目の全総において、基幹事業として位置づけられたのは、一つは、グローバル化をにらんだインフラ整備です。すなわち、太平洋ベルト地帯だけを強化した従来の国土軸に加えて、複数の別の国土軸を加えていく。それをさらに横につなげていく地域連携軸を配置することによる「多軸型国土構造の形成」を、計画の目標にすえました。明らかに、高速道路、高速鉄道、あるいは空港の建設を、グローバル化と結びつけた大型公共事業として継続する政策だったと捉えることができます。

もう一つは、都市においてはリノベーション、いわゆる再開発を重視していく。農村においては「多自然居住」ということで、都市と農村の交流拠点として整備をしていくことです。逆に言えば、農村における農業の生産機能にはこだわらないという政策がとられていくことになります。

さらに国や地方自治体の財政制約下のもとで、公共投資を進めるために、ＰＦＩ（Private Finance Initiative：プライベート・ファイナンス・イニシアティブ）等の民間活力の導入を積極的に行うことによって資金を確保する。つまり、民間資本の蓄積の一つの機会として開発計画を位置づけていくことになります。

## 国土交通省の発足と国土形成計画法の制定

二〇〇一年に小泉純一郎内閣が発足し、構造改革が推進されるなかで、国土総合開発法の見直しが検討されるようになります。同年四月には、中央省庁改革の一環として国土交通省が発足します。つまり国土庁と建設省等々、公共事業を実施する事業省が一体化することによって、開発と規制をすべて担当する巨大官庁が誕生したわけです。他方で、二〇〇〇年の地方分権一括法によって地方分権の流れが強くなり、従来のような国からのトップダウン的な計画行政が矛盾を帯びてきて、その調整が必要になったということも、その背景にありました。

国土交通省では、その結果、二〇〇三年頃から新たな国土計画づくりの作業が開始され、二〇〇五年に国土形成計画法が制定されることになりました。この法律は、半世紀ぶりに国土総合開発法を全面的に見直し、新法として国土計画策定の枠組みを定めたものです。

当時、政府は、法制定の目的として〈開発中心からの転換、国と地方の協働によるビジョンづくり、計画への多様な主体の参画、国土計画体系の簡素化・一体化〉を掲げていました。国土総合開発法に基づく全総は、国土開発を時々の産業政策、経済成長政策を遂行するために、国が主導してトップダウン的に作成されたものでした。しかし、経済のグローバル化が進行するとともに、ローカルな地域ごとの個性的な計画づくりや、開発中心の政策からの転換が求められるようになったという認識でした。その意味で、国土形成計画法の制定は、経済のグローバル化段階に対応する国土計画を志向したものとして画期をなすものといえます。

この国土形成計画は、二層の計画構造になっており、全国計画とともに、北海道と沖縄県を除く地域を八ブロックに分け、そこで広域地方計画を策定する仕組みにしました（図４－１）。最初の国土形成計画の全国計画は二〇〇八年七月に、八ブロックごとの広域地方計画は二〇〇九年八月に策定されました。

全国計画では、従来の「一極一軸型の国土構造を是正」し、グローバル化や人口減少時代という時代認識の下に、「多様な広域ブロックが自立的に発展するとともに、美しく、暮らしやすい国土の実現を目指」し、①「東アジアとの円滑な交流・連携」、②「持続可能な地域の形成」、③「災害に強いしなやかな国土の形成」、④「美しい国土の管理と継承」及び「『新たな公』を基軸とする地域づくり」を戦略的目標として掲げました。

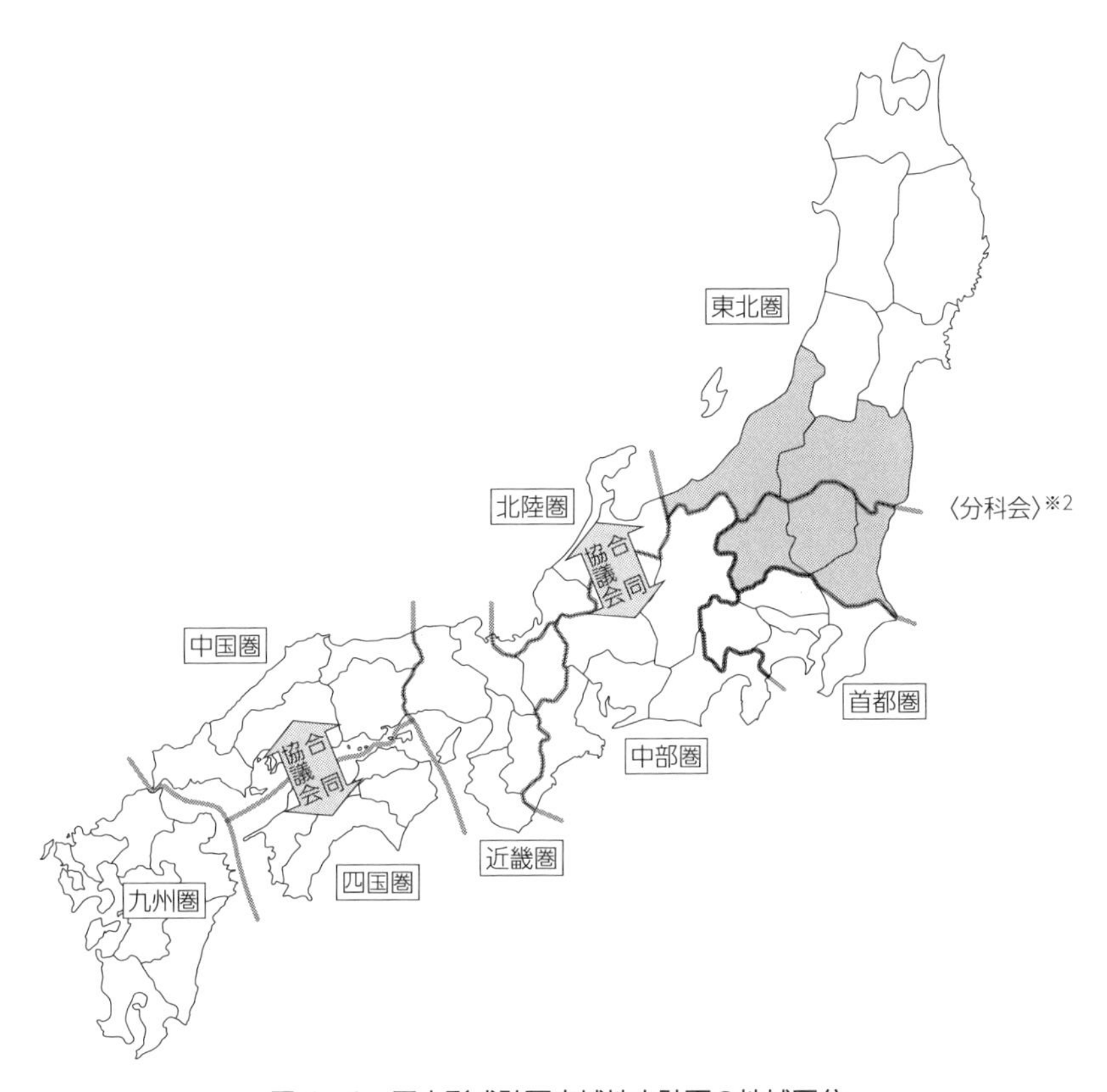


図４−１　国土形成計画広域地方計画の地域区分

注：

※１　合同協議会（北陸圏と中部圏、中国圏と四国圏）
　　日本海と太平洋の両海洋を活用した広域物流体系や国際観光ルートの構築
　　中部山岳地域における国土の保全・管理の一体的推進（北陸圏と中部圏）
　　瀬戸内海における国土の保全・管理の一体的推進（中国圏と四国圏）

※２　分科会（北関東地域）
　　北関東地域３県（茨城、栃木、群馬）の自立的発展
　　東北圏の福島、新潟を加えた５県での広域連携の取組

出所：国土交通省ホームページによる。http://www.kokudokeikaku.go.jp/share/images/plan/ill07_l.gif

この全国計画と広域地方計画の関係については、「国は、国家戦略上の見地から必要とされる施策の実施に加え、自立的に発展する広域ブロックの形成を促進するため、広域地方計画に基づく国際競争力の強化等を目指した重点施策や官民による地域戦略を支え効率的・効果的に実現するための基盤整備等の支援、各地域の知恵と工夫の競い合いのための支援や環境整備など、国としての支援を総合的に推進していく」と述べられており、国際競争力の強化等の国策に対応した重点施策や基盤整備の推進を優先することが示されていました。

以上のような謳い文句でしたが、はたして本当に開発基調から脱して地方主導になっているのかどうか。住民の生活が向上していく内容になっているかどうか。これらの点を問うてみる必要があります。

### 道州制導入論と広域地方計画策定

実は、この国土形成計画上の広域ブロック化は、当時、日本経団連が政策提案していた道州制や市町村再編（合併）論に対応したものでした。日本経団連は、二〇〇三年に新ビジョン「活力と魅力あふれる日本をめざして」においてすでに道州制の導入を提言していましたが、財界からの要求を受けて、小泉内閣下の第二八次地方制度調査会は「道州制のあり方に関する答申」をまとめます。第一次安倍晋三内閣では、それをさらに具体化するために、道州制担当大臣が置かれ、道州制ビジョン懇談会もおいて本格的な制度導入の検討を開始しました。

　これに対して、日本経団連も道州制推進委員会を設置し、その委員長（中村邦夫パナソニック会長）が、安倍内閣の下におかれた第二九次地方制度調査会の会長を務めることになります。財界が道州制を求める理由として、当時の御手洗冨士夫会長は、「日本の経済成長力を取り戻す」ためには、外資系企業を誘致するための国際空港・港湾・都市高速道路の「インフラの整備」と、「道州制による地方分権」が必要だとしていた点が注目されます[8]。その道州制構想では、現状の都道府県の廃止と国の出先機関の統廃合を前提にしていましたが、これによって一〇兆円前後の財源が浮き、それを多国籍企業対応のインフラ整備に「選択と集中」で投下することを想定したものでした。

　国土形成計画における、北海道、沖縄県を除く八ブロックも、これらの道州政府の広がりと重なりあうものでした。そこでもう一つ注目されるのは、広域地方計画を策定する広域地方計画協議会の構成員です。前述したように、政府機関の代表者に加え、地方自治体の関係者及び民間人として各ブロックの財界代表者が入ることになりました。とりわけ、東北圏、北陸圏、近畿圏、四国圏、九州圏では、各ブロックに対応する地域財界団体である東北経済連合会、北陸経済連合会、関西経済連合会、四国経済連合会、九州経済連合会の会長が協議会会長を務めました。各協議会では、地域財界団体や自治体からの開発プロジェクト構想を取りまとめる形で広域地方計画を策定しただけでなく、向こう一〇年間の社会資本整備計画（公共投資計画）も策定したのです。

　したがって、国土計画の地方分権化の内実は、各地方財界の社会資本整備要求がブロックごとに通りやすくなったという側面が強く、住民の要望や意見が十分に反映するような運営にはなっていないという問題があるといえます。

## 6 「増田レポート」と「地方創生」・国土形成計画の見直し

### 第二次安倍政権と「増田レポート」

二〇一二年一二月、民主党政権に代わり、自民党の第二次安倍晋三政権が発足します。安倍首相は、第一次政権以来の宿願である道州制推進基本法案の国会上程を目指しましたが、さらなる市町村合併を警戒する地方団体や自民党内からの反対意見の声が多く、強く推進することができない状況に置かれました。

そのような行き詰まりのなかで、二〇一四年五月に、一民間組織である日本創成会議（座長・増田寛也元総務大臣）が「ストップ少子化・地方元気戦略」（以下、「増田レポート」と略）を発表します。二〇～三〇歳代の若年女性人口が二〇四〇年までに五割以上減少する自治体を「消滅可能性都市」、うち人口一万人未満の市町村を「消滅自治体」と名指しして自治体名を公表したうえで、「消滅」が避けがたい自治体では周辺にある地域拠点都市との連携をすすめ、その拠点都市に行政投資や経済機能の選択と集中をすすめるべきだとしたのです。

このレポートは「消滅可能性都市」・「極点社会」論として、マスコミがこぞってセンセーショナルに報道し、リストに掲載された自治体では次々と対策組織体が置かれることとなりました。そして、「消滅可能性都市」という言葉は、「消滅自治体」さらに「地方消滅」[9]という言葉へエスカレートしていき、地方自治体の危機感を煽りながら、安倍内閣は二〇一四年九月の内閣改造で「地方創生」を重点施策として打ち出し、石破茂前幹事長を担当大臣にすえるにいたります。

あわせて、安倍内閣の下では、「増田レポート」を前提にして、人口減少社会に対応した新たな地方制度のあり方を審議するために第三一次地方制度調査会が設定され、同会長には再び日本経団連副会長であるとともに、道州制推進委員長の任にあった畔柳信雄・三菱ＵＦＪフィナンシャル・グループ社長が就任しました。

もうひとつの改革の柱が、国土形成計画の見直しでした。国土交通省において、二〇五〇年に向けての新たな長期計画である『国土のグランドデザイン二〇五〇』の策定作業が進められていましたが、その情勢認識に増田レポートの内容が採り入れられ、二〇一四年七月に正式決定されました。そこでは、状況認識として「増田レポート」をベースにした「地域存続の危機」と「巨大災害の切迫」が指摘され、それに対する基本戦略としてコンパクトな拠点とネットワークの構築等一〇項目があげられたのでした。

## 新たな国土形成計画の策定

この長期計画に基づいて、国土交通省は、二〇一五年八月に新たな国土形成計画（全国計画）を策定し、これが閣議でも了解されました。同計画の謳い文句として「本格的な人口減少社会に初めて正面から取り組む国土計画」が掲げられます。

同計画の計画期間は二〇一五年～二五年までの一〇年間であり、同計画では、〈二〇二〇年東京オリンピック・パラリンピック競技大会の前後にわたる「日本の命運を決する一〇年」〉と位置づけられました。

同計画で設定されている国土づくりの目標は、①安全で、豊かさを実感することのできる国、②経済成長を続ける活力ある国、③国際社会の中で存在感を発揮する国であり、人口減少や災害問題を指摘しながらも、経済成長を図ることを最優先していることがわかります。

国土形成の基本戦略として据えられているのは、〈「対流促進型国土」を形成するための重層的かつ強靱な「コンパクト+ネットワーク」〉であり、その内容として、「『コンパクト』にまとまり、『ネットワーク』でつながる」、「医療、福祉、商業等の機能をコンパクトに集約」、「交通、情報通信、エネルギーの充実したネットワークを形成」、「人口減少社会における適応策・緩和策を同時に推進」という項目が立てられています。

具体的には、日本列島の広がりにおいて、リニア新幹線建設を大前提に三大都市圏を結合した「スーパーメガリージョン」を形成すること、それ以外の地域では「コンパクト+ネットワーク」によるコンパクトシティ、「連携中枢都市圏」を構築すること、さらに中山間地域では「小さな拠点」を整備することが盛り込まれました。また、「『選択と集中』の下での計画的な社会資本整備（安全安心インフラ、生活インフラ、成長インフラ）」も大きく位置づけていることも注目されます。

一方、東京一極集中の是正策として、「東京一極滞留を解消し、ヒトの流れを変える必要」、「魅力ある地方の創生と東京の国際競争力向上が必要」という項目が立てられていますが、その先にある国土像は、『住み続けられる国土』と『稼げる国土』の両立」というものです。後者がグローバル都市として純化すべきとする東京圏ですが、このような文学的表現によって、同計画がいう「国土の均衡ある発展」が実現するとはとても考えられません。むしろ、これまでの新自由主義的な構造改革政策に基づく「選択と集中」による格差の拡大と国土の荒廃が、いっそう進むことになるのではないでしょうか。

表４－１　人口規模別自治体数・人口・面積比重（2012年）

| | 自治体数 | 人口 | 面積 |
|---|---|---|---|
| 100万人以上 | 0.6% | 15.5% | 1.6% |
| 50～100万 | 1.4% | 12.8% | 2.4% |
| 20～50万人 | 5.7% | 24.4% | 7.6% |
| 10～20万人 | 9.0% | 16.9% | 10.7% |
| 5～10万人 | 15.7% | 14.8% | 16.9% |
| 3～5万人 | 13.8% | 7.3% | 13.6% |
| 1～3万人 | 25.9% | 6.5% | 22.6% |
| 1万人未満 | 27.8% | 1.9% | 24.7% |
| 合　計 | 100.0% | 100.0% | 100.0% |
| （うち20万人～） | 7.7% | 52.6% | 11.5% |

出所：総務省「市町村別決算状況調」2012年版から作成。
注：人口は、年度末の住民基本台帳人口。面積は、10月1日現在。

また、人口二〇万人以上の連携中枢都市に経済機能だけでなく行政投資を集中する地方創生総合戦略もたてられましたが、表４－１で示したように二〇一二年時点で二〇万人以上都市は、人口の過半を占めてはいるものの、面積は一割に過ぎません。大都市の水源地や国土保全の役割を果たしているのは、中山間地域に存在する人口小規模自治体であり、災害リスクを低め、農山村資源の活用を図るためにも、大都市への「選択と集中」ではなく、大都市と小規模自治体を連携する国土政策こそ求められています。

最後に、この全国計画に基づいて、二〇一五年度末に広域地方計画の策定がなされました。これに関連して、全国計画は、「地方の施策への反映」を強く求めています。これは、広域地方計画を各自治体における地方創生総合戦略づくりに反映するよう求めたものであり、依然としてトップダウン的な色彩が強いといわざるをえません。

## 「福祉国家」型地域政策から「グローバル国家」型地域政策への転換

以上で述べてきたように、国土形成計画法に基づく新たな国土計画の特徴は、少なくとも三全総までは言われてきた地域格差是正を目標にした「福祉国家」型の地域政策というものが、完全に終焉している点にあります。

その一方で、多国籍企業の立地を何よりも重視していく、いわゆる「グローバル国家」に対応した地域政策への転換が明確になっていると考えるわけです。それが今日の新自由主義とよばれる政策の中身ではないかと思います。

これは、日本だけの動きではありません。イギリスにおいても辻悟一が指摘しているように[10]、地域競争力の確保を図る必要があるということで地域政策の転換が九〇年代から進行しています。あるいはドイツにおいてもヒルシュが「国民的競争国家」と名づけたように[11]、多国籍企業の立地点を確保するための地域政策にシフトする動きがあります。日本の新たな国土政策、国土計画の動きも、このような政策的転換と軌を一にするものであると考えられます。

## 7 「多国籍企業立地促進型」国土政策の矛盾と限界

しかしながら、このような多国籍企業立地促進型の国土政策は、矛盾を帯びたものであることを見ておく必要があります。

第一に、国内における地域的不均等がきわめて激しいものになってきているなかで、多国籍企業立地促進型の政策では大きな限界があります。日本国内においては産業の空洞化がすすみ、住み続けることができない地域が地方を中心に広がってきています。金融機関の統合でお年寄りが銀行や農協から預金をおろせないとか、大型店の進出によって、一つのまちのなかで生鮮食品を買えないような地域が広がってきています。さらに非正規労働者や半失業者が増大し、所得格差、階層間格差が拡大し、社会的犯罪も増えてくるという現象がおきてきます。

第二は、すでに述べたように、この間のグローバル化政策の帰結として食料及びエネルギー資源の自給率が、大きく低下しています。しかも、石油については、その多くを中東に依存する、きわめて不安定な再生産の土台になってきています。

他方で、資本は海外投資に走り、その投資利益は本社のある東京都心部に一極集中しています。その対極で、地方では産業基盤が総崩れし、過疎化がさらに進行する、というきわめてアンバランスな国土構造になってきています。

食料危機、あるいはエネルギー危機が起これば、日本の国民の生活、特に大都市の住民の生活は大混乱に陥ることは必至です。グローバル化時代だからこそ、国内において食料、あるいはエネルギーを安定的に調達していく、そのような社会的安全保障を図っていくことが、いま強く求められているのではないかと考えます。

さらに、地方の衰退と、それにともなって増えている社会的犯罪、あるいは災害の頻発、感染症の発生に対して、きめ細かな地方自治体による公的サービスがますます重要になります。公共の財源が住民の生活領域の範囲においてしっかりと措置されていくことこそ必要なのです。ところが、まったく逆の方向で、大資本が活動しやすいように「平成の大合併」や自治体再編を行い、「選択と集中」政策が行われています。ここにも大きな矛盾があるといえます。

第三に、国土計画そのものに関して言えば、グローバル化段階において、はたして一国規模の国土計画を立てることの意味がどれほどあるのか、改めて問うてみる必要があります。

たとえばドイツにおける国土計画は、空間整備計画というかたちで国家レベルでは原則的な条項しか定めていません。その上で一番基本になるのは地域の、とりわけ市町村の地区計画です。まちのなかでの小街区での計画が最も詳細なものであって、それを積み上げながら各空間レベルでの計画をボトムアップ型でつくっていく計画体系になっています。

日本においても「地方分権」がすすめられてきましたが、その本来の理念から考えれば、生活領域の地域に基盤をおいた計画を積み上げていくことが本旨ではないかと思います。そのなかで国土計画形成の基本方針のみを国は定めていくようにすべきではないでしょうか。

もう一つの問題は、地方分権といいながら、日本の地方分権は広域自治体をつくっていくという方向のみに突き進んでいます。さらに道州制の議論のなかで、道州政府の首長に関しては任命制、あるいは互選制にしてはどうかというような議論が行われています。今の憲法では、地方自治体の首長は選挙で住民が直接選ぶ規定になっているわけですが、それを変える、すなわち憲法改正問題に踏み込むような改革を念頭においているわけです。

それは一方では有事国家体制を構築していくために地方自治と団体自治を押さえ込んでいく必要があるからだと考えられます。他方では、国土計画の社会資本投資を引き続き行っていくために、新しい州政府の母体は今の国土交通省等の出先機関が担当するということも議論のなかで出されています。

以上から、はたして住民の意向がどれだけ新しい州政府や大きな広域自治体に反映されるかについては、かなり限界があるのではないかと考えます。現在の多国籍企業立地促進型の国土計画は、これまで述べてきたような矛盾、あるいは問題をもっているからです。

いずれにせよ、戦後日本を振り返ってみたとき、「資本の活動領域」としての国土・地域づくりにまい進し、失敗を重ねてきた日本の国土政策・地域政策を根本的に見直す必要があると思います。

少数の多国籍企業の短期的利益を第一にした「経済性」重視ではなく、圧倒的多くの国民や住民の「人間らしい生活」とその国土の持続的発展を最重要視した政策への転換が、グローバル化時代だからこそ、そして災害列島化しつつある時代だからこそ、いま強く求められているのではないでしょうか。

**注**

（1）戦時期の国土計画の策定過程については、岡田知弘『日本資本主義と農村開発』法律文化社、一九八九年、第六章、及び酉水孜郎『国土計画の経過と課題』大明堂、一九七五年、同『資料・国土計画』大明堂、一九七五年、を参照。

（2）この点については、酒井三郎『昭和研究会―ある知識人集団の軌跡―』TBSブリタニカ、一九七九年（一九九二年、中公文庫）、及び岡田知弘「グローバル化時代の『国土計画』を問う」『ポリティーク』第七号、二〇〇四年、参照。

（3）以下、詳細は、岡田知弘、前掲書を参照。なお、戦後の全総の立案過程については、下河辺淳『戦後国土計画への証言』日本経済評論社、一九九四年、参照。

（4）宮本憲一『社会資本論』有斐閣、一九六七年、参照。

（5）宮本憲一『地域開発はこれでよいか』岩波新書、一九七三年、参照。

（6）宮本憲一編『国際化時代の都市と農村』自治体研究社、一九八六年、参照。

（7）五全総をめぐる経緯については、本間義人『国土計画を考える―開発路線のゆくえ―』中公新書、一九九八年、参照。

（8）御手洗冨士夫「今こそ平成版『所得倍増計画』を」『文藝春秋』二〇〇八年七月号。また、道州制と国土計画の関係については、岡田知弘『増補版　道州制で日本の未来はひらけるか―民主党政権下の地域再生・地方自治―』自治体研究社、二〇一〇年、岡田知弘「道州制と国土計画」渡名喜庸安・行方久生・晴山一穂編『「地域主権」と国家・自治体の再編―現代道州制論批判―』日本評論社、二〇一〇年、参照。

（9）「増田レポート」は、同年夏には、増田寛也編『地方消滅―東京一極集中が招く人口急減―』中公新書、二〇一四年、として刊行されます。なお、同レポートへの批判として、岡田知弘『「自治体消滅」論を超えて』自治体研究社、二〇一四年を参照。

（10）辻悟一『イギリスの地域政策』世界思想社、二〇〇一年、参照。

（11）ヨアヒム・ヒルシュ（木原滋哉・中村健吾訳）『国民的競争国家―グローバル時代の国家とオルタナティブ―』ミネルヴァ書房、一九九八年、参照。

# 第5章　プロジェクト型地域開発と地域

## 1　プロジェクト型開発の登場とその背景

### プロジェクト型開発への幻想

一九七〇年代の「日本列島改造論」以後、〈空港や高速道路、新幹線などの大規模プロジェクトができれば地域は「活性化」する〉という言い方が繰り返しなされてきました。実際、今も、リニア新幹線、北陸新幹線、カジノ、そしてコンパクトシティ構想や国家戦略特区制度による都市再開発、「国土強靭化」の名の下での大規模開発プロジェクトが、全国各地で展開されています。

他方で、前章で見たように、この半世紀に展開された大規模プロジェクトで地域経済や社会が持続的に発展したといえる状況ではありません。むしろ、莫大な公共投資にも拘わらず、地域経済の衰退と国と地方の債務の累積が進んでしまったのが現実の姿ではないでしょうか。

本章では、時間経過の中である程度結果がでている、四全総時代に展開されたプロジェクト型地域開発の代表である関西国際空港（以下、関西新空港と略）を事例にとりあげ、それがなぜ地域経済の発展につながらなかったのかを、検証していきたいと思います。

## プロジェクト型開発登場の背景

四全総時代に、プロジェクト型開発が重視された背景には、大きく二つの要因があったと考えられます。ひとつは、七〇年代後半に構造不況に陥った鉄鋼やゼネコンなどの重厚長大型産業が、一九七九年にＪＡＰＩＣ（日本プロジェクト産業協議会）を設立し、「提案型の公共事業」を政府に要求することによって、自らの市場拡大を図ろうとしたことです。もうひとつの要因は、アメリカとの貿易摩擦を回避するために、前川レポートに集大成された経済構造調整政策の一環として、規制緩和と民間活力（民活）の導入による内需拡大を図る政策路線が選択されたことです。これは、後に日米構造協議のなかで、四三〇兆円、さらに六三〇兆円の公共投資基本計画の対米公約という異常な形をとって、具体化されていくことになります。その投資計画の多くが、ＪＡＰＩＣが提案したプロジェクト型の地域開発事業であったことが、この時期の大きな特徴であり、それが後の国及び地方の財政危機を拡大した要因ともなりました[1]。

その代表的な事業としては、東京湾横断道路、幕張メッセ、横浜ＭＭ21、関西新空港、中部新空港、関西文化学術研究都市の建設や、リゾート開発、イベント型開発、地域情報化政策などがありました。以下では、関西新空港プロジェクトを例に、なぜ巨大投資が、地域の発展に結びつかなかったかを考えてみたいと思います。

## 2　民活型関西新空港の建設

### 「関西復権」論と新空港構想

関西新空港構想は、一九六〇年代から関西経済連合会（関経連）等によって「関西復権」の起爆剤として推進されてきたプロジェクトでした。伊丹空港が手狭になり、騒音公害問題が激化するなかで、新たな国際空港建設の要求が次第に高まっていきました。もっとも、最初から空港立地点や工事方法が決まっていたわけではありません。神戸沖からはじまり和歌山沖まで多くの立地点が候補としてあげられ、それぞれの地域の自治体や経済団体による綱引きが行われました。

また、工事方法についても、埋立方式にするか浮体方式にするかをめぐる鋭い対立もありました。さらに、七〇年代の公害反対運動や住民運動の高まりのなかで、大阪府に黒田了一革新府政が生まれたことによって、構想の具体化は進みませんでした。ところが、一九七九年に黒田革新府政から、新空港建設を推進する岸昌保守府政へと交替したことを契機に、一気に空港構想が具体化していきます。一九八三年末には中曾根内閣が発足し、民間活力導入による内需拡大路線をとります。この結果、八四年に関西国際空港株式会社法が成立し、八七年一月に着工、九四年九月に開港します。(2)

## 関西新空港の巨額投資と地方自治体の広域負担

関西国際空港は、これまでの空港にない、いくつかの特徴をもっていました。第一に、泉州沖五キロメートルの海面を埋め立てて人工島を建設する、世界で初めての本格的な海上空港方式を採用した点です。これによって、日本初の二四時間空港を実現しようとしました。第二に、このような工法を採用したため、建設費が莫大なものとなりました。すなわち直接的な建設コストは、空港用地に五九七七億円、連絡橋に一八〇〇億円、廃棄物処理場に六四億円と、合計七八四一億円に達しました。内陸部に建設した成田空港（一九七八年開港）の場合は、空港用地として五二九億円かけただけでした[3]。さらに、空港関連施設・インフラ整備も入れた関西新空港の総事業費は、一兆五〇〇〇億円にものぼりました。第三に、このような多額な投資は、第一種空港である限り、成田空港と同様、国がすべて負担してしかるべきものでしたが、関西新空港の場合、第三セクター方式を採用することになってしまいました。

これは、財政危機をきっかけとした「臨調行革」が推し進められていた状況の下で、国が財政支出を渋ったためです。結局、関西財界及び地元自治体からの「請願」によって建設された空港であるとして、国は会社出資金の三分の二を負担しただけであり、残り三分の一を地方自治体と民間企業が負担することになってしまったのです。しかも、その地方自治体は、地元の大阪府や大阪市だけでなく、和歌山県、兵庫県、神戸市、奈良県、京都府、京都市、滋賀県、三重県、福井県、徳島県の三政令市、九府県が入っていました。「関西の復権」を訴えることによる、政官財一体の広域的な「成長同盟」が作られたのでした。もっとも、それは、その後の二期工事などにおいて、これらの自治体に住む住民の負担を将来にわたって強いることを意味しました。

## 3　空港建設で地域経済は豊かになったのか

### 見えぬ巨大投資の地域経済への波及効果

関西新空港は、関西文化学術研究都市、明石海峡大橋とともに、「関西復権」の起爆剤となるはずでした。空港の総事業費だけでも一兆五〇〇〇億円に達しましたので、関西の地域経済はかなり潤ったはずです。ところが表5－1でも明らかなように、これらのプロジェクト建設が集中した一九八〇年代後半を通して、全国に占める近畿地方の相対的比重は引き続き低下しつづけたのでした。

東京一極集中の影響が大きく作用していることは容易に予測できますが、ここで注目したいのは、近畿地方における総生産と所得分配のあり方です。表5－2が示しているように、近畿地方の県内総生産は全国平均を下回る三二・六％の伸びでしたが、県民所得の増加率はさらにそれを下回っています。県民所得増加の内容を見ると、この間最大の伸びを記録したのはバブルがらみの財産所得であり、実に八七・四％に達しています（とくに大阪府はこの指標だけが全国、近畿圏平均を上回る九七・二％を記録しました）。ついで、民間法人企業所得の四六・六％が続いていますが、雇用者所得については県民所得の増加率を大きく下回る二五・七％にすぎないことがわかります。さらに

表5－1　近畿圏の全国ウェイト

（単位：％）

| | 1985年 | 1990年 |
|---|---|---|
| 人口 | 16.6 | 16.5 |
| 工業出荷額 | 18.5 | 17.7 |
| 県内総生産 | 17.3 | 16.6 |
| 県民所得 | 17.4 | 16.8 |

注：近畿圏は、滋賀、京都、大阪、兵庫、奈良、和歌山の6府県を指す。

資料：東洋経済新報社『地域経済総覧』及び経済企画庁経済研究所『県民経済計算年報』。

表5－2　近畿圏の県内総生産と分配所得増加率（1985-90年度）

（単位：％）

| | 全　国 | 近畿圏 | 大阪府 |
|---|---|---|---|
| 県内総生産 | 37.6 | 32.6 | 32.4 |
| 県民所得 | 36.6 | 31.6 | 30.4 |
| 　雇用者所得 | 31.8 | 25.7 | 22.1 |
| 　財産所得 | 90.0 | 87.4 | 97.2 |
| 　企業所得 | 30.5 | 22.2 | 20.3 |
| 　　民間法人企業所得 | 51.8 | 46.6 | 46.1 |
| 　　個人企業所得 | 7.0 | ▲1.5 | ▲13.5 |

資料：経済企画庁経済研究所『県民経済計算年報』。

問題なのは、個人企業所得（農林漁業も含む）の増加率がマイナスに転じていることです。その減少率は中小の個人経営が集積する大阪府においてとくに甚だしいものがあります。つまり、プロジェクト景気による上積み効果があったとしても、それは財産所得や民間法人企業所得として吸収され、個人経営や勤労者への所得分配には結びついていなかったとみることができます。

## 巨大独占企業グループによる仕事の囲い込み

しかも、民活型巨大プロジェクト開発のもつ特性自体が、「空港を建設すれば関西経済は活性化する」という単純な結果とはならない、重要な構造的問題をもっていることを見ておかなければなりません。[3]

第一に、関西新空港プロジェクト構想にしろ、関西学研都市構想にしろ、重厚長大型産業の市場創出をねらうＪＡＰＩＣの提案事業であり、巨大独占企業グループによる仕事の囲い込みがなされたことが重要なポイントです。関西新空港の場合、表

表5－3　関西新空港に群がる企業集団

| グループ | 三和 | 住友 | 第一勧銀 | 三井 | 芙蓉 | 三菱 |
|---|---|---|---|---|---|---|
| 名称 | 関西新空港連絡会 | 住友関西新空港協議会 | FKC空港対策連絡会 | 三井関西空港連絡会 | 関西新空港連絡会 | おおぞら会 |
| 入会数 | 116社 | 169社 | 72社 | 116社 | 63社 | 135社 |
| 事務局 | みどり会<br>日商岩井 | 住友商事 | 川崎重工<br>伊藤忠 | 三井物産 | 丸紅 | 三菱商事 |
| 発足年月 | 1976,05 | 1976,10 | 1977,10 | 1978,03 | 1978,03 | 1978,04 |

資料：大阪科学技術センター『エアポートハンドブック』月刊同友会、1986年。

5－3で明らかなように、当時の六大企業集団（現在は、四大メガバンクグループに再編されています）が早くからグループを形成し、関西新空港プロジェクトへの参画の機会をねらっていました[4]。これに加え、日米構造協議や日米建設協議といった二国間協議の場を利用して、アメリカ政府は日本の土木建設業界の談合体制を批判しつつ、アメリカ資本への建設市場の開放を執拗に迫ったのでした[5]。

その結果、同プロジェクトのコンサルタント、工事、施設設備品の調達については、表5－4のように外資系企業の参入が相次ぐことになりました。このほか、受注企業が工事用機材として調達したものに、埋立用鋼板セル（住友金属、三〇億円）、砕石用大型ショベル（日立建機）、ダンプトラック（新キャタピラー三菱、一〇億円）、しゅんせつ船（石川島播磨重工、三〇億円）、連絡橋用トラス橋（三菱重工）、ターミナルビル用ステンレス材（川崎製鉄、一〇億円）などがあります[6]。

つまり、建設投資の直接的な受益者は、大手ゼネコンを中核としたジョイントベンチャー・グループと重厚長大型産業の巨大企業、そしてアメリカやヨーロッパの土木建設設計・航空関連企業となっ

表5－4　関西新空港プロジェクト主要工事等の受注企業（関西国際空港株式会社発注分）

（単位：億円）

| 受注工事等の内容 | 受注額 | 受注企業名 |
|---|---|---|
| 海上作業基地 | 2 | 新日本製鉄 |
| 地盤改良調査工事 | 28 | 五洋建設、三井不動産建設、東洋建設、東亜建設工業、若築建設を中核とする5グループ |
| 護岸工事 | 913 | 東洋建設、五洋建設、東亜建設、佐伯建設、若築建設、三井不動産建設を中核とする6グループ |
| 連絡橋 | 1,200 | 間組、大林組、西松建設、熊谷組、前田建設、鴻池組、三菱、石播、三井、日立、川重、川田、駒井、日橋、松尾、新日鉄を中核とする16グループ |
| コンサルタント（旅客ターミナルビル） | 40 | ベクテル（米） |
| コンサルタント（旅客ターミナルビル） | 117 | パリ空港公団など欧米空港当局 |
| コンサルタント（情報通信） | 40 | AT&Tインターナショナル（米）等共同企業体 |
| 精密電波測位機 | 25 | デルノータ（米） |
| 船用エンジン | 35 | GM（米） |
| コンサルタント（セキュリティ） | 49 | TRW（米） |
| コンサルタント（セキュリティ） | 15 | ベクテル（米） |
| コンサルタント（旅客ターミナルビル） | 23 | パリ空港公団 |
| トランシーバ | 1 | モトローラ（米） |
| コンサルタント（旅客ターミナルビル） | 330 | パリ空港公団等共同企業体 |
| 設計競技 | 110 | バーナードチュミ（米）など欧米11社 |
| コンサルタント（情報通信） | 20 | AT&Tインターナショナル（米）等共同企業体 |
| 気象海象観測データ処理装置 | 59 | 日本ユニシス（米） |
| コンサルタント（商業） | 7 | ブリティッシュ・エアポート・サービス（英） |
| コンサルタント（経営） | 17 | ダラスフォートワース国際空港委員会など欧米4空港当局 |
| 埋立造成 | 1,277 | 大成建設、東亜建設、三菱鉱業セメント、鹿島建設、東洋建設、大林組、五洋建設、鴻池組など8グループ |
| コンサルタント（旅客ターミナルビル） | 1,435 | レンゾ・ピアノ・ビルディング・ワークシップ・ジャパン社（パリ空港公団、日建設計、ピアノ設計会社の共同企業体） |
| コンサルタント（通信） | 182 | AT&Tインターナショナル（米）等共同企業体 |
| 旅客案内システム設計 | 2 | 住友金属工業他2社の共同企業体 |
| 自動運転旅客輸送システム | 50 | 新潟鉄工、住友商事の共同企業体 |
| 旅客手荷物処理システム | 65 | 川崎重工・オースチン（米）・ボイマー（独）共同企業体 |
| 管制塔 | 114 | 大林組・戸田建設・浅沼組・大日本土木・シャール・アソシエーツ（米）共同企業体 |
| 旅客ターミナルビル | 1,085 | 大林組、竹中工務店を中核とする2共同企業体 |
| ゴミ焼却プラント | 45 | 三菱重工と三井建設の共同受注 |
| 貨物ターミナル | 73 | 前田・東海・五洋建設共同企業体、奥村・村本・大末建設工事共同企業体 |

資料：関西国際空港株式会社資料、関西空港調査会『関西新空港ハンドブック』ぎょうせい、1990年、および『日本経済新聞』記事から作成。

ていることがわかります。これは、関西新空港プロジェクトがＪＡＰＩＣや日米構造協議絡みのプロジェクトであったことの当然の帰結だといえます。このため、関西系企業への発注も、当初から限られたものとなったのです。当然、建設段階における地元中小企業の事業参入は、土木建設下請を除くとかなり限定されたものとなっており、一九八八年における大阪商工会議所の調査でも、多くの企業は新空港ビジネスに慎重な姿勢をみせていました[7]。

### 地元市町村の地域経済には負の経済効果

ここまでは、近畿圏及び大阪府といった広域的な地域的範囲への、波及効果について見てきました。問題は、住民の生活領域に近い市町村という地域的範囲に対して、新空港建設がどのような効果を与えたかという点にあります。結論を先取りすれば、関西新空港の建設事業は、地元泉州の地域産業や住民に対してはマイナスの効果をもたらすことになりました。表５－５は、空港建設開始後の新空港周辺の地域経済動態をまとめたものです。空港島に最も近い泉佐野市のデータが典型的に示すように、建設ブームの下で地価が高騰するなかで、建設業や運輸通信業だけでなく不動産業や金融保険業の事業所数および従業者数が大きく伸びました。しかし、他方で空港島、アクセス道路、りんくうタウンの建設や公有水面埋立によって農地面積や漁船数が減少し、農業や漁業の縮小をまねいているだけでなく、製造業の事業所数・従業者数も減少している自治体も少なくありませんでした。

大阪府が実施した新空港地元八市五町の企業アンケート調査を見ても、新空港が経営面でプラスになると答えた企業は金融業、通信業、サービス業に集中しており、逆にマイナス評価している業種は、経済構造調整政策の下での賃金高騰・人材確保に苦しむ地場繊維業界をはじめとする製造業となっていました[8]。新空港建設の大規模投資は、既存の地場産業に対しては負の効果をもたらしているといえるでしょう。これに加え、地価高騰と再開発は住民の追出し効果をともない、人口を減少させている自治体は半数を超えてしまったのです。

したがって、新空港の建設によって一見大規模な投資がなされたとしても、それがただちに周辺地域経済の繁栄に結びつくわけではありませんでした。建設によって恩恵を受けたＪＡＰＩＣ関連産業や空港関連産業と、負の効果を受けた地域産業とに、大きく分かれたのでした。そして、前者の経済的果実の多くが、プロジェクト関連企業の本社が集中する東京へと吸い上げられることになるわけです。

## 地方自治体財政に重いツケ

関西新空港プロジェクトは、地域産業だけでなく地方自治体にも重いツケを残すことになりました。すでに述べたように、関西新空港は、「請願空港」であるとの認識から、建設から運営にいたるまで第三セクターで経営することとなり、地元自治体の負担を伴いました。この結果、地元大阪府だけでなく、政令三市を含む一二自治体が出資を行うこととなりました（後に、政令市となった堺市も

**地域の産業動態（増減率）**

（単位：%）

| 岸和田市 | 貝塚市 | 熊取町 | 泉佐野市 | 田尻町 | 泉南市 | 阪南市 | 岬　町 |
|---|---|---|---|---|---|---|---|
| 1.5 | -0.4 | 16.0 | -2.9 | -9.5 | 0.0 | 8.9 | -3.5 |
| -24.5 | -20.2 | -23.2 | -11.2 | -12.3 | -7.0 | -19.4 | -29.7 |
| -14.1 | -13.9 | -10.1 | -7.8 | -12.7 | -8.0 | -16.5 | -22.7 |
| -22.4 | — | — | -50.7 | -57.7 | -35.3 | -49.2 | -23.9 |
| -38.0 | — | — | -81.0 | -56.3 | 3.5 | -34.3 | -21.0 |
| 3.6 | -0.6 | 6.4 | 1.2 | 4.0 | 2.2 | 10.0 | 1.2 |
| 17.7 | 24.0 | 34.5 | 29.1 | 12.5 | 3.2 | -2.0 | 30.2 |
| -6.5 | -2.2 | -12.9 | -6.8 | -17.8 | -5.2 | -9.8 | 0.0 |
| 21.4 | 23.7 | 114.3 | 26.3 | 25.0 | 37.5 | -42.9 | 11.1 |
| -1.7 | -9.8 | 9.1 | -3.5 | -1.4 | -2.2 | 8.9 | -13.0 |
| -1.9 | 8.9 | 15.8 | 30.3 | 42.9 | 16.0 | 50.0 | 28.6 |
| 37.3 | 25.8 | 35.7 | 55.8 | 116.7 | 58.8 | 44.4 | 80.0 |
| 16.7 | 14.4 | 19.0 | 6.6 | 12.6 | 9.1 | 21.8 | 16.2 |
| 14.5 | 9.3 | 35.3 | 14.4 | 11.4 | 11.6 | 20.3 | -3.4 |
| 40.6 | 36.8 | 151.0 | 95.3 | 71.7 | 11.3 | 27.5 | -1.0 |
| -1.8 | -5.0 | 4.3 | -4.1 | -31.3 | -8.2 | -7.5 | -12.1 |
| 17.7 | 38.1 | 280.0 | 56.1 | -8.3 | 91.8 | -8.8 | 14.8 |
| 9.1 | 11.9 | 35.7 | 12.5 | 34.3 | 17.9 | 30.3 | -11.3 |
| 28.7 | 11.4 | 20.2 | 29.9 | -8.9 | -11.0 | 45.5 | 17.9 |
| 50.2 | 11.0 | 14.6 | 119.4 | 106.7 | 114.8 | 69.3 | 28.0 |
| 36.0 | 31.5 | 73.9 | 25.6 | 47.1 | 54.0 | 45.5 | 6.5 |
| 333.5 | 338.7 | — | 338.4 | — | 373.8 | — | — |

「平成3年事業所統計調査結果概報」、東洋経済『地域経済総覧』東洋経済新報社、各年版。
情報事務所『大阪農林水産統計年報』及び「大阪府農林部水産課資料」、「大阪府地価調査」。

加わり、一三自治体となっています）。しかも、当初計画では合計五三四億円弱の出資であったものが、空港島の地盤沈下による工事延長と事業計画見直しのため九二年には七一五億円に膨らんでしまいました。とりわけ大阪府は、このうち三六二億円近くを負担することになりました。

もっとも、プロジェクト関連資本にとっては工事が終わって、現金を受け取ればそれでよいわけです。後に残された空港会社の採算性や自治体負担がどうなろ

表5－5　関西新空港建設と周辺

| | | 期　間 | 大阪府 | 堺　市 | 高石市 | 泉大津市 | 忠岡町 | 和泉市 |
|---|---|---|---|---|---|---|---|---|
| 人　口 | | 1985-90 | 0.8 | -1.3 | -2.8 | -1.1 | 1.9 | 6.1 |
| 農家数 | | 1985-90 | -20.1 | -23.9 | -14.7 | -31.6 | -9.1 | -19.5 |
| 経営耕地面積 | | 1985-90 | -12.7 | -18.3 | -8.6 | -19.4 | -13.2 | -18.7 |
| 使用漁船数 | | 1984-88 | -35.9 | -29.8 | -26.7 | -29.2 | -54.3 | — |
| 漁獲高 | | 1984-88 | -39.5 | -32.9 | 8.0 | 316.0 | -85.1 | — |
| 民営事業所数 | 全産業 | 1986-91 | 0.6 | 0.5 | -4.8 | -5.3 | -4.1 | 0.7 |
| | 建設業 | 1986-91 | 5.9 | 10.0 | -8.6 | -2.6 | 6.8 | 5.8 |
| | 製造業 | 1986-91 | -3.1 | -2.6 | -12.7 | -15.5 | -7.1 | -8.9 |
| | 運輸通信 | 1986-91 | 11.3 | 28.2 | 19.6 | 14.9 | 13.8 | 0.0 |
| | 卸小売飲食 | 1986-91 | -4.0 | -5.1 | -7.2 | -5.2 | -9.0 | -0.8 |
| | 金融保険業 | 1986-91 | 9.0 | 0.4 | 6.1 | 3.3 | 50.0 | 32.7 |
| | 不動産業 | 1986-91 | 14.1 | 16.9 | 19.4 | 6.4 | 36.4 | 23.2 |
| | サービス業 | 1986-91 | 8.4 | 5.9 | -1.7 | 2.7 | 6.1 | 13.7 |
| 同従業者数 | 全産業 | 1986-91 | 11.2 | 10.4 | 3.6 | 1.6 | 10.2 | 12.7 |
| | 建設業 | 1986-91 | 18.5 | 23.8 | -18.0 | 12.6 | 45.3 | 19.7 |
| | 製造業 | 1986-91 | 2.9 | 5.1 | 6.3 | -8.4 | 3.5 | -2.7 |
| | 運輸通信 | 1986-91 | 23.6 | -0.6 | 14.9 | 44.1 | 13.1 | 9.2 |
| | 卸小売飲食 | 1986-91 | 4.6 | 7.0 | 6.9 | -2.4 | 11.4 | 19.0 |
| | 金融保険業 | 1986-91 | 11.0 | 12.5 | 7.9 | -0.5 | 70.8 | 32.0 |
| | 不動産業 | 1986-91 | 32.8 | 36.5 | 29.9 | 36.2 | 16.0 | 79.9 |
| | サービス業 | 1986-91 | 27.9 | 24.6 | 0.5 | 16.2 | 28.5 | 32.3 |
| 地価（全用途計） | | 1987-90 | 270.5 | 305.7 | 379.1 | 328.1 | — | 288.9 |

資料：大阪府統計協会『大阪府統計年鑑』昭和60年版及び平成2年版、大阪府企画調整部統計課
原資料は、総務庁『国勢調査報告』、農水省『世界農林業センサス』、近畿農政局大阪統計

うと関係のないことです。しかし、空港会社にしてみれば、ふんだんに注ぎ込んだ建設費用を短期間で回収する必要があるために、着陸料金や連絡橋の通行料を、割高に設定せざるをえませんでした。加えてバブル崩壊後の長期不況で、利用客数や取扱貨物量も、低迷することになります。さらに、伊丹空港の国内線も残ったため、空港利用客は当初計画をかなり割り込み、空港会社の財務内容は、厳しい状況が続きました。

関西国際空港株式会社自

身も、「多額の資本を投入して海上に建設した結果、関空会社は、支払利息、固定資産税、減価償却費等の固定的経費が全経費の約三分の二を占める」「硬直的な収支構造」となっていると認めているほどでした。[9]ところが関空会社は、二〇〇四年度決算を発表、「グループとして初めて経常利益五二億円の単年度黒字を達成」したと発表しました。しかし、詳細に見ていくと、一割近くの職員削減と二〇〇三年度から受け取ることになった九〇億円の政府補助金によって作られた、見かけだけの「単年度黒字」であったのです。[10]

他方、出資した一三の府県・政令市の方は、「成長のための関西同盟」の盟約を結んだばかりに、赤字補塡や第二期拡張工事のために追加投資をしなければならなくなるなど、後年度負担のリスクを長期的に背負い込むことになってしまいました。

さらに空港本体とともに、関西新空港プロジェクトの目玉事業のひとつであった「りんくうタウン」も、バブル崩壊後、進出を断念する企業が相次ぎ、開発主体の大阪府の財政危機だけでなく、税収増を見込んで先行投資を展開していた地元泉佐野市などでの深刻な財政危機を引き起こすことになりました。[11]これらの地方自治体が競って第三セクターを設立して造成・建築した土地やビルは、そのまま「行政の不良債権」と呼ばれることになってしまいました。[12]なかでも泉佐野市は、その後も地方財政危機が深化し、大阪府内で最悪の財政状態に陥っていきました。[13]ちなみに、二〇〇三年度の決算では、実質収支は府下ワースト一（大阪市は除く）の赤字額（約三〇億円）であり、経常収支比率は一〇六・六％とワースト二の状況でした。「新空港ができれば地域が活性化する」ということを文字通りとれば、新空港の足元にある泉佐野市が最も繁栄し、豊かな財政をもっていたはずですが、まったく逆の結果に終わったわけです。

## 空港統合とコンセッション方式の導入

関西新空港は、その後、格安航空会社の就航もあって、利用客を順調に伸ばしましたが、二〇一八年九月の台風災害による水没事故・連絡橋の損壊に続き、二〇二〇年一月からの新型コロナウイルス感染症の拡大による乗降客の激減によって、厳しい局面にあります。しかも、この間、国の公共事業政策が、民間資金を活用したＰＦＩ手法からＰＰＰ手法へと展開するなかで、関西新空港の経営主体が大きく変化しました。

第一に、二〇一二年七月に、関西国際空港と大阪国際空港とが経営統合し、関空会社は、関西空港の土地の保有・管理及び新関西国際空港株式会社（経営統合後の両空港の運営会社）に対する土地の貸付業務を行う関西国際空港土地保有株式会社（関空土地保有会社）となりました[14]。

第二に、新関西国際空港株式会社は、第二次安倍政権がすすめた「ＰＰＰ／ＰＦＩの抜本改革に向けたアクションプラン」に基づいて、二〇一六年四月に、関西新空港の運営権（コンセッション）を関西エアポート会社に売却します。関西エアポートは、オリックス株式会社とフランスに本社を置くヴァンシ・エアポート社がそれぞれ四〇％を出資し、残りの二〇％を関西の企業が出資する合弁会社です。同社は、二〇一八年四月には、神戸空港の運営権も取得しています[15]。

表５－６　関西国際空港の地元負担累積額（2018年時点）

（単位：億円）

| 内　訳 | 出資（割合） | 貸付 | 合計 |
|---|---|---|---|
| 無利子資金（出資金） | 8,150（100%） | 2,379 | 10,529 |
| 国 | 5,414（66%） | 1,586 | 7,003 |
| 地元自治体[1) ] | 1,785（22%） | 793 | 2,578 |
| うち大阪府 | 901（11%） | 498 | 1,399 |
| 経済界[2) ] | 948（12%） | — | 948 |
| 有利子資金（社債・借入） | — | 13,960 | 13,960 |
| 合　計 | 8,150（100%） | 16,339 | 24,489 |

注：1）大阪府、兵庫県、和歌山県、京都府、奈良県、滋賀県、三重県、福井県、徳島県、大阪市、堺市、神戸市、京都市。
2）関西経済連合会及び大阪商工会議所。
3）１億円未満を四捨五入して記載。
4）無利子貸付…償還期間40年（10年据置き、30年均等償還）。

資料：大阪府「関空の概要・経緯・基本情報」（http://www.pref.osaka.lg.jp/kutai/kuusen/kankuu_gaiyou.html）から作成。

第三に、これによって、自治体の負担が軽減されたかというと、そうではありませんでした。自治体の出資及び貸付金については、関空土地保有会社に引き継がれ、以後の貸付金償還は関空土地保有会社から行われることになったのです。あわせて、両会社の債務の連帯保証責任を負うことになりました。ちなみに、大阪府のホームページによると、二〇一八年時点での地元自治体負担は、**表５－６**のようになっており、当初の出資負担額である五三四億円と比べると三倍を超えているだけでなく、貸付金も二五〇〇億円を超えるまでになっているのです。

これは、将来にわたり、巨大プロジェクトの負債償還のために地方自治体の貴重な財源を振り向けるものであり、住民にとっては納得しがたいものではないでしょうか。

## 4　なぜプロジェクト型開発で地域が豊かにならないのか

### 大規模公共事業のほとんどを占める大手企業

以上の関西新空港の事例を見ると、巨額のプロジェクト投資が行われても、地域が豊かにならない原因は明らかです。大規模公共事業ほど、地元地域とは関係のないゼネコンや資材メーカーが工事を受注し、これらの企業と取引関係がない地元産業はむしろ負の影響を蒙ってしまうからです。実際、大規模公共事業については、ゼネコンを中心とした大手企業が圧倒的な支配力をもっています。**表５－７**は、公共工事の総評価額別にみた資本金一億円以上企業の受注シェアを示しています。この表からは、五億円以上の大規模公共事業については、件数で八五％、総工事評価額で九〇％余りを、資本金一億円以上企業が占めていることがわかります。九〇年と九九年を比較すると、工事評価額五〇〇〇万円以上では微減傾向にありますが、それ未満の中小規模工事ではシェアが急伸していることがわかります。その結果、総件数に占めるシェアも、九九年には二三・六％、総工事評価額のシェアは五一・六％に達しています。バブル崩壊後、大手企業が中小規模の公共事業への参入を強めたことがわかります。また、二〇〇二年度の公共機関からの受注工事の請負契約額に占める東京所在の大企業（資本金五〇億円以上）のシェアは、実に二三・一％にも達しています。金額でいうと、この年度の一五・五兆円の全受注工事のうち、四・六兆円が東京所在の企業が受注し、そ

表５－７　公共事業の工事評価額別にみた資本金１億円以上企業の受注シェア

| 総工事評価額規模 | 件　数 | | 総工事評価額 | |
|---|---|---|---|---|
| | 1990年 | 1999年 | 1990年 | 1999年 |
| 総　数 | 12.2% | 23.6% | 44.0% | 51.6% |
| 100万円以上　500万円未満 | 8.2% | 21.6% | 8.1% | 21.2% |
| 500万円以上　1000万円未満 | 8.4% | 20.1% | 8.4% | 19.8% |
| 1000万円以上　5000万円未満 | 11.1% | 19.5% | 11.8% | 18.7% |
| 5000万円以上　1億円未満 | 24.8% | 22.8% | 25.6% | 23.3% |
| 1億円以上　5億円未満 | 49.0% | 46.0% | 53.4% | 51.4% |
| 5億円以上 | 86.3% | 85.4% | 92.5% | 91.1% |

資料：建設省建設経済局調査情報課『公共工事着工統計年度報』第40号、建設物価調査会、2000年より。

のうち三・六兆円が資本金五〇億円以上の大企業によって占められていました[16]。

このような仕組みがあるからこそ、空港に限らず、たとえ都市部よりも地方に対して公共事業費が多く配分されたとしても、その工事の少なくない部分を東京に本社がある大手企業が受注し、結局は収益も東京に還流することになり、その地域の経済力を高めることにはならないわけです。建設工事が行われても、資金はその地域を通過するだけに終わってしまい、その地域に根を張って持続的に経済活動を行う企業が生まれるわけではありません。

### 生産波及効果の恩恵も東京圏に集中

しかも、生産波及効果についても、地方において大規模投資や最終的消費がなされたとしても、建設資材や消費財を供給するメーカーの多くが東京圏に本社をもっているため、その生産誘発効果は東京圏に集中する傾向にあります。

図５－１は、各地方で一兆円の最終需要が発生するとして、

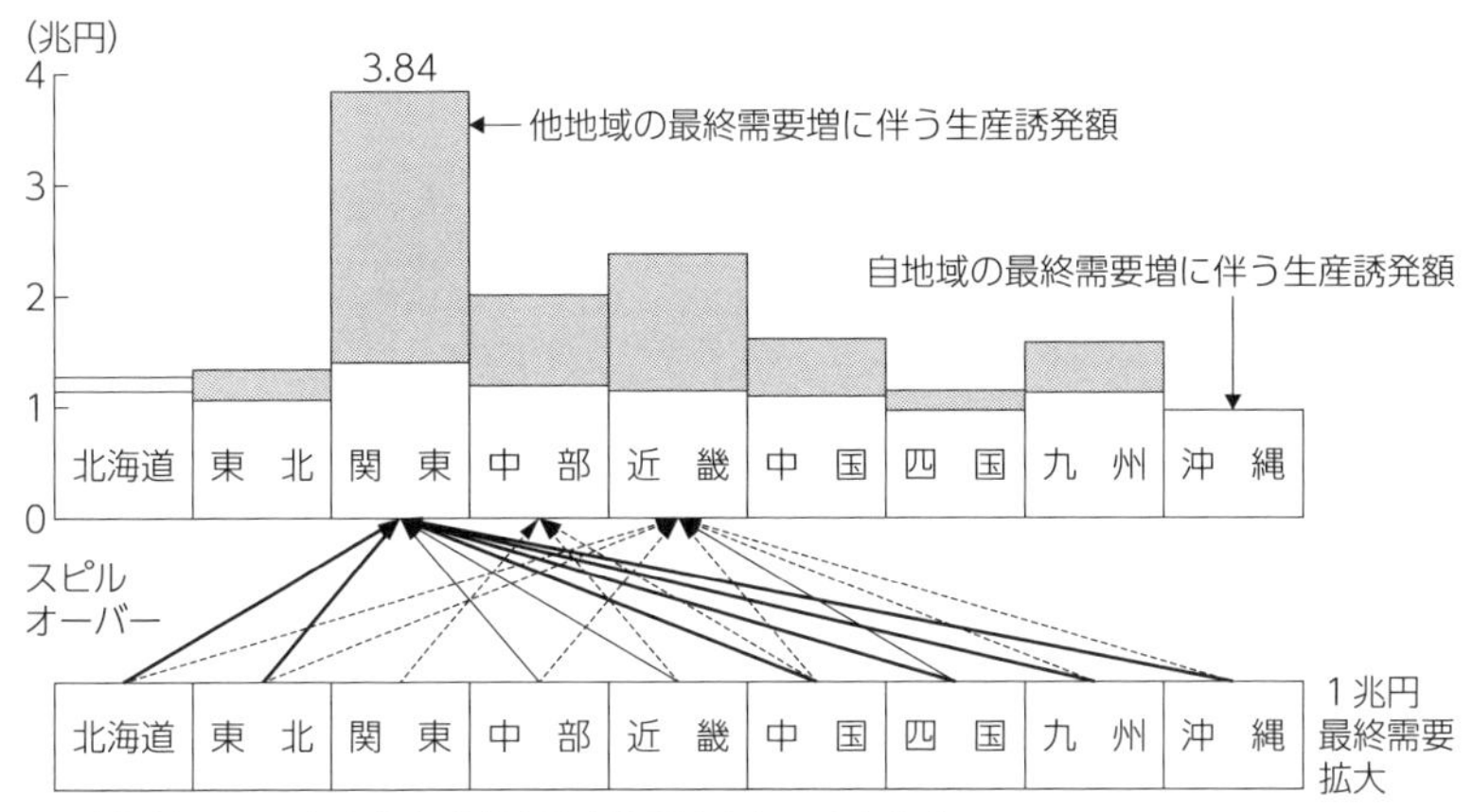


（備考）1. 通商産業省「地域間産業関連表」により作成。
2. 地域区分はB。
3. 矢印はどの方向にどれだけスピルオーバーがあったのかを示している。
┈┈►：0.1兆円以上0.2兆円未満
──►：0.2兆円以上0.3兆円未満
━━►：0.3兆円以上

**図5－1　各地域で1兆円の最終需要が拡大した場合の各地域への生産誘発額（1985年ベース）**

資料：経済企画庁調査局編『平成4年　地域経済レポート』大蔵省印刷局、2002年。

その第一次生産誘発効果がどこへ向かうかを、一九八五年の地域間産業連関表で推計したものです。東京を中心とする関東への集中が突出していることが一目瞭然です。JAPIC主導による関西新空港プロジェクトでは、いっそうこの傾向が顕著だったのではないかと予想されます。

これは、近年展開されている大規模開発事業でも共通しているといえます。

### 地方自治体の行財政は誰のためにあるのか

関西新空港の事例分析から改めて問われている点は、地方自治体の行財政は、民活型巨大プロジェクトのためにあるのか、それとも地方自治体の主権者である住民の生活や営業への支援のためにあるのかという根本問題です。大規模開発によって蓄積を果たそうとする巨大資本が、資金調達や財政支援ばかりでなく規制緩和や諸手続きの簡便化によるメリットを求めて広域行政を要求してきたことは、すでにくりかえし指摘してきたことです。しかし、その大規模開発の対象となる地域は、資本の投資対象である以前に、住民の生活の場でもあるのです。地方自治体は何よりも主権者である住民の生活と営業を第一にすべきであり、巨大プロジェクトへの出資・協力を最優先とする自治体のあり方は、その本旨と真っ向から対立するものではないでしょうか。

**注**

（1）ＪＡＰＩＣについては、ＪＡＰＩＣ研究会編著『ＪＡＰＩＣの野望―民活版〈列島改造〉のゆくえ―』新日本出版社、一九八六年、参照。
（2）以下、詳しくは遠藤宏一他編『国際化への空港構想―検証・「臨空都市」の地域再生論―』大月書店、一九九三年、第一章、参照。
（3）関西国際空港株式会社『関空レポート』二〇〇二年。
（4）以下、詳しくは遠藤宏一他編、前掲書、第四章、第九章、参照。
（5）一九八七年一一月以後、空港島埋立工事と連絡橋工事を除く、七億円以上の建設土木工事と三〇〇〇万円以上の資材調達がすべて国際入札の対象となりました（関西空港調査会『関西新空港ハンドブック』ぎょうせい、一九九〇年、一二三〇頁）。
（6）以上の情報は、「日経テレコム」参照。

（７）『日本経済新聞』一九八八年二月二六日付。
（８）大阪府産業労働政策推進会議『関西国際空港等の設置に伴う雇用労働への影響と対応について』一九九二年七月、一三〜一四頁。
（９）前掲『関空レポート』参照。
（10）関西国際空港株式会社『平成一六年度連結決算の概要』二〇〇五年五月二五日、同『関西国際空港の現況について』二〇〇五年五月一二日、参照。
（11）大阪府は、プロジェクト型開発の失敗によって、「全国最悪」という財政状況に陥りました。この点については、重森暁・中山徹・藤井伸生・初村尤而『よくわかる大阪府財政再建プログラム―大型公共事業優先と住民福祉削減のからくり―』自治体研究社、一九九八年、及び大阪自治体問題研究所編『大都市圏「自治体破産」―「経営」視点なき財政運営と税源移譲なき地方分権―』一九九九年、自治体研究社、参照。
（12）中山徹『行政の不良資産―破綻した巨大開発をどう見直すべきか―』自治体研究社、一九九六年、第三章、参照。
（13）重森曉・都市財政研究会『しのびよる財政破綻―どう打開するか大阪衛星都市にみるその実相―』自治体研究社、二〇〇〇年。
（14）大阪府ホームページ「関空の概要・経緯・基本情報」（http://www.pref.osaka.lg.jp/kutai/kuusen/kankuu_gaiyou.html）、参照。
（15）関西エアポート・ホームページ http://www.kansai-airports.co.jp/company-profile/about-us/index.html、参照。
（16）国土交通省総合政策局情報管理部建設調査統計課監修『建設工事受注動態統計調査報告』平成一五年度版、建設物価調査会、参照。

# 第6章　企業誘致で地域は豊かになるのか

## 1　企業誘致の夢と現実

### 企業誘致をめぐる補助金競争

地域経済を活性化させるために、多くの人が思い浮かぶのは「企業を誘致すればいい」ということではないでしょうか。地方自治体の幹部や議員の皆さんと話をしていても、「うちの地域には見るべき産業もないし、外から企業を誘致するのが最も効果的だと思う」と、多くの人が答えます。また「地方創生」戦略の一つとして、ほとんどの自治体が「企業誘致」という項目をたてています。

そして、企業誘致を図るために、多くの地方自治体が、企業誘致のための条例をつくり、補助金や税の減免、インフラの整備等、各種の優遇措置を講じています。とりわけ、二〇〇〇年代に入ると、誘致のための補助金競争が激化していきました。その先鞭をつけたのが、三重県と亀山市でした。当時の北川正恭知事が、シャープの工場を亀山市に誘致するために、液晶パネル工場を中心とした「クリスタルバレー構想」を打ち上げ、それまで上限三億円だった補助金を、九〇億円に引き上げ、亀山市も四五億円の補助金を準備します[1]。これに対して、堺市にシャープを誘致しようとした大阪府は財政危機下にあったにもかかわらず、二〇〇七年に最大一社一五〇億円の補助金を準備しました。また、隣の兵庫県ではパナソニックのプラズマパネル工場を誘致するために二〇〇四年に上限なしの補助金制度をつくったのです[2]。

この背景には、前述したように「グローバル国家」構想に基づく「多国籍企業に選んでもらえる国づくり・地域づくり」論があったことは、いうまでもありません。つまり、国際的な「大競争」のもとで、企業は「立地環境が好ましくなくなれば、他地域へ、あるいは国境を越えて、その施設を移動していく」ので、「これからは、企業が地域を選ぶ時代である。国と国のレベルでも、企業が国を選ぶ時代になりつつある。企業の立地をめぐって、地域間競争が一般化する時代である。国と国、地域と地域で如何に魅力的な企業立地条件を提供するかということが問われている[3]」として、企業誘致の地域間競争を煽っていたわけです。

ところが、二〇〇八年のリーマンショックと台湾・韓国企業の追い上げによって、シャープ亀山第一工場は二〇〇九年に操業停止、堺工場もシャープの経営悪化によって二〇一二年に台湾の鴻海（ホンハイ）精密工業に売却されたほか、パナソニック尼崎工場も二〇一三年度中に工場が閉鎖されてしまいました。それぞれ、操業してから一〇年も経たない間のことで、補助金返還訴訟も起こりました[4]。一〇〇〇人以上の雇用や取引企業を抱えている巨大工場が閉鎖すると、地域経済や地方自治体への負の影響も大きく、企業誘致神話は崩壊することになります。いったい、なぜ、このようなことになるのか。そうならないために、どうすればいいのかを、本章では考えてみたいと思います。

## 一九二〇年代半ばから始まった企業誘致

「企業誘致によって地域振興を」という考え方は、今に始まったものではありません。日本で地方公共団体（戦後は、地方自治体となります）の企業誘致政策が本格的に開始されるのは、一九二〇年代半ばのことでした。このころすでに、土地の無償提供や補助金の支出、道路や用排水路の整備、課税免除、ガス・水道・電気使用料金の優遇等、現在の優遇措置と同様の特典をつけることにより、工場の誘致に取り組む自治体が現れています。地域的には、静岡、愛知、岐阜、三重といった、交通条件に恵まれた東海地方の地方自治体が活発な誘致活動を展開しています。そこでは、工場誘致によって、人口を増やし、税収を増やすことが目的とされていました[5]。

一九三〇年代に入ると、これまでの紡績工場だけでなく重化学工業の工場誘致が本格化し、例えば三重県・四日市市では、戦後の四日市公害の発生源となるコンビナートの前身工場である第二海軍燃料廠や石原産業の誘致が行われます。また、愛知県挙母（ころも）町は多額の町費を投じて、豊田自動車の誘致を行い、「豊田市」の足場をつくることになります。このような工場誘致が可能となったのは、資本の蓄積活動が拡大、広域化し、単一の工場だけでなく、多くの分工場をもつ企業内分業が発達したことと、鉄道や道路の整備、電源開発が進み、工場の全国展開が可能となったからです。戦時下に入ると、国防上の理由から、大規模工場の地方分散化が推進されるようになり、大規模工場の立地を契機に急速に都市化をとげた「新興工業都市」が地方に続々と生まれることになります[6]。

## 戦後の工場誘致政策の流れ

戦後の工場誘致の波は、シャウプ税制改革後の地方財政危機のなかで生まれます。例えば、岐阜県では一九五一年に岐阜市と大垣市が工場誘致運動を開始し、五三年には大垣市で工場設置奨励条例を制定して税の減免措置などを盛り込みます。この条例制定の動きは、県内各自治体に広がり、五六年には岐阜県が工場誘致助成条例を制定し、工場を誘致した市町村に対して助成を行っていきます。岐阜県では、この結果、一九五六年から六五年の間に、一一七工場の誘致が決まります[7]。

全国的には、一九六〇年代初頭の新産業都市建設をめぐって激しい指定競争と企業誘致活動が展開されました。指定をめぐる陳情費用は公式には約六億円に達しましたが、これは新産業都市建設補助金の初年度分と同額であったといわれています[8]。結果的に、一五カ所が指定されることになりましたが、他に準新産業都市として「工業整備特別地域」六カ所が指定され、拠点開発方式での地域開発が展開されます。高度経済成長政策の一環として、公害の発生しやすい鉄鋼や石油化学などの重化学工業コンビナートの誘致が競ってなされることになります。

県や市町村は、工場誘致を図るための「先行投資」として、地方債を発行して、工場用地、道路、港湾、用水などの産業用インフラストラクチャへの公共投資を重点的に行っていきました。ところが、宮本憲一が指摘しているように、宮崎県日向・延岡地域のように、指定されても工場立地が進まなかったところでは多額の利払いのために県が財政危機に陥ってしまいました。また、工場立地がうまくいったところでは、富山・高岡地域や水島地域などで顕著にみられたように、農林漁業や地場産業が急速に後退したうえ、工場公害が発生したり、公共事業の産業基盤への偏在によって住民福祉が立ち後れるという事態が顕在化しました。[9] 誘致してきた工場のほとんどは、本社が東京や大阪にある企業の分工場であり、その収益の多くは本社に移転していきました。当然、法人税も、本社所在地において国によって吸い上げられることになりました。地域には、公害と地方債の累積債務が残ることになりました。こうして、重化学工場の誘致によって、地域経済の活性化や住民の福祉の向上を図ろうとした拠点開発の夢は破れてしまいます。

このように公害問題のインパクトが大きかったことと、六〇年代末頃になると新規の工場立地が進まなくなったため、各地で工場誘致条例の廃止が目立つようになります。例えば、岐阜県では、一九六九年に岐阜県が条例の廃止を表明し、翌年四月に廃止します。これに続いて、県内各市町村の条例が順次廃止されていきました。

## 2 「先端化」神話の虚実

### 「先端化」政策の登場

ところが、一九八〇年代初頭に、再び工場誘致活動が活発化することになります。その背景には、国が二度の石油ショック後の総合安全保障政策の一環として「技術立国」論をうちたてて、産業の「先端化」政策を推進したことと、地域経済の衰退と並行した地方財政危機の深化がありました。

「先端化」は、日本はもちろん先進諸国における八〇年代の産業政策、地域開発政策の象徴的な言葉でした。これらの諸国では、二度の石油ショックによって、それまでの花形産業であった鉄鋼、石油化学、アルミニウムなどの「重厚長大型」の素材産業が「構造不況」に陥り、しかも「中進国」群との競争が激化しつつあるなかで、自国経済の成長の鍵を先端技術の開発、商品化に求めました。

当時、「先端技術」を生かした商品は、従来の商品よりも「高付加価値」であり、企業や国民経済に高収益をもたらすだけでなく、他の先進諸国や中進国との競争にも打ち勝つだけの「バーゲニングパワー」をもつとされ、盛んに研究開発投資が推奨されました。

そして、同様の論理によって、テクノポリス政策に代表されるような地域の「先端化」が政策的に提起されるようになりました。国の政策サイド（当時の通商産業省）からいえば、右のような産業政策を実際の工場、研究所立地として誘導、実現する必要がありましたし、地方自治体サイドからいえば、当時「無公害」といわれていた先端企業を誘致して地域産業の高付加価値化をおしすすめ、先端技術の「地域トランスファー（移転）」と県民所得の向上を図ることが、公式的なねらいとされました。こうして、かつての新産業都市時代の「重化学工業化」と同様に、「先端化」をすすめれば地域活性化ができるという言説が、急速に広がっていくことになります。私は、これを「先端化」神話と呼んでいます。最近では、「先端化」に代わって「カジノ」や大規模商業施設になってきていますが、ことの本質は同じです。

多くの自治体は、「先端化」をすすめる最も手っ取り早い方策として、一九七〇年代に一旦廃止していた工場誘致条例を復活させ、固定資産税の減免や工場団地の造成、周辺整備などを行って、先端企業の誘致競争を展開しました。例えば、岐阜県では八〇年三月に美濃加茂市が、工場誘致条例を再制定したことから、二年間に一七市町村で条例が制定されていくことになります。美濃加茂市の場合、誘致後三年間にわたって、固定資産税相当分の助成金が企業に与えられ、投資総額一〇〇億円を超えるものについては、周辺整備を市の負担で行うことが、条例に盛り込まれていました[10]。

## 「先端化」政策と地域経済のミスマッチング

ところが、以上のような産業立地政策としての「先端化」政策そのものに、すでに矛盾がひそんでいました。通産省は特定産業分野の保護・育成・規制にだけ関心があったのに対して、地方自治体はその地域に存在するあらゆる産業に目配りする必要がありました。さらに、誘致対象である「先端企業」の多くが外国資本を含む多国籍企業であったこと、八〇年代初頭において構造不況産業を抱えていたのは地方の中小都市であったこと、そして「中曾根民活」によって規制緩和や金融自由化が行われるなかで最も経済力が集中したのが東京であったことは、「先端化」を標榜する地方自治体にとって思惑はずれの事態を招くことになります。

第一に、ひとくちに「先端化」といっても、その内容の理解が問題でした。「先端化」政策のターゲットにされたのは、通産省が「技術先端型業種」と認定した「医薬品、通信・同関連機器、電子計算機・同付属装置、電子応用装置、電気計測器、電子機器部品、医療用機械、光学機械・レンズ」の八業種でした。このため、大方の傾向として、これらの業種の「先端企業」を誘致することが「先端化」であると認識されることになります[11]。

ところが、通産省のいう「技術先端型業種」という概念自体、技術的にまとまった産業分類でないために、各々の工場が必要とする立地因子はバラバラな状態でした。また、製造される商品による区分であるために、雇用の質・量や技術を含めた生産工程自体、さらには地方に立地する工場や研究所が企業内でどのような位置にあるのかについては、ほとんど考慮されることはありませんでした。しかし、後者の点こそ、地方の地域経済にとって最も重要な問題だったのです。

実際、「技術先端型業種」企業の立地パターンを見てみると、本社機能や研究開発機能を備えた基幹的部分は首都圏に集中し、生産ラインは南東北や九州を中心に高速道路網が整備された地方に立地していきました。つまり、企業の中枢部分は、金融、情報、研究機関が集積している首都圏に累積的に集中し、生産拠点は良質の水、安価な土地と労働力が得られる地方を志向して立地していったのです[12]。

## 技術先端型工場と地域経済のミスマッチング

第二に、誘致政策がうまくいって「先端企業」が立地したとしても、それが地域の活性化に結びつくかというと、ことはそう単純ではありません。逆説的ですが、立地企業が大企業で技術先端的な付加価値生産性の高いものであればあるほど、地域経済とのミスマッチングが大きく、地域振興への寄与度が相対的に小さくなる傾向があります。ここでは、私が一九八〇年代半ばに調査した美濃加茂市の大手電機メーカーX社の子会社の例をとって説明したいと思います。

X社は、「先端技術」を売り物にした世界的な電機メーカーのひとつであり、一九八七年当時で、国内に五工場、海外に五〇社の現地法人を擁していた多国籍企業です。X社の子会社工場の設立にあたっては、美濃加茂市の工場誘致条例にある固定資産税の減免と取り付け道路の整備という優遇措置が適用されました。同社にインタビューしたところ、本社分工場という形態をとらず、現地法人ともいうべき子会社形態をとった理由は、本社の給与体系と比べ進出先の賃金水準が低かったことと、税制上のメリットがあったからでした。独立した現地法人の形態をとっているものの、この子会社にはほとんど裁量権がありませんでした。基本的な商品開発、設備投資、人事採用の枠については、すべて東京に本社をおく親会社が決定していました。美濃加茂工場の主力製品は、当時、ビデオカメラでしたが、最終的な組立ては行わず、半製品の段階で、愛知県一宮市にある本社の分工場に出荷されていました。事実上、親会社の企業内工場ネットワークの一部を担当していました。工程は、かなり自動化されており、岐阜県内には下請企業は一社しかありませんでした。

Ｘ社のような技術先端型企業では、技術の秘密そのものが商品の競争力の第一条件となっており、地域中小企業への技術移転については、たとえどのような標準技術であろうと消極的です。また、地域としては、誘致企業による就業機会の拡大を期待するわけですが、技術先端型企業においては工場内の自動化が進み、資本投下規模に比較して雇用力は小さい傾向があります。おまけに、半導体や家電製品、工作機械などのように景況に左右されやすい業界においては、景気対策のバッファーとして、大量のパート、アルバイト労働を使用することになります。それも、地元労働力を雇用してくれればいいのですが、Ｘ社の子会社の場合、賃金コストの安い沖縄の女子若年労働力一〇〇名余りを三～六カ月契約で確保しているうえ、常用従業者の地元比率も一五％にすぎず、地元自治体での雇用拡大に直接つながるものではありませんでした。このように、この誘致工場と地域経済は、地元中小企業との取引関係という点においても、地元雇用との関係という点でも、地域経済とミスマッチングを起こしていたといえます。

## 技術先端型分工場の地域経済効果は限られている

この美濃加茂市の誘致工場の地域経済効果をみるために、表６－１を作成してみました。この表は、一九八六年度の製造品出荷額がほぼ同じ五〇〇億円余りであった、この誘致工場と多治見市の陶磁器産地とを比較したものです。

雇用規模をみますと、X社分工場の方は常用が六〇五人であるのに対し、多治見産地は六一五一人と、一〇倍の雇用力がありました。地場産地であるため賃金水準が低いからではないかと考える人がいるかもしれませんが、従業者一人当たり現金給与支払額の格差は、一割ほどしかありませんでした。この違いは、賃金水準ではなく、多治見産地での地域内分業の発達から説明することができます。多治見産地では、陶土の採取から仕上げ、そしてパッケージ製造に至るまで、地域内の陶磁器関係事業所が社会的分業を作り出しています。これによって、地場産地では、地域内で資本を何度も回転させながら、雇用も数倍生み出すことができるのです。多治見産地の場合、製造業で七二八事業所が相互取引を行っているのに加え、陶磁器関係の卸・小売業も九三五事業所存在し、ここでも二五七〇人の雇用を生み出していました。

これに対して、X社分工場の場合、親会社の企業内分業に組み込まれた自動工程で生産しているので県内取引工場はわずか一社にすぎないうえ、製品を直接本社に販売する形式をとっているため、卸売業も介在せず、間接雇用は極めて限られているのです。

**表6－1　大手技術先端型企業分工場と地場産業の地域経済効果比較**

| | X社分工場 | 多治見陶磁器産地 |
|---|---|---|
| 1986年度出荷額（億円） | 520億円 | 503億円 |
| 常用雇用 | 605人 | 6151人 |
| 県内関連事業所数 | 下請1社 | 728事業所 |
| 商業連関 | なし | 935事業所 |
| 同雇用数 | 0人 | 2570人 |

資料：岐阜県シンクタンク『岐阜県経済の成長過程と県内企業の事業活動の展開』1988年。

テクノポリス政策をすすめるために、技術先端型工場の立地により、地元中小企業への技術移転や取引の増加がすすむといわれていましたが、これも技術先端型企業であればあるほど期待はずれとなります。これらの企業では、技術の優位性そのものが競争力となっているので、それを簡単に外部の企業に「移転」することは避ける傾向にあります。加えて、東京にある本社をセンターにして、国内の各生産拠点はもちろん世界各地にある海外生産拠点をネットワーキングした「企業内世界分業」の体制を敷いています。そこでは、同質の生産管理のもとに、部品調達、中間製品製造、最終組立て、販売の過程が、企業内でグローバルな規模で効率的になされるように垂直的に統合・管理されているのです。したがって、このような企業システムに介入して、地元中小企業が取引関係をもつということは極めて困難であるといえます。

## 3　誘致企業の利益はどこにいくのか

### 分工場からの所得移転

次に、注目したいのは、投資による収益がどのように配分されるかです。図6－1は、多治見の陶磁器工業と美濃加茂市の電機工業の製造品出荷額等の価額構成を比較したものです。当時、美濃加茂市には、X社の子会社工場に加えて、同じく電機メーカー大手Y社の分工場があり、美濃加茂市の当時の電気機械工業生産のほとんどを、これらの二つの工場が占めていました。

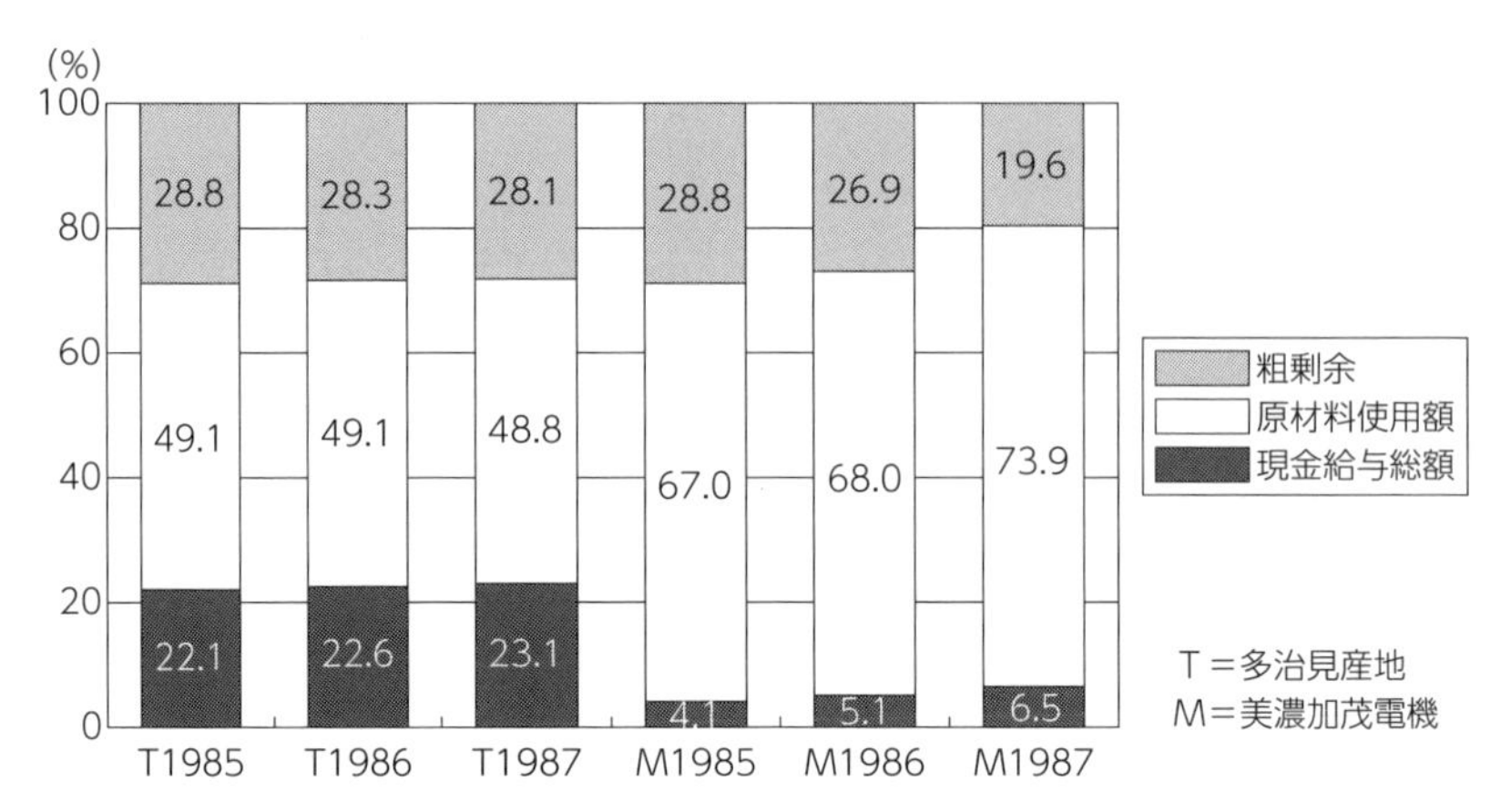


**図６－１　多治見陶磁器産地と美濃加茂電機工業の価額構成**

資料：岐阜県「工業統計調査」各年版。

このグラフの一番下が現金給与支払総額で、中央が原材料使用額、一番上が粗剰余となっています。両者の明らかな違いは、現金給与支払額の比率が、美濃加茂電機の場合、五％前後であり、多治見産地の二三％前後と比べ、極端に小さいということです。したがって、これに粗剰余を加えた付加価値率は一九八七年で二六・一％と、多治見産地の約半分に留まっています。常用従業者一人当たりの付加価値生産性は、工場の自動化が進んでいて従業者数の少ない美濃加茂電機の方が高いのですが、地域経済全体に還流される付加価値の比率は明らかに低いことがわかります。この点では、「高付加価値」ではなかったわけです。

しかも、問題は美濃加茂電機の原材料使用額の比率が際立って大きいことです。なぜ大きいのでしょうか。これは、多国籍企業の本社と現地法人との間での利益移転の方法と酷似していると考えられます。つまり、親会社と現地法人では、法人としては対等平等な独立した関係であり、無償で利益を親会社に直接送金することは許されません。そこで、いくつかの利益移転の方法がとられています。ひとつは、「移転価格（トランスファー・プライシング）」という方法であり、親会社から購入する原材料・部品の価格に利益の一部を上乗せして本社に送金する方法です。もうひとつは、親会社が保有している特許等を利用しているということで、現地法人の方から特許料、手数料名目で利益を移転する方法です[13]。これらは、多国籍企業の本社への利益移転のために常用されている方法であり、インタビューによってＸ社の子会社である美濃加茂工場も本社に対して特許料、手数料を支払っていることが確認できました。Ｘ社の場合、ほとんどすべての原材料は親会社から購入している関係にあり、「原材料使用額」名目でも、本社への利益移転がなされていたと考えられます。

子会社形態ではなく、本社の分工場の場合は、右のような法的制限もありませんので、地方の分工場で生産したものの販売利益は、直接本社が受け取ることになります。つまり、統計的に見るならば、工場の生産額を調査している「工業統計表」の製造品出荷額等と、工業部門における所得額を計算している「県民所得統計」の数値を比較すると、地域別の所得移転の状況がわかってきます。**表６－２**は、当時の経済企画庁が試算したものです。関東、とりわけ東京に工業部門の所得が集中的に移転していることがわかります。大阪でさえ、一九七七年から東京に所得を移転する構造に転落しているのです。

表6－2　本社機能等による所得移転

（単位：10億円）

| | 1975年 | 1976年 | 1977年 | 1978年 | 1979年 | 1980年 | 1981年 | 1982年 | 1983年 |
|---|---|---|---|---|---|---|---|---|---|
| 北海道 | -13 | 47 | -1 | 7 | 42 | -25 | 14 | 31 | -7 |
| 東　北 | 0 | 57 | -39 | -7 | -98 | -109 | -146 | -68 | -137 |
| 関　東 | 1317 | 1336 | 1776 | 2013 | 2539 | 2511 | 2914 | 3271 | 3419 |
| 北　陸 | -122 | -122 | -167 | -171 | -280 | -314 | -295 | -251 | -255 |
| 東　海 | -453 | -613 | -675 | -678 | -681 | -542 | -937 | -1125 | -1422 |
| 近　畿 | -365 | -105 | -388 | -495 | -798 | -803 | -812 | -959 | -680 |
| 中　国 | -283 | -342 | -292 | -399 | -491 | -518 | -387 | -603 | -603 |
| 四　国 | -63 | -220 | -44 | -35 | -53 | -43 | -56 | -24 | -74 |
| 九　州 | -17 | -37 | -171 | -236 | -181 | -205 | -295 | -272 | -240 |
| 全　国 | 0 | 0 | 0 | 0 | 0 | 0 | 0 | 0 | 0 |
| 東　京 | 2098 | 2360 | 2795 | 3390 | 3802 | 4617 | 4617 | 4862 | 5242 |
| 愛　知 | 17 | -87 | -28 | -3 | 96 | 62 | 62 | -116 | -105 |
| 大　阪 | 11 | 52 | -15 | -95 | -217 | -171 | -171 | -263 | -141 |

資料：経済企画庁調査局『昭和62年地域経済レポート』大蔵省印刷局、1987年、181頁。
原資料は、経済企画庁『県民経済計算年報』及び通商産業省『工業統計表』。

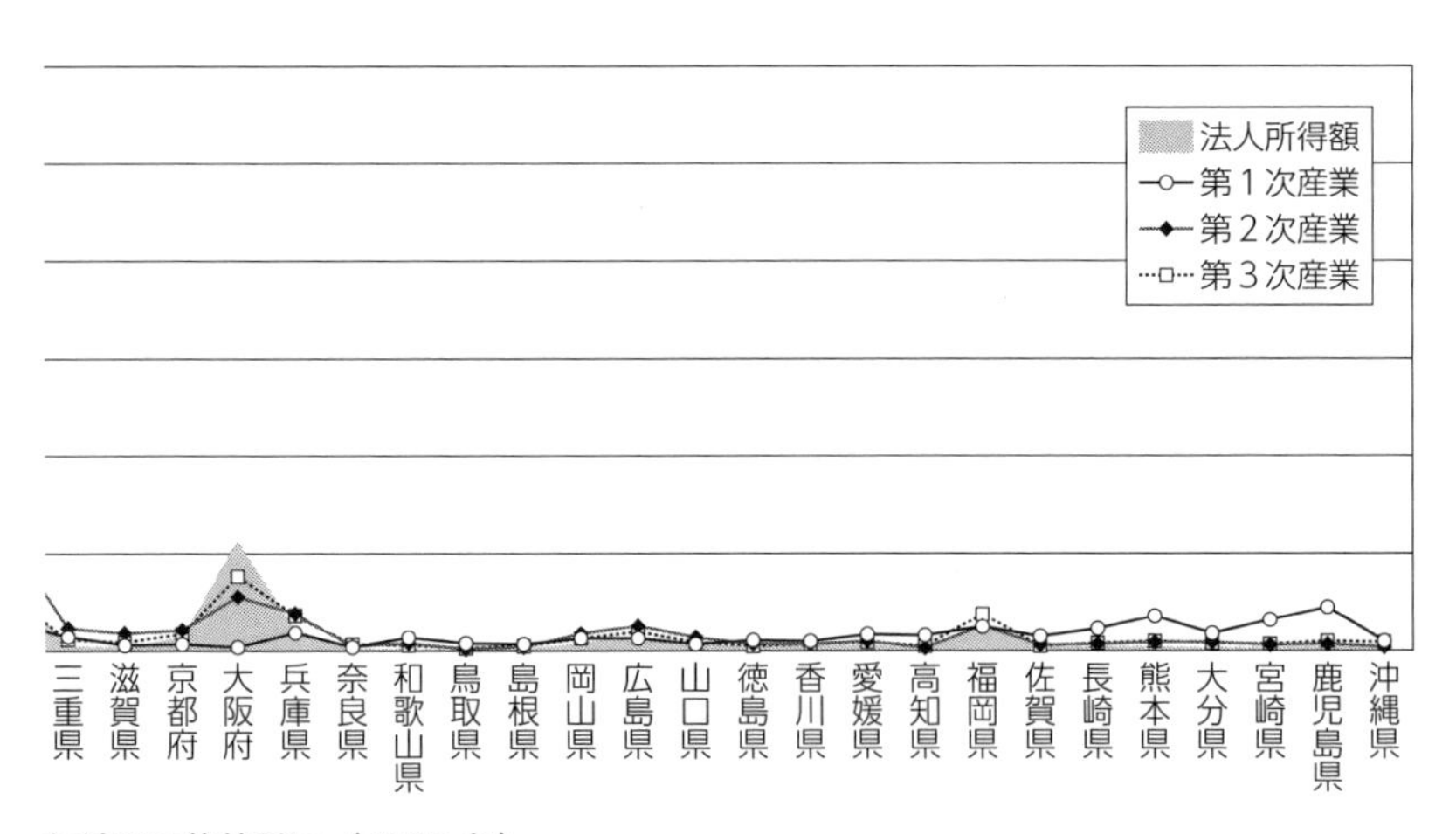


経済の不均等発展（2015年）

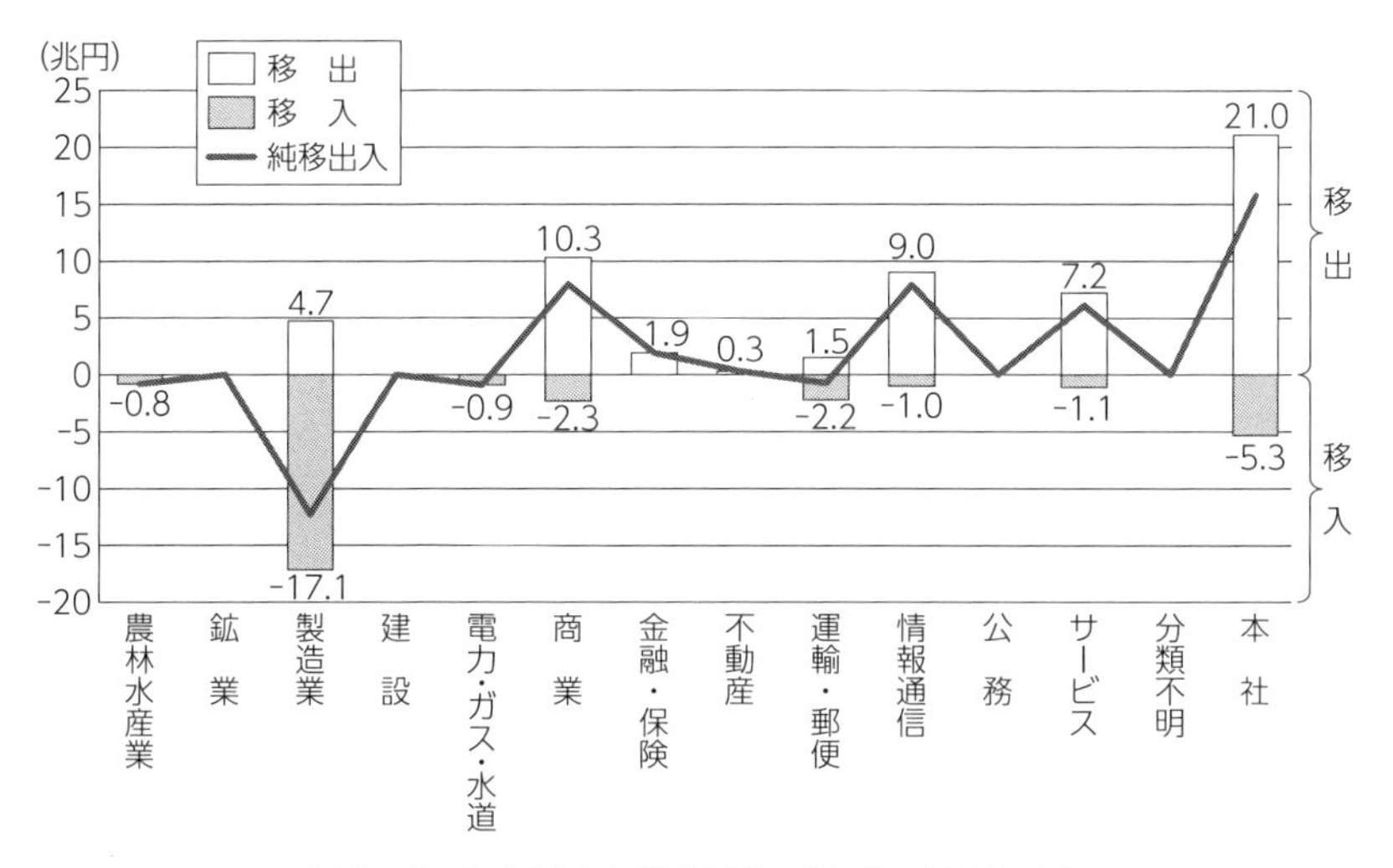


図6－2　東京都の産業別移出・移入額（2011年）

注：移出入額には、輸出入額は含まない。

資料：東京都『平成23年（2011年）東京都産業連関表報告書』2016年、東京都総務局統計部による。

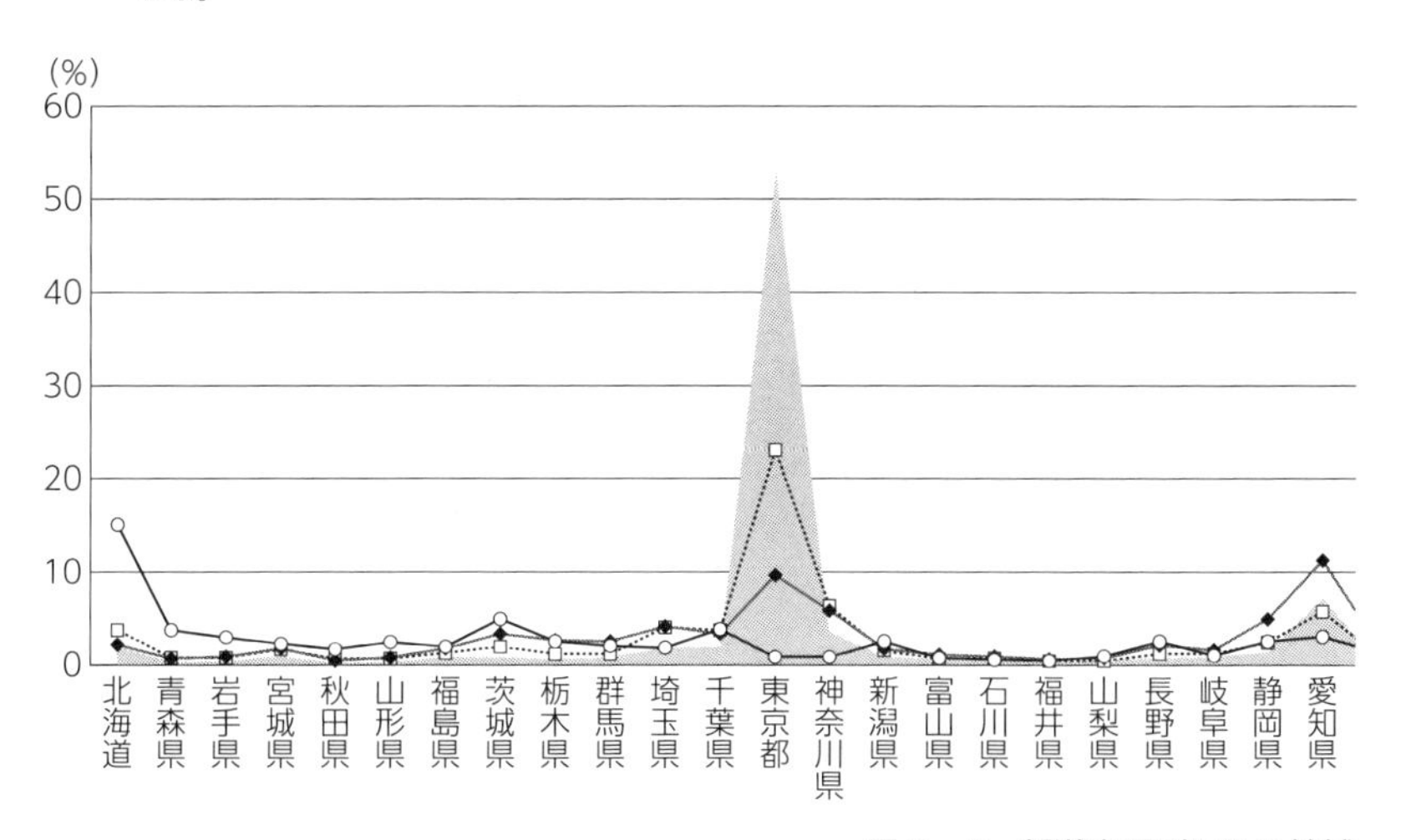


図6－3　都道府県別にみた地域

資料：内閣府「県民経済計算年報」2015年版、国税庁「法人税統計」2015年版。

## 法人企業所得の東京一極集中

以上で述べた東京への利益移転を、東京側から見たのが図6－2です。これは、東京都の二〇一一年の産業連関表から作成した部門別移出入収支です。東京都の産業連関表の特徴のひとつとして「本社部門」を独立させている点があげられます。これは、本社の業務サービスを他の国内地域に対して行うことによる対価としての収入を意味します。図からわかるように、本社部門は一五・七兆円の受け取り超過となっており、最大の収益部門であることがわかります。次いで、情報通信や商業の受け取り超過も高い水準になっています。逆に、製造業や農林業などは支払い超過部門となっています。

逆にいえば、東京は、地方において生産される経済的果実を、本社機能によって吸引してはじめて成り立っている地域経済構造であるといえます。図6－3は、第一次産業、第二次産業、第三次産業の生産額の都道府県別割合と、法人企業所得の同様の割合を比較したものです。東京が、それぞれの産業部門の生産額をはるかに上回る比率で、法人企業所得の五三％を占有していることがわかります。これは、国内の地方における収益を移転しているだけでなく、第3章でも述べた海外からの所得移転や輸出利益も吸引した結果であるといえます。しかも、二〇〇一年と比べると、東京の法人企業所得シェアは、一〇ポイントも上昇しているのです。

ここに、かつて島恭彦が「地域経済の不均等発展」と名づけた現象の現代的姿を見ることができます[14]。島は、「工場の分散に成功したとしても、金融力の地域的集中にぶつかる」[15]と本質的な指摘もしています。この東京一極集中のメカニズムをコントロールすることが何よりも必要ではないでしょうか。そのための事後的な財政手段として地方交付税交付金があるのですが、これも後で述べるように「三位一体の改革」や「平成の大合併」政策を通して、むしろ地方への支出分を削減して、「都市再生」の名目で東京をはじめとする大都市部へ手厚く再配分する方向が続いており、逆に格差を拡大するものとなっています。

## 4　企業誘致は地域活性化の切り札か

### グローバル化と国内工場立地の減少

これまでは、分工場が立地した場合の地域経済への波及効果が、本社への所得移転構造があるために、限られたものであることを述べてきました。問題は、立地しない場合です。実際には、経済のグローバル化が進むなかで、企業誘致はままならない状況となっています。

図6－4は、敷地面積一〇〇〇㎡以上の工場の立地動向を時系列的に見たものです。日本の工場立地は、高度成長期の一九六〇年代末と、バブル景気の八〇年代末の二つのピークから比べると、近年大きく落ち込んでいます。二〇〇〇年代半ばには、生産の「国内回帰」が一部に見られましたが、二〇〇八年のリーマンショック後、さらに一段低い、一〇〇〇件程度の水準となっています。これは、何よりも、第3章で明らかにしたように、海外への生産シフトが引き続き進行しているからです。

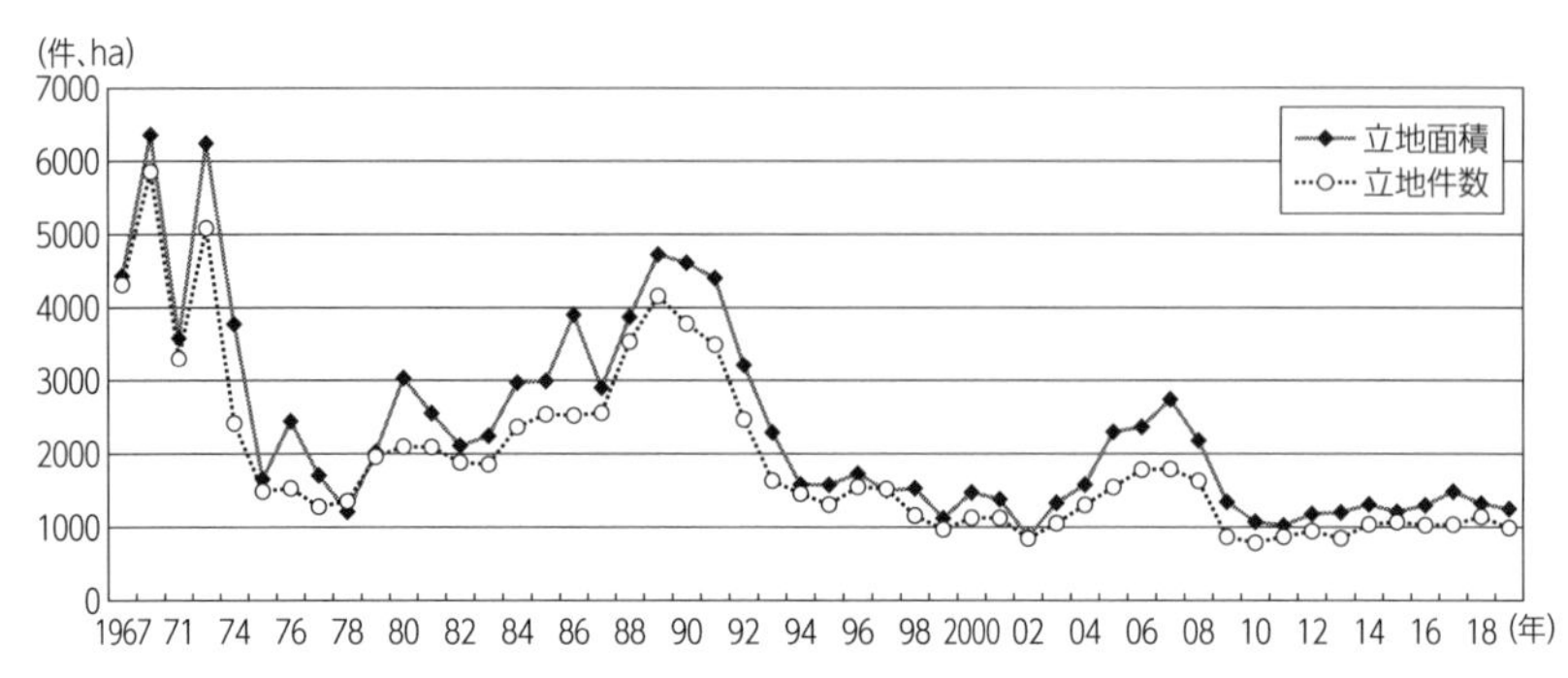


図６－４　国内への工場立地の推移

資料：経済産業省「工場立地動向調査」各年版から作成。

しかも、国内工場の立地は、すべての地域に万遍なく行われているわけではありません。二〇一九年の「工場立地動向調査」によれば、静岡、愛知、茨城、群馬、岐阜の上位五県で、全立地件数の三割近くを占めているのです。

## 誘致企業の立地確率の低さと工場閉鎖・縮小

さらに、表６－３は、農村地域における一九九〇年代前半の誘致企業件数を、旧市区町村数で除した立地確率を示しています。古いデータですが、この後、同種の調査はなされていませんので、貴重な調査結果だといえます。一九九五年を起点にした過去五年間の旧市区町村（昭和の合併の前の旧村の広がりです）当りの誘致実績を見ると、平地農業地域で〇・五九件、中間農業地域で〇・三九件、山間農業地域で〇・二三件に留まっています。この数字には、工業団地に複数の誘致企業を有する旧市区町村も含まれているので、最大限のものと考えていいでしょう。平均で四割、山間部では、多めに見積もっても四分の一以下の旧市区町村にしか、誘致企業は立地していないことを

表６－３　誘致事業所と地元農産物等加工販売事業所の対旧市区町村数当たり立地確率

| | 地域区分 | 誘致企業 | | | | 地元農産物等加工販売 |
|---|---|---|---|---|---|---|
| | | 製造業 | サービス業 | その他業種 | 小　計 | |
| 事業所数（件） | 平地農業地域 | 0.49 | 0.04 | 0.06 | 0.59 | 0.48 |
| | 中間農業地域 | 0.32 | 0.03 | 0.04 | 0.39 | 0.68 |
| | 山間農業地域 | 0.18 | 0.03 | 0.02 | 0.23 | 1.05 |
| | 合　計 | 0.35 | 0.04 | 0.04 | 0.43 | 0.69 |
| 従業者数（人） | 平地農業地域 | 25.40 | 1.55 | 2.67 | 29.62 | 9.96 |
| | 中間農業地域 | 16.86 | 1.42 | 1.27 | 19.55 | 12.03 |
| | 山間農業地域 | 6.26 | 1.09 | 0.40 | 7.75 | 12.77 |
| | 合　計 | 17.73 | 1.39 | 1.61 | 20.73 | 11.40 |

注：立地確率＝N 地域における該当事業所数（従業者数）／N 地域における旧市区町村数合計
誘致事業所は、過去５年間に市町村、都道府県が誘致したもの。地元農産物等加工販売事業所は、地元（現市区町村）で生産・収穫された農林水産物に付加価値をつけて販売することを目的に、施設を有し加工販売を行っているもの。
資料：農林水産省統計情報部『1995 年農業センサス農村地域環境総合調査結果概要』1996 年。

示しているのです。

　他方、地元の農産物等加工販売事業所の方は、〇・六九件となっています。これは、住民や自治体、協同組合、集落が努力すれば必ず設立できるものです。特に、生産条件が最も不利な山間農業地域では一・〇五件となっています。これは、誘致企業の立地確率を大きく上回り、かなり広範に存在していることがわかります。中間農業地域も同様です。さらに、従業者数を見ても、山間農業地域では一二・八人と、誘致企業の七・八人を大きく上回っていることがわかります。

　このように、誘致企業の立地確率は、地方の条件不利地域ほど低まり、道路建設などの先行投資をしたとしても、誘致の成功確率は大変低いといえます。

　しかも、それだけではありません。工場の

閉鎖や撤退が、海外への生産シフトによって増加していることも見逃せないことです。一九八〇年代以降、高速道路網の整備等によって進出企業による工場立地が盛んに行われた岩手県では、二〇〇一年以降、アイワやアルプス電気などの誘致工場の閉鎖・撤退が相次ぎました。二〇〇一年から〇二年にかけて、誘致企業は事業所数で一三、従業者数で二三〇一人、工業出荷額で一四一七億円減少し、県も「誘致企業の撤退や工場閉鎖の影響深刻」と厳しく受け止めざるをえませんでした(16)。先に紹介した美濃加茂市でも、二〇〇七年に半導体工場が閉鎖したのに続き、二〇一二年には二つの電機メーカーの分工場が突然閉鎖を決定し、市内経済に決定的な打撃を与えました。

## 盲目的な企業誘致政策は誰の利益になるのか

すでに述べてきたように、政府は、一九九六年以降、「企業に地域を選んでもらう」ための政策対応が必要であると繰り返し強調してきました。具体的には、工業団地造成など企業立地への経済的インセンティブの賦与に重点を置いてきた従来の産業立地政策に加え、「企業が地域を選ぶ際には、純産業政策的立地環境のみならず、教育環境、文化水準、住宅事情、交通事情等々、地域の全体としての住みやすさ、暮らしやすさがテストされることになろう」と述べていました(17)。

この点については、一九九七年版『地域経済レポート』が、より立ち入った言及をしています。まず、「産業空洞化の克服と地域の雇用を守るためには、これまでの雇用源である企業への依存のみでは不十分であり、新しい企業を誘致して、育てていくことが問われている」としたうえで、企業は「税制その他の公的負担の大きさや、インフラストラクチャの整備、教育環境や住環境といった地方公共団体の行政のあり方全体に関心」を強くもっており、「言い換えると」「地方公共団体の行政すべて」が企業の立地選択で評価されているとしているのです[18]。

つまり、企業がグローバルに立地移動している時代なのだから、企業が気に入るような条件を地域がつくれば、企業に立地してもらえ、産業空洞化は克服できるというシナリオのようです。しかも、これまでの既存産業は、雇用源としては見込みがないので、何よりも新規企業立地のために、地方自治体は、地方税をはじめ企業にとっての高コスト要因を見直し、住環境、生活環境等の整備に「公共」投資を惜しむなという主張であるわけです。二〇一二年版の『通商白書』においても、「企業が国を選ぶ時代にあって、我が国が空洞化を防ぎ持続的な経済成長を達成するために、立地競争力の強化は不可欠になる」と述べています[19]。

これは、「グローバル競争」時代にふさわしい企業誘致論の化粧直しといえます。けれども、これによって産業空洞化を阻止できると思う人はどれだけいるのでしょうか。そもそも産業空洞化とは、そのような企業誘致によって立地していた企業が、海外生産にシフトし、国内の生産や雇用を縮減し、さらには工場を閉鎖することによって起きた問題ではなかったのでしょうか。しかも、半導体や電機産業の例をあげるまでもなく、企業間の技術開発競争の激化により、事業所の立地と閉鎖、撤退のサイクルは短縮化しています。グローバルな立地を展開する多国籍企業ほど、立地して撤退するまでの期間は短くなっています。せいぜい一〇年から三〇年しか、一つの地域に留まっていないとしたら、その企業によって直接・間接に雇われている住民は、何度も仕事を代えなければ生活し続けることはできないということになってしまいます。

すでに述べたことからも明らかなように、『地域経済レポート』のいう企業誘致待望論では、日本列島上で最も条件が不利な地域はもちろん、平場農村地域や都市地域も含め、「企業に選んでもらえる地域」はごく限られたものでしょうし、たとえ立地がなされたとしても、誘致企業が長期にわたり操業し、地域経済に貢献し続ける可能性は薄いといえます。

もっとも、立地する主体であるグローバル企業にとっては、地方自治体側が「地域間競争」論にのせられて、企業にできるだけ有利な条件を「出血サービス」によって提供するので、大変なメリットになることは間違いありません。したがって、「企業が地域を選ぶ」処方箋では、一部の企業の利益になったとしても、日本列島上に広がる地域産業の空洞化問題そのものを解決することにはならないといえます。

実は、これまでの日本の産業立地政策、地域開発政策も、当該地域住民の「社会的便益」よりも、企業の「私的便益」を優先してきた歴史の繰り返しそのものでした[20]。ところが皮肉なことに、資本蓄積のグローバル化が進めば進むほど、地域住民の「社会的便益」を第一にした地域産業政策に切り替えることが不可欠な課題になってきているのです。言い換えれば、中央政府や地方自治体の財政・政策が、資本蓄積のグローバル化の過程で事業活動の軸足を海外に置きつつある資本のために動員されるのか、地域に住みながら生産活動によって価値を生み出している住民のために再配分されるのかが、鮮明に問われる時代になったわけです。

しかし、社会的便益を第一にした解決方向は果たして実現可能なのでしょうか。実は、内閣府が発行している『地域の経済』二〇〇五年版で、興味深い調査結果を紹介しています。これまで、日本では高速道路等の産業基盤投資と企業誘致をワンセットにした地域活性化政策をとってきたが、①産業基盤投資による工場立地確率は二〇〇〇年代に入り低下し、一概に工場立地が進むとはいえないこと、②企業誘致の「補助金額が大きいからと言って、工場立地件数が多くなるという明確な関係は確認できない」こと、③雇用面でみても、「補助金の効果が明確に現れているとは言い切れない」こと、そして④「誘致には撤退リスクがつきまとう」と明確に述べています。そして、撤退リスク回避のために、企業誘致の設備補助金制度をもっている道府県四三県のうち、二五道府県では工場が撤退した場合の補助金の返還制度を設けていることも明らかにしています[21]。

実は、このような企業の工場閉鎖に対する法規制はアメリカやヨーロッパ諸国では、工場閉鎖規制法として早くから存在しているのですが、日本には法律としては存在していません。また、次章以降で述べるように、進出企業に対して、地元からの正規の雇用や商品、サービスの調達を求めるローカル・コンテンツ（現地調達）法も日本にはありません。進出企業については、できるだけ長期にわたって立地地域で再投資し、雇用、商品・サービス調達、工事等を地元企業に発注し、地域に貢献していくことが求められているといえます。

もうひとつのヒントは、前出の表６－３の中に隠されているといえます。すなわち、条件不利地域ほど、誘致企業よりも地域の個人・団体が経営する地元農産物加工販売事業所の方が、立地確率が高く、雇用者数も大きいということが如実に示されていました。グローバルに浮遊して地域の未来を託せない多国籍企業を当てにするのではなく、地域資源を生かした地元資本を意識的に形成、あるいは育成していく方が、はるかに確実かつ効果的であるといえるでしょう。

もともと、企業活動の内実である資本そのものは、住民の圧倒的多数を占める労働者が、その技術を生かして創り出した価値であり、立地するかどうかわからない誘致企業を待望して多大な先行投資を行うのではなく、現に存在している地域の諸資源（それは自然資源だけではなく、経営資源、人的資源なども含みます）を、住民が主権を発揮しながら活用する方が合理的であるといえます。

## 注

（1）「はじめて大型補助金を投入した三重県のその後」『WEDGE』二〇一二年一〇月号。

（2）大阪自治体問題研究所・堺市企業立地とまちづくり研究会『企業誘致の闇―住民訴訟六年―』自治体研究社、二〇一五年一〇月、参照。

（3）経済企画庁調査局『地域経済レポート'96』大蔵省印刷局、一九九六年、二四六頁。

（4）大阪自治体問題研究所・堺市企業立地とまちづくり研究会、前掲書、参照。

（5）石川榮耀『改訂増補　日本國土計畫』八元社、一九四二年、二八五頁以下、参照。

（6）詳しくは、岡田知弘『日本資本主義と農村開発』法律文化社、一九八九年、及び同「四日市臨海工業地帯の誕生―戦前期の工場誘致と初期公害―」『経済論叢』第一五八巻第六号、一九九六年一二月、参照。

（7）岐阜県『岐阜県史　通史編　続現代』岐阜県、二〇〇三年、一八六～一八七頁。

(8) 宮本憲一『経済大国＝増補版』小学館、文庫版、一九八九年、一四四頁。
(9) 宮本憲一『地域開発はこれでよいか』岩波書店、一九七三年。
(10) 岐阜県、前掲書、四九一頁。
(11) 岡田知弘「先端産業化と内陸開発の諸問題」東海自治体問題研究所『大規模開発　二一世紀への構図』一九八六年、参照。
(12) テクノポリスを中心とした技術先端型産業と地域開発との関係については、日本科学者会議『テクノポリスと地域開発』大月書店、一九八五年、宮本憲一監修『国際化時代の都市と農村』自治体研究社、一九八六年、田中利彦『テクノポリスと地域経済』晃洋書房、一九九六年、伊藤維年『テクノポリス政策の研究』日本評論社、一九九八年、鈴木茂『ハイテク型開発政策の研究』ミネルヴァ書房、二〇〇一年、参照。
(13) 多国籍企業の企業内世界分業については、杉本昭七『現代帝国主義の基本構造』大月書店、一九七八年、同編『現代資本主義の世界構造』大月書店、一九八〇年、参照。
(14) 島恭彦『現代地方財政論』有斐閣、一九五一年（『島恭彦著作集』第四巻、有斐閣、一九八三年に再録）。
(15) 島恭彦「所得倍増計画と公共投資」『経済論叢』一九六〇年一一月号（同右書に再録）。
(16) 岩手県『図説いわて統計白書二〇〇五』二〇〇五年、一一二頁。
(17) 経済企画庁調査局編、前掲書、二四九頁。
(18) 経済企画庁調査局編『地域経済レポート'97』大蔵省印刷局、一九九七年、七八〜九三頁。
(19) 経済産業省『通商白書　二〇一二年版』二〇一三年、四三八頁。
(20) 中村吉明・渋谷稔『空洞化現象とは何か』通商産業研究所、一九九四年、参照。
(21) 内閣府政策統括官室『地域の経済　二〇〇五』二〇〇五年一〇月、参照。

# Ⅲ部　地域内再投資力と地域内経済循環

# 第7章　地域開発から地域の持続的発展へ ―地域内再投資力―

## 1　地域の「活性化」とは何だろうか

### 一人ひとりの住民の生活が豊かになるような地域の発展

私たちは、地域の「活性化」という言葉を、よく耳にしたり、口に出したりします。けれども、地域の「活性化」とはいったい何を意味するのでしょうか。この言葉も、「地域」という言葉と同様、決して自明のものではありません。したがって、その内容を、正確に、科学的に捉えなければ、かえって地域経済や地域社会の衰退を引き起こすことにもなりかねません。

たとえば、小泉純一郎内閣の時代、総務省の市町村合併推進のホームページには、合併のメリットとして「地域のイメージアップと総合的な活力の強化」をあげ、「より大きな市町村の誕生が、地域の存在感や『格』の向上と地域のイメージアップにつながり、企業の進出や若者の定着、重要プロジェクトの誘致が期待できます」と書かれてありました(1)。

市町村合併を進めようとしたこの文書の問題点については、後の章で詳しく述べたいと思います。ここでは、ひとまず、「地域」の「活性化」の中味として、大型プロジェクトの誘致、企業の進出、若者の雇用の創出が、想定されている点に注目したいと思います。客観的にとらえると「地域」というのは、人間の生活領域として見ても、あるいは資本の活動領域として見ても、物理的には地球上のある一区画にしかすぎません。その地表の一部が「活性化」するというのは、厳密にいえば何も語っていないと同じです。何よりも大切なのは、その地球上の一区画に生活する人間と、人間がコミュニティをつくって生きる地域社会こそが、主語でなければなりません。

また、この文章では、若者の雇用創出の前提と考えられる「大型プロジェクトの誘致」と「企業の進出」が、「活性化」の内容と捉えられています。これは、すでに見てきたように、決して目新しい考え方ではありません。空港や高速道路、港湾、工業団地のプロジェクト型の開発を図りながら、企業を誘致し、雇用を創出するという考え方は、新産業都市建設以来の戦後日本の地域開発政策に一貫して流れているものでした。けれども、このような地域開発政策の結果、当該地域、あるいは日本列島の各々の地域は果たして「活性化」したといえるのでしょうか。逆に、産業構造の転換や経済のグローバル化のなかで、企業が撤退あるいは規模を縮小し、多くの地域が社会の衰退や持続可能性の危機に悩んでいます。

つまり、立派な空港や道路が建設され、新しい企業が進出したとしても、それ自体、地域の「活性化」に結びつくわけではありません。それによって、当該地域の地域経済が拡大再生産し、雇用の規模や所得の循環が持続的に拡大し、その地域の一人ひとりの住民の生活が豊かになってはじめて地域の「活性化」、あるいは「発展」と呼ぶことができるのではないでしょうか。

もともと「地域開発」の原語は、「リージョナル・デベロップメント」ですが、「デベロップメント」には、「開発」という訳語だけでなく「発展」という語意があります。「開発」という言葉は、上あるいは外から当該地域を改造することを意味しますが、「発展」という言葉は自ら主体的に地域をつくりだしていくことを表現するものです。このような「地域発展」の視点に立って、第4章で見たように、これまでの地域開発政策を検証するならば[2]、いくつかの重要な限界点が明らかとなります。それは、同時に、新たな地域発展の内容と方法を考える上での反面教師であるともいえます。

## 従来型地域開発政策の限界

第一に、従来の地域開発政策は、あくまでも当該期のリーディング産業を育成するための立地政策であり、その地域の総体としての発展、とりわけ住民の生活の向上や自然環境や歴史環境の保全をめざすものではありませんでした。これは、重化学工業の育成をねらった新産業都市、技術先端型産業の立地をねらったテクノポリス、リゾート産業の育成のためのリゾート開発を見れば明らかです。したがって、産業の交替が急ピッチですすむにつれて、これらに依拠した地域は中心的な事業所を失って構造不況地域に転落することになるわけです。

第二に、右との関係で、従来の地域開発政策では、産業立地のための全国画一的な条件整備をすすめたために、地域の個性的な産業の振興や住民一人ひとりの生活の向上については二の次とされてきました。そこでは、産業開発が進むことにより、その利益が回り回って地元企業や住民に「トリクルダウン」する（したたり落ちる）だろうという理論が、まことしやかに持ち出されてきました。しかし、実際には「トリクルダウン」効果は少なく、むしろ公害や財政赤字が地元に残る構造が生み出され、当該地域経済の持続的発展に結び付くことがほとんどなかったことは、すでに見たとおりです。単なる産業立地政策に終わらず、地域総体の、とりわけ住民の生活全体の維持・発展を追求し、一人ひとりが輝いて安心、かつ誇りをもって住み続けられる地域をつくることが地域「開発」＝「発展」政策の最大の目的でなければなりません。

第三に、第5章及び第6章で明らかにしたように、道路や港湾、空港を中心とした公共事業と企業誘致による地域開発が、地域経済の持続的発展につながらなかった原因は、それらの投資の仕方と資金・所得の循環のあり方に求められるといえます。すなわち、空港や道路は「公共投資」として建設されますが、一過性の投資であり、それ自体が利益を生み出して、自動的に再投資の循環が始まることはありません。逆に、大型の公共投資であればあるほど、大手ゼネコンが受注して、公共投資による収益を本社のある東京などの大都市に移転することになってしまうわけです。

一方、企業誘致についても、地元から一定の労働力を調達するものの、原材料や部品、サービスについては、多国籍大企業であればあるほど、地元よりも系列企業から調達する場合が多くなります。また、稼ぎ出した企業収益の多くが、やはり東京を中心とする大都市に立地する本社に還流することになってしまいます。さらに、せっかく各種の優遇措置を講じて誘致に成功した企業も、本社や親会社が海外に活動拠点を移したり、リストラクチャリングしたりするなかで、撤退や閉鎖を余儀なくされるケースが九〇年代末から急増しているのが実態です。

多国籍企業によるグローバル競争が激化するなかで、国の方は「企業に選んでもらえる国づくり、地域づくり」を強調し、地方自治体を企業誘致に駆り立てようとしていますが、現在の地域経済の苦境は、そもそも、このように立地した企業が地域から撤退してグローバルに移動することから生まれてきたものです。しかも、グローバル競争に巻き込まれた産業部門の企業においては、立地から撤退へのサイクルが短縮化する傾向にあり、そのような企業に依拠した地域経済の持続的発展を望むことはできないでしょう。

## 2　地域の持続的発展と地域内再投資力

### 地域の持続的発展と投資活動

市町村単位、あるいは都道府県単位といった特定の広がりをもった地域経済が持続的に発展するということは、毎年、その地域でまとまった投資がなされることを意味します。投資というのは、あるまとまったお金を投下することによって、商品と労働力を購入し、それらを結合して、新たな商品やサービスを作りだし、それを販売することによって、利益をともなった売上を回収する経済活動です。ここでは、お金が最初に投資した人や企業、団体に戻ってくる、すなわち還流することが重要なポイントです。お金の使い方には、もう一つの種類があります。私たちは、日常的に食料品をはじめとする消費財を買います。この場合、手元にあった最初のお金は、商品と交換されてしまい、二度と私たちの手に戻ることはありません。ここに投資的な支出と消費的な支出の大きな違いがあります。

それはともかく、地域のなかで、いろいろな経済主体によって、前者のようなまとまった投資が繰り返しなされ、生産が毎年持続し、したがって資本をもっている人も、賃金を得ている労働者も、さらに彼らが消費する商品やサービスを作ったり、売ったりしている農家や商工業者、医療・福祉部門を含むサービス事業者も、毎年生産と生活を繰り返すことを、その地域の「再生産」と呼びます。

再生産が同一規模で行われることを「単純再生産」といいます。また、この再生産の規模が拡大した場合を「拡大再生産」と呼びます。その時は雇用も、人口も増え、地域経済の発展が顕著に表われます。逆に、再生産の規模が縮小する場合を、「縮小再生産」といいます。こうなると、その地域での就業機会が減り、人口も減少し、地域社会の疲弊も目立つようになります。現在の日本では、このような地域が広範に広がっているわけです。

## 地域内再投資力こそ決定的に重要

つまり、地域経済の持続的な発展を実現しようというのであれば、その地域において、地域内で繰り返し再投資する力＝地域内再投資力をいかにつくりだすかが決定的に重要であるということです。毎年、あるまとまったお金を地域内に投資することにより、そこで雇用や原材料・部品・サービスの調達を繰り返し、地域内の労働者や農家、商工業者の生産と生活を維持・拡大できる力が備われば、住民一人ひとりの生活がなりたち、地域経済の持続的発展が可能となるのです。

地域経済の持続的発展とは、地域内の再生産の維持・拡大を意味します。その再生産の量と質を規定するのは、その地域全体がもっている再投資力にほかなりません。再投資力も、量と質から構成されています。投資量は、投資額の総量ですので、自己資金、融資、補助金のほかクラウドファンドでの調達資金から構成されます。肝心なことは、外部の地域金融機関や投資家、自治体が資金を提供するだけの技術力や商品の販売力、経営能力が、個別の企業にあるかどうかです。これが、地域内再投資力の質的側面です。モノを作る技術や技能の力、商品やサービスを販売するマーケティング力、情報技術や通信手段を使いこなす経営力も入ってきます。個別企業が集まる地域において全体として、それらの力を育てる地方自治体や地域金融機関による質的支援も、その地域における再投資力を高める重要な要素となります。このような観点から見るならば、これまでの公共投資と企業誘致による地域開発政策がなぜ成功しなかったかが、容易に理解することができます。

つまり、空港や道路などは、公共投資といわれ、「投資」の一種ですが、短期間での再投資がなされない一過性の投資（「ワンスルー型投資」ともいいます）です。したがって、空港や道路を公共投資で整備することだけで、自動的に地域に新たな企業や雇用が創出することはありません。むしろ、公共投資を受注した企業、とりわけ巨大プロジェクトであれば東京に本社のあるゼネコンに収益が吸収され、東京を起点にした再投資循環を肥え太らせるだけです。一時的に、まとまった公共投資がなされても、その受け手になり、活用できる経済主体が地元地域になければ、その資金は通過するだけであり、地域内再投資力を育てるものにはならないのです。

また、誘致企業に期待をかけても、立地する確率は低くなっていますし、たとえ立地したとしても分工場や支店であれば、地域で生み出された果実の多くは地域内で再投資されることなく、本社に還流してしまいます。それだけでなく、グローバル化の時代において撤退や閉鎖の危険が常に存在しています。このような誘致企業における投資の意思決定権も、東京をはじめとする大都市圏に所在する本社にあるわけです。したがって、立地地域内で持続的に再投資する主体としては信頼できる存在ではないといえます。

むしろ、そのような他力本願的な開発ではなく、地元に根付いた再投資主体を自ら意識的に形成することによって、地域に仕事と所得を生み出す方が、はるかに当該地域の持続的発展につながるといえます。このことは、前章の最後に紹介した誘致企業と地元農産物等加工販売事業所の立地確率と雇用効果の違いによっても確認することができます。

## 地域内再投資力と都市・地域形成

地域内再投資力という概念自体は、目新しいものですが、その概念が意味する実体は、資本の蓄積にともなう近代的都市の形成史のなかに見出すことができます。

例えば、三重県四日市市の都市形成過程を見ると、後に東洋紡績となる三重紡績の設立と事業拡大が、その発展の核をなしています。けれども、この三重紡績の経営のみの発展では、都市経済の拡大再生産は起りえません。実際には、三重紡績を設立した伊藤伝七をはじめとする名望家的な資本家が、電灯会社、ガス会社、鉄道会社、銀行、証券取引所、倉庫会社を共同出資で立ち上げ、さらに四日市市や三重県の財政支出によって外国貿易が可能な港湾を建設することによって、地域内再投資力が増強され、四日市という都市が形成・拡大したのです。

もっとも、各経済主体が資本を蓄積し、その活動領域を広げるにつれて、大きな矛盾につきあたることになります。三重紡績が大阪紡績と合併し、東洋紡績となり、本社を四日市から大阪に移すことになってしまったのです。つまり、企業合併によって独占体になる過程で、自ら生れ育った四日市を捨てることになってしまったのです。一九二〇年代には、鉄道や電灯、銀行においても、そのような独占体が形成され、四日市から本社機能はなくなってしまいます。

これに対する方策として打ち出されたのが、前章でも述べたような企業誘致政策でした。その帰結が、コンビナートを発生源とする戦後の四日市公害であったわけです(3)。

私たちは、このような都市の形成の歴史的事実から、多くの教訓を引き出すことができます。そもそも、先人たちの努力によって、資本が形成され、それを支える生産条件・生活条件が整備され、都市が形成されていったことが第一です。また、資本の蓄積の拡大によって、地域経済が空洞化し、それを避けるために誘致企業に依存してしまった結果が、多くの住民の命と健康を奪ってしまったことからも学ぶべき点が多々あります。そこから、どのように再生するかを考えるならば、企業誘致による「蓄積のための蓄積」「儲ける自治体」づくりではなく、住民一人ひとりの健康と生活の向上を目的とした地域内再投資力の意識的形成、すなわち自覚的な地域づくりのとりくみが必要であるといえます。

## 3　地域内再投資力と地方自治体

### 地域内再投資力の主体

それでは、地域内再投資力は、具体的に、どのような主体によって担われているのでしょうか。図7-1は、地域内再投資力の概念を示したものです。一般に再投資主体の中心に位置するのは民間企業です。この中には、地域外から進出してくる企業の分工場や支店、店舗も入ります。

地域内企業と進出企業が、地域経済に占める比重をイメージしてもらうために、表7-1を作ってみました。これは、熊本地震前の二〇一四年の「経済センサス」データを使って、熊本県内の本社所在地別の事業所数と従業者数の比率を示しています。熊本県の場合、本社が熊本県内にある企

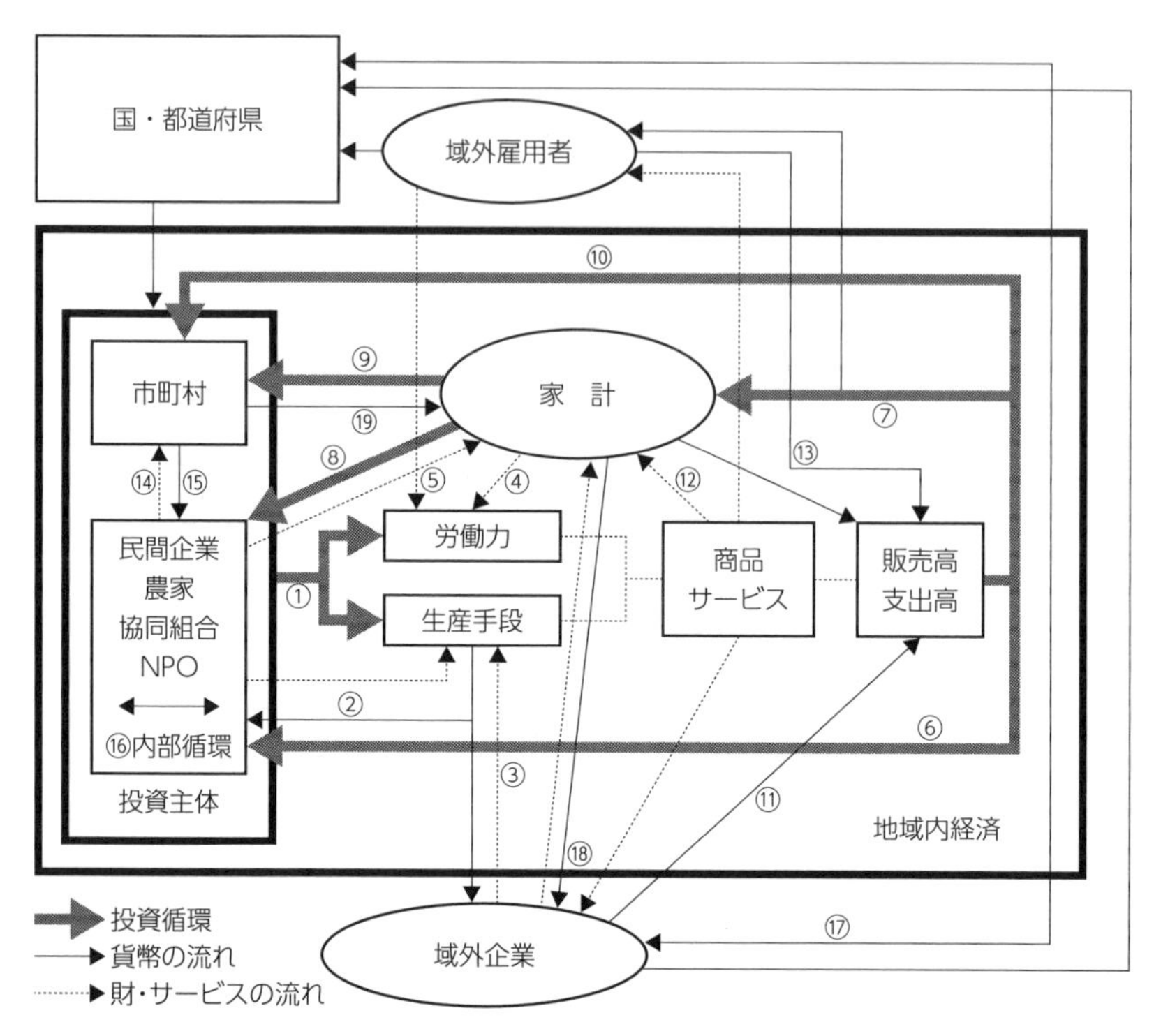


**図７－１　地域内再投資力の概念図**

出所：著者作成。

業で働いている従業者は全体の約八割を占めます。とりわけ、一つの工場や商店しかない単独事業所で働いている人は四五％に及びます。残りの二割が東京都をはじめ熊本県外に本社がある企業で働いており、そのなかに外資系企業も含まれているという状況です。京都市で同様の数字を取っても、ほぼ同様の比率でした。地域経済を圧倒的に担っているのは、地元に本社がある中小企業であるということが言えます。

　ちなみに、この「経済センサス」では、病院や診療所、

表７－１　熊本県の本社所在地別事業所・従業者構成（2014年）

| 本社所在地 | 事業所類型 | 実数 | | 構成比 | |
|---|---|---|---|---|---|
| | | 事業所数 | 従業者数 | 事業所数 | 従業者数 |
| 東京都 | 支店・支所 | 3,114 | 63,998 | 4.0% | 9.0% |
| 福岡県 | 支店・支所 | 2,187 | 33,074 | 2.8% | 4.7% |
| 大阪府 | 支店・支所 | 651 | 11,135 | 0.8% | 1.6% |
| その他県外 | 支店・支所 | 3,506 | 45,937 | 4.5% | 6.5% |
| 熊本県 | 本社・本所 | 4,393 | 120,843 | 5.7% | 17.0% |
| | 支店・支所 | 8,867 | 113,575 | 11.5% | 16.0% |
| | 単独事業所 | 53,765 | 318,702 | 69.7% | 44.9% |
| 事業所総数 | | 77,119 | 709,545 | 100.0% | 100.0% |

資料：総務省「平成26年経済センサス － 基礎調査」から作成。

福祉施設、農業法人、学習塾や美容室なども事業所のなかに含まれています。再投資主体としては、図７－１で示したようにこれらの民間企業以外に、農家や協同組合、ＮＰＯに加え、市町村や第三セクターも、投資主体として地域経済に、毎年まとまった資金を投下しています（①）。これらの投資に対して資金を供給する地域金融機関や公的金融機関も重要な役割を果たしています[4]。

もちろん、農家や協同組合、ＮＰＯ、市町村、公的金融機関は、「利潤」の獲得を目的とした組織ではありません。したがって、厳密にいうと本来の意味での「投資」を行っているわけではありません。けれども、「利潤」部分を生んではいませんが、毎年、地域経済に対して、資金循環の起点となる資金を投入し続ける主体となっており、その意味では「再投資主体」として位置づけることができます。

### 地域内の資金循環の仕組み

これらの経済主体が投資をすることによって、毎年労働力や生産手段が購入されますが、これは域内から調達される場合（点線の②、④）もあれば、域外から調達される場合（③、⑤）もあります。後者の場合、せっかく投資された資金が、地域外に漏出（leakage リーケージ）することになり、地域の再投資力を高めることにはなりません。地域経済への波及効果を高めようとすれば、できる限り域内調達率を上げるようにする必要があるわけです[5]。

さて、投資活動によって生産された商品やサービスは、域内に販売されたり（消費者⑫、市町村⑭、他事業者⑯）、域外に販売されて（⑪、⑬）、価値を実現します。その実現された価値が、再び利潤や翌年の原材料費として企業や事業者・経営者に（⑥）、賃金として家計に（⑦）、そして税金として市町村に（⑩）に還流することになります。還流された賃金部分で、住民は生活するための家計支出を行い、地域内で商品やサービスを購入したり（⑧）、大型店などの域外企業から購入します（⑱）。また、市町村に対しては税金や各種料金を納入します（⑨）。市町村からは、国民年金や社会保障給付として家計を補充する資金が投入されます（⑲）。

なお、高齢化が進むにつれて、国民年金をはじめとする「年金経済」の役割が大きくなっており、例えば二〇〇〇年代初頭に調査した長野県栄村では、高齢化率が四〇％程度でしたが、国民年金総額は、村の小売販売額にほぼ匹敵する一〇億円近くに達していると予測されました（栄村については第9章参照）。これらの賃金や年金等から構成される家計支出についても、域内調達率が高いほど、地域の投資主体の再投資力が大きくなります。けれども、逆に、域外企業の大型小売店等で購入すれば、地元商店の再投資力は縮小し、商店街が廃れていくことになるわけです。

## 素材的な視点からみた地域内再投資

以上は、資金の投資循環の視点からとらえたものですが、素材的な視点から見ると、さらに重要な点が浮かび上がります。右でみたような資金面での経済循環は、とくに生産と消費、廃棄の局面で、特定の地域や土地と固定的な関係を結びます。例えば、生産活動をするためには、道路や鉄道、用水、電気・通信網が必要であり、これらはすべて土地と結びついています。また、働いている労働者や経営者が生活をするためにも、住宅や交通施設、さらに教育や医療・福祉施設、商店等が地域に存在していなければなりません。また、事業所や住宅から出てくる廃棄物を処理する施設も地域には必要となります。このように、地域においては、経済活動と自然条件、生産・生活の基礎条件が一体となって、再生産を繰り返しているのです。ちなみに、経済地理学者のＤ・ハーヴェイは、土地に固着して作られている工場、商店、学校、住宅、そして道路、鉄道、港湾等のインフラストラクチャなどを含めて「建造環境」と呼んでいます[6]。

とりわけ農林漁業は、生産、生活、自然の再生産が一体となっているところに特徴があります。しかも、農林漁業における地域内再投資は、単なる生産行為だけではなく、国土や自然の保全管理を同時に行っていることを意味します。つまり、その生産活動を通して、農地や山河、海といった国土環境を無償で維持している側面があります。

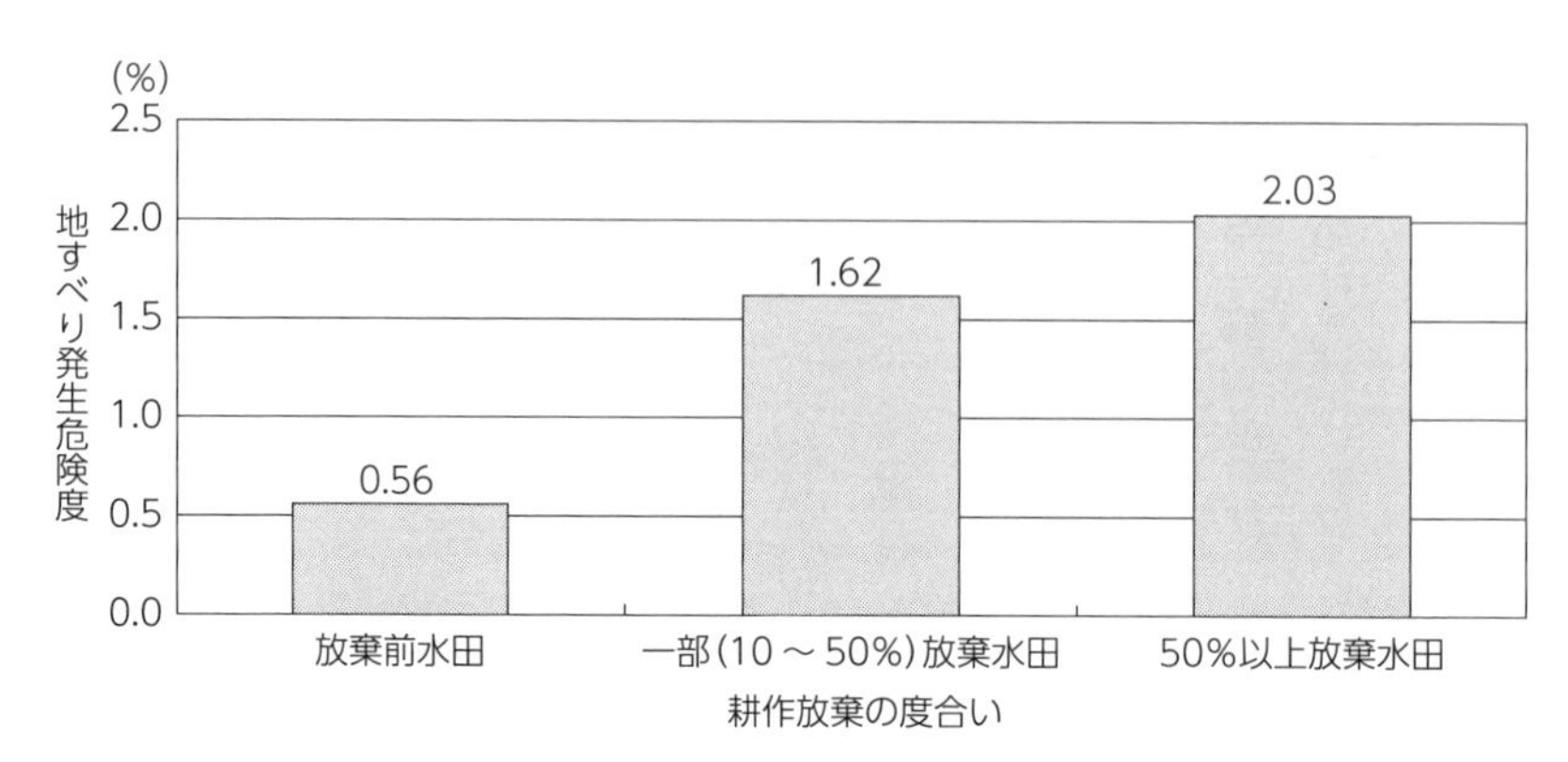


**図７－２　耕作放棄と地すべり発生危険度（年・ブロック）との関係**

注：地すべり危険度とは、あるブロックで１年間に地すべりが発生する確率。
資料：新潟県『新潟県中山間地域活性化基本方針』2001年３月。

これに対して、農林業に対する投資が不足し、再生産が縮小すると、耕地や山林の荒廃を引き起こし、ひいては水害等によって大都市住民の安全をも脅かすことになります。**図７－２**は、二〇〇四年の中越地震が起きる前に、新潟県が「中山間地域活性化基本方針」に掲載していたグラフです。とくに地震で大きな被害があった山古志村地域（現・長岡市内）は、日本有数の地すべり発生地域でした。このグラフは、耕作放棄地が拡大すればするほど、地すべり発生危険度が高まると警告していたのです。ところが、ＷＴＯ協定の下でコメの輸入が解禁となり、米価も国際水準並みに下落し、しかも国による減反（生産調整）政策も継続されたために、山古志村では山の上、谷の奥の水田から耕作放棄が進行していました。二〇〇四年の中越地震の際に、このような地域を中心に大規模な地すべりが発生し、結局、全村避難を余儀なくされたのです。しかも、隣接する十日町市内にあるＪＲ東日本の発電所も運転停止に追い込まれました。この発電所は、首都圏の大動脈を動かす電源としての役割を果たしていたのです。ここに、大都市住民も、中山間条件不利地域に対する再投資を、公的にも私的にも支援する必要性があるといえます。(7)

また、都市や村で、個々の経済主体の地域内再投資力が維持・拡大されれば、建物が織りなす景観や自然景観の更新や保全も、順調になされることになります。それが縮小されると、廃屋や空き地、荒廃地が広がり、景観の破壊が進行することになります。

このような生産・消費・廃棄に関わる地域経済と地域の自然環境との一体性を十分認識した取り組みとして、岩手県紫波町の「循環型まちづくり条例」を制定して、「循環型まちづくり」が大いに注目されます。同町では、森林資源からの素材やローカルエネルギーの取り入れと廃棄物の削減やリサイクルを計画的に結びつけ、県内産の木材や木質ペレットの購入や、地元建設業者を使った公共施設の建設を通した地域内再投資力の形成だけでなく、人間と自然との物質代謝関係をも意識的に再構築しようとしているのです。このような条例を制定して地域づくりを行う自治体が増えつつあります。

### 再投資主体としての基礎自治体

紫波町の例を引くまでもなく、地域内再投資力の形成において、基礎自治体の財政支出は、民間企業の再投資力の少ない過疎自治体ほど、量的にも、質的にも大きな役割を果たしています。

例えば、「平成の大合併」直前の一九九八年時点での京都府内市町村別の財政依存度を図示する

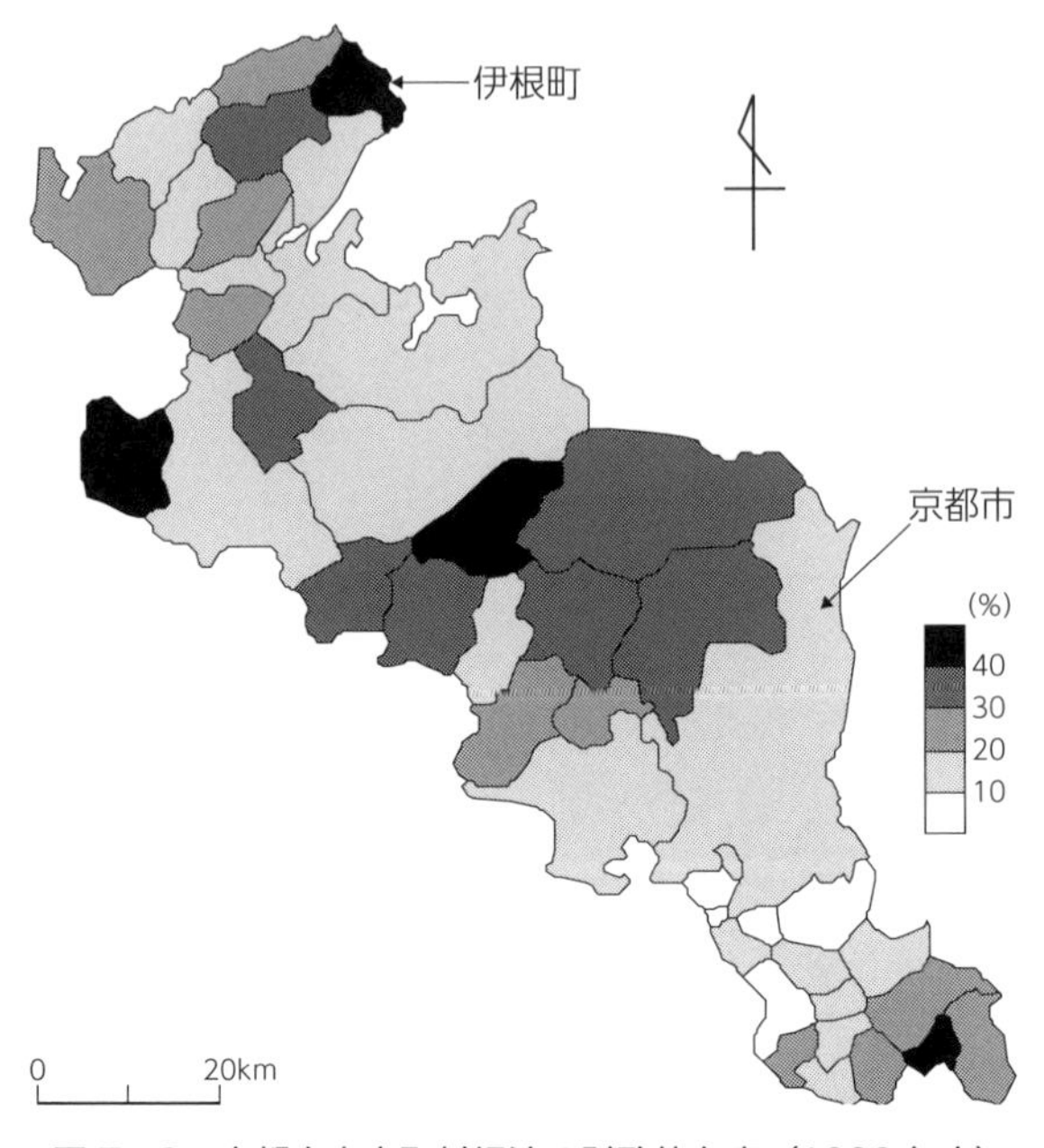


図7－3　京都府内市町村経済の財政依存度（1998年度）

財政依存度＝98年度普通会計歳出額／98年度市町村内総生産
資料：京都府『京都府統計書』及び同『平成10年度　京都府の地域別・市町村別所得』2001年3月より。

と、図7－3のようになります。ここでは、市町村内総生産に占める各市町村の普通会計歳出額の割合を、ひとまず財政依存度と表現しています。その財政依存度が最も高いのは、丹後半島突端の伊根町であり四九％に達していました。これに対して京都市は一三％でした。ちなみに、それからほぼ二〇年後の二〇一六年度の伊根町（同年一月一日現在で人口二二六〇人、面積六二km²）の歳出規模は三三億円で、町内総生産の五一％にあたります。また、京都市（同じく、人口一四一万九五四九人、面積八二八km²）の歳出規模は六九七〇億円で、市内総生産の一一％となりました。ただし、京都市のような大都市の場合は、交通事業や水道事業などの公営企業会計や各種特別会計があります。その規模は、京都市では、合計八八二四億円となり、一般会計と合わせると一兆五〇〇〇億円近くになり、その市内総生産に占める比率は二四％余りに達します。したがって、建設工事、物品やサービス購入、さらに資金調達において地域経済に大きな影響力をもつといえます。そのために、自治体が公契約を結んで、これらの発注を行う予算支出行為が、大規模自治体、小規模自治体を問わず地域経済や地域社会の持続性を考える際にはとても大きな意味をもちます。

ただし、右の数字は、単純な比率であり、実際には、市町村の財政支出がすべて当該自治体の地域経済内に還流しているわけではないので、かなり過大な数字になっています。かつての長野県栄村のように、田直し事業や、合併浄化槽建設、下駄履きヘルパー制度、手厚い社会保障給付、振興公社による高い地元調達率を実現して、地域内の事業者や村民に財政支出をできる限り還流させていた場合（詳しくは第9章参照）もありますが、大型公共事業を中心に施策を展開し、普通会計支出の多くを地域外に流出させ、地域経済への還流がわずかな自治体も少なくありません。いずれにせよ、ここで確認できることは、過疎の、民間の投資力の少ない市町村ほど、地方自治体の財政が大きなウェイトを占めており、地域内再投資力を高めようとするならば、いかにこの自治体財政を活用していくかに鍵があるということです。

## 地域社会の能動的な形成主体としての基礎自治体

他方で、基礎自治体は、地域形成の質的な側面において積極的な役割を果しています。それをまとめたものが図７－４です。本来、基礎自治体は、何よりも、特定の自然条件、歴史的条件、文化的条件、経済的条件、政治的条件において共通性を有する地域社会に住む住民が、その共通範囲を区画として組織した自治的な共同体であるべきです。これは、第11章で詳しく述べる、一九六三年の最高裁判所判例の考え方です。この考え方がもっとも合理的であるといえます。

同時に、この地域社会そのものは、固有の国土・自然環境を土台にしながら、その後の歴史過程で形成されてきた歴史景観や自然景観、さらにその時代の生産や生活に必要な生活基盤、生産基盤の上に、個々の住民が相互に何らかの関係を結びながら生産と生活を続けることによって日々形成、更新されているといえます。この地域社会とそれを土台にした基礎自治体は、そこに住む住民の生活領域のなかで一体性をもって存在しているわけです。

この基礎自治体の運営は、住民の主権、自治行為の発揮に基づいて、住民が納入する地方税をその財源として、国や都道府県からの交付金や補助金も活用しながら、首長や議会の意志決定と職員の行政サービスによって、行使されます。その行政サービスは、自然そのものの保護に加え、それに人間の手を加えた道路、河川堤防、ダム、農林地、魚礁などの建造環境や物的インフラストラクチャの形成、さらに教育、医療、衛生、福祉などの社会的インフラストラクチャの形成に向けてなされます。また、住民の狭義の生活や生産活動に対しても、補助金や融資、サービス提供という形で行財政が展開されます。つまり、基礎自治体の行財政支出は、地域社会の構成要素に直接、間接に作用しており、その意味で地域社会総体の形成主体として能動的な役割を果たしているといえます。しかも、それぞれの地域の自然条件、歴史的条件と独自な政策の展開などによって、地域の個性をも再生産しているといえます。

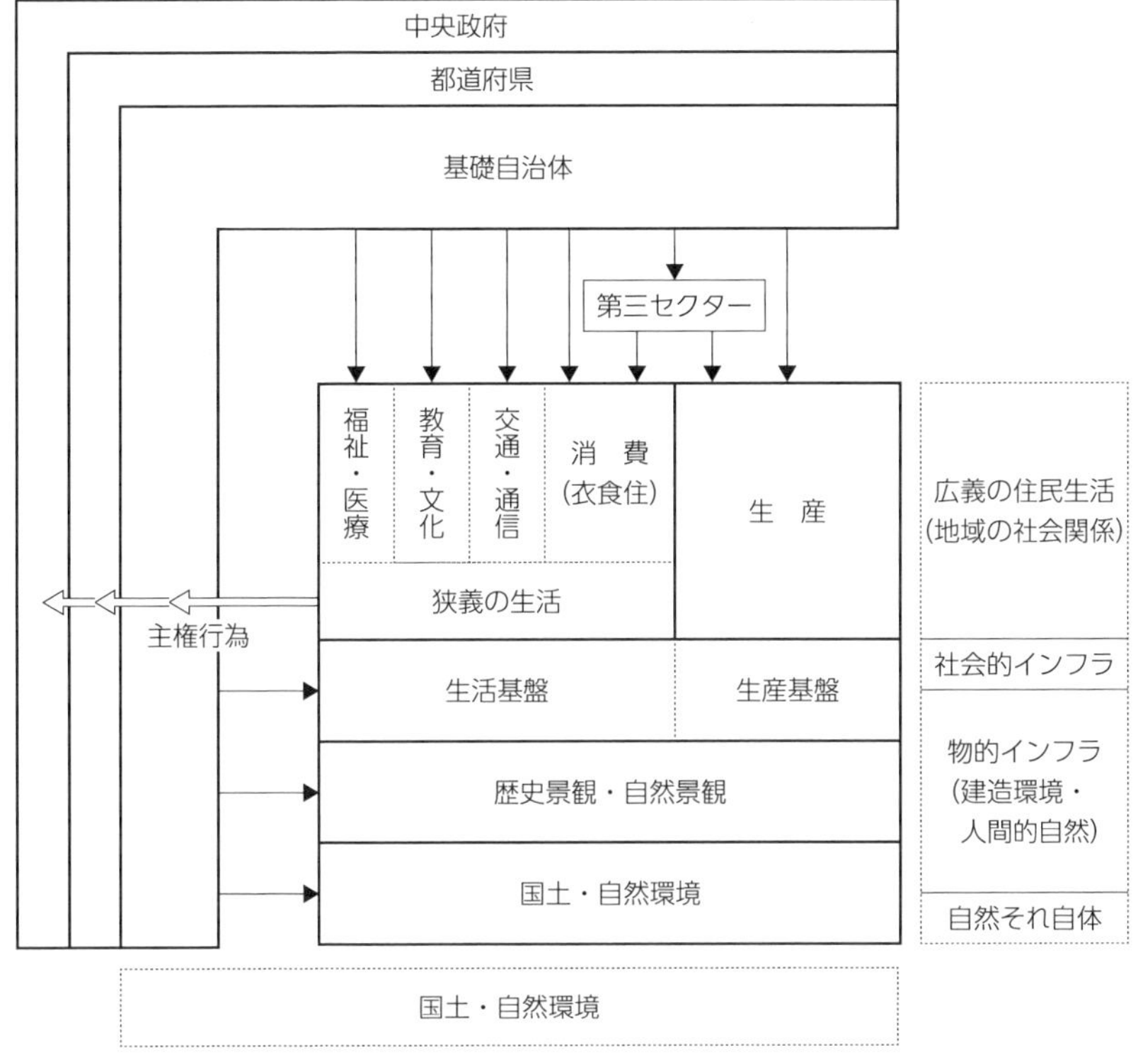


図7－4　基礎自治体と地域形成

注：「人間的自然」とは、人間の手が加えられた自然のこと。
出所：著者作成。

## 大都市・大規模自治体の問題点

以上のような基礎自治体が、地域内再投資力や地域形成に果す役割は、過疎の小規模自治体ほど明確に理解することができます。逆に、大都市や、「平成の大合併」で出現した広域の大規模自治体の場合には、なかなかイメージができないかもしれません。

しかしながら、これらの大都市や大規模自治体においても、地域経済に対して、総額としてはかなり巨大な金額の投資が毎年行われています。しかも、大きな自治体になればなるほど、巨大な事業が企画され、そこに集中的な投資がなされます。けれども、第5章で見たように、そのような大規模プロジェクトが、地域経済の持続的発展につながることは、あまりありません。

例えば、京都市では、一九九〇年代に平安建都一二〇〇年記念事業として、地下鉄東西線を建設しました。この時も、「大規模プロジェクトで、京都の活性化を」と盛んに言われ、建設費も当初計画の二四五〇億円弱から四七一〇億円へと二倍近くに膨張しました。けれども、建設費の大半を占めるトンネル・車庫工事をはじめとする建設需要や、鉄道車両や駅設備の需要に応えたのは、八割方京都府外のゼネコンや車両、設備メーカーでした。逆に、このような莫大な投資の結果、京都市財政は悪化し、バス路線の統廃合や各種料金の値上げを引き起こし、住民の負担に転嫁されることになってしまったのです(8)。

東京都を除く政令市の場合、ほぼ七〇万人以上の人口規模で、基礎自治体が作られており、住民の意向と地方自治体の意思決定の距離は極めて遠い関係にあります。したがって、自治体の主権者としての住民の発言権は大きく制約されている一方で、まとまった投資が行政当局によって集中的になされるため、住民の生活領域としての中学校区なり小学校区に目配りした、それぞれの個性に合わせた地域政策を効果的にうつことができないという構造的な問題があります。

東京都の特別区制なみに、首長、議員、独自財政を各区がもたない限り、住民にとって無駄で不効率な投資が繰り返され、住民生活の向上はもちろん、民間の地域内再投資主体の形成にもつながらないといえます(9)。

その意味で、住民の生活領域に対応した小規模な自治体区画の方が、個性的な地域づくりにとって適合的であるといえます。さらに、それは自治体の主権者である住民が、自らの生活領域で人間らしく生活していくために自治行為をするために必要不可欠なことでもあります。

## 4　災害と復興を地域内再投資力論からとらえる

### 災害とは何か

すでに繰り返し述べているように、一九九〇年代以降、日本列島は大災害の時代に入りました。代表的なものが一九九五年の阪神・淡路大震災、二〇〇四年の中越地震、二〇一一年の東日本大震災と福島第一原発事故、二〇一六年の熊本地震といった地震災害やそれと連動した火山災害や津波災害ですが、これは日本列島が「活動期」に入ったことによるといわれています。他方で、地球温暖化現象による集中豪雨、台風被害も、ほぼ毎年、日本のどこかの地域で出ており、そのたびに住民の命や財産が奪われています。

また、二〇二〇年一月から広がった新型コロナウイルス感染症は、東京や大阪を中心に多くの患者や犠牲者を生み出すとともに、緊急事態宣言の発令によって、営業自粛を余儀なくされた事業者は経営の持続性も困難になりました。このような感染症も、グローバル化が深化するなかで、たびたび人間社会を襲い、多くの被害を生み出すと予想されています。このような感染症も、自然（生物）を起源とする災害の一つとみなすことができます[10]。

さて、これらの災害を地域内再投資力の視点からみると、どのようにとらえることができるでしょうか。すでに述べてきたように、地域が形成・維持される条件は、地域の経済主体（企業、農家、協同組合、NPO、地方自治体等）が毎年投資を繰り返すことで、当該地域で、所得と雇用が毎年生み出され、生活や景観が、再生産されるということでした。本書では、これを「地域内再投資力」と名付けました。

前者の地震・津波・風水害による災害現象は、東日本大震災に代表されるように、自然環境の上に作られた「建造環境」も人間の社会関係も一挙に破壊し、人の命と財産を奪い、人と経済の再生産・再投資を各地域レベル（生活領域としての街区・集落レベルでの物理的破壊から、グローバル企業の活動領域である世界経済レベルでのサプライチェーンの寸断まで）で突然遮断する事態として捉えることができます。

他方、新型コロナウイルス感染症など新型インフルエンザの爆発的拡大（パンデミック）は、社会の主人公である人間の命と健康を危機に陥れ、経済活動の基礎となる、再投資や生活を続けるための、ヒト、モノ、カネの流れを、生活領域としての地域からグローバルなレベルまで破壊していく現象であるといえます。この場合、物的な建造環境の破壊とはなりませんが、ウイルスに対抗するワクチンの開発によって集団免疫がつくられるまで長時間の被害が続くという特性があります。

あわせて、「自然災害」は、自然の変異が人間社会と接触するところで起きるものですから、自然現象のみによる災害はありえず、必ず社会的側面をもちます。したがって、災害時の政策対応だけでなく、その後のケア、生活・営業再建をどうするかという事後対応が重要になります。どんな災害を見ても、社会的弱者ほど被害は深刻です。避難や復興、あるいは感染防止策が被災者や住民を苦しめることになると、「人災」「政策災害」と呼ばれることになります。

## 復興をめぐる二つの道

「人災」「政策災害」の典型事例のひとつは、阪神・淡路大震災における「創造的復興」です。災害前と同じ状態に復旧するのではなく、時代を先取りした投資をすべきだという考え方です。その結果、神戸空港や高速道路、地下鉄の建設等の大規模プロジェクト、都市再開発などを実施しました。しかし、その結果、復興事業費の九割が被災地以外に流出したとされています。逆に、当時は、住宅再建や商店や中小企業の再建のための補助金制度はなく、融資制度に留まりました。復興事業の波及効果が、被災地域内にはほとんど波及せず、被災地外に流出したということです。この点は、同じく、「創造的復興」を掲げた東日本大震災でも、見られました。国土強靭化の名の下での高い防潮堤建設や住宅の高台移転、そして福島第一原発事故にともなう除染工事を受注したのは、ほとんどが被災地やその周辺の企業ではなく、東京に本社を置く企業でした。しかも、国民の税金によって賄われた復興資金が、被災地以外に流用されてしまっていたのです。これらは、災害にあたっての「惨事便乗型資本主義」と呼ばれ、「ショック・ドクトリン」と批判されています[11]。

この惨事便乗型復興は、グローバルな規模で活動をしている多国籍企業が求めている復興のあり方でもあります。これに対して、もう一つの復興の考え方があります。一言でいえば、「人間の復興」という考え方であり、災害で被害を受けた被災者の視点から見た生活再建、被災地の復興、再生をすすめる方法です。

先の地域内再投資力論の観点から言うならば、災害から復興するということは、被災地の建造環境の復旧に加え、その被災地における産業活動や家族生活やコミュニティを含む社会関係の再生を意味します。そして、経済的には地域内再投資力を担う被災者・被災企業の再生産活動の再開が地域再生（復元力）の鍵となるわけです。また、被災地における地方自治体や都道府県、国による行財政投資も大きな役割をはたします。あわせて、再投資の財源となる復興資金が、地域内経済循環を通して、インフラや企業の再投資資金に回るだけでなく、被災者の生活再建資金としてどれだけ被災地に行き届くかが問題となります。

最初に「人間の復興」という考え方を提言したのは、関東大震災の時に東京商科大学（現・一橋大学）教授だった福田徳三でした。福田は、その著書のなかで「私は復興事業の第一は、人間の復興でなければならぬと主張する。人間の復興とは、大災によって破壊せられた生存の機会の復興を意味する。……（中略）……道路や建物は、この営生の機会を維持し擁護する道具立てに過ぎない。それらを復興しても、本体たり実質たる営生の機会が復興せられなければ何にもならないのである[12]」と鋭く指摘しています。道路や建物を優先するのではなく、人間の生存の機会の復興こそ重要であると主張したのです。

今から百年近く前の主張ですが、現代の災害復興にも通じる考え方です。このような復興理念は、東日本大震災被災地では、岩手県がいち早く取り入れ、中小企業振興基本条例や公契約条例を制定して、被災地における被災者の生存権、幸福権、そして財産権を憲法の理念から重視する政策を市町村と連携しながら取り組みました。これまで述べてきたように地域のなかの再投資力を担う地方自治体と地域内の農林漁家・中小企業・協同組合・地域金融機関が連携し、地域のあらゆる産業分野における再投資主体の投資活動を再開し、地域内経済循環を再構築して、被災者一人ひとりの生活再建と生活の質的向上を図ることこそ、最優先されるべきなのです。そして、阪神・淡路大震災から、中越地震、そして東日本大震災を経る中で、住宅再建への公的助成が認められたり、地元産材の活用による仮設住宅建設も広がるなど、「人間の復興」の多様な取り組みが展開されてきているのです[13]。

## 5　「成長の管理」から学ぶ

### 生活の質的向上を求める住民運動

災害時か平常時かを問わず、人間らしい暮らしは、誰もが求める理想です。人間らしい暮らしは、一人ひとりの生活の質的向上によって実現できます。その具体化をどのようにすればいいのか。経済のグローバル化が進む中で、それが生み出す産業空洞化やまちの衰退に対して、さまざまな取り組みがなされています。そのひとつに、アメリカにおける「成長の管理」運動があります。

一九八〇年代前半に、アメリカの都市は、日本の都市に先駆けて高層ビルの建設ラッシュに象徴される激しい都市開発の波にさらされていました。その結果、景観破壊、交通渋滞、地価高騰による住民の減少などの都市問題が深刻化しました。高層ビル建設を中心とした都市開発が生活の質的向上に結びつくという神話は崩れ、生活の質的向上のためには、都市の成長を管理しなければならないという考え方が広がっていきました[14]。

その代表的な都市がサンフランシスコ、ボストン、シアトルでした。サンフランシスコでは、すばらしいスカイラインを守るために、住民投票の末、オフィスビルの総量規制や高度制限を行うことになりました。また、ボストンでは、伝統的な建築物を守るために、景観保存地区において強力な高度制限を行うとともに、高層建築物を開発促進地域に誘導する政策が一九八七年から開始されました。さらに、シアトルでも、容積率の引き下げ、高度制限、オフィスの総量規制を内容とする都市計画が、やはり住民投票の結果、一九八九年から実施に移されました。

このような成長管理政策の提案者は、どの都市でも「生活の質的向上」を求める住民でした。とくにサンフランシスコでは一五年近くにわたる住民運動が決定的な役割を演じました。もちろん、都市の成長を管理しようとする提案に対しては、強い反発も存在しました。

そのなかで最も大きな争点になったことは、オフィスの規制によって大企業が撤退し、都市経済が衰退するのではないかということでした。しかし、現実には、各都市とも活力のある中小企業者群の所得・雇用創出に支えられ、地域経済が後退することはありませんでした。もともと成長の管理政策は、成長を全面的に否定しているわけではなく、無秩序な開発の暴走を抑えるとともに、開発が必要な地域に投資を誘導しようという考え方に立っていました。

## 成長の管理とリンケージ

右のような成長の管理を実施するための具体的な手段がリンケージです。リンケージの一般的な訳語は、「結合」あるいは「つながり」ですが、アメリカの都市開発政策用語としては特別な意味が込められています。つまり、開発業者が業務ビルを建設した際に、住宅や保育所、あるいは駐車場や公開空地といったような施設の付置を義務付けることを指します。また、都市部の一等地の開発を許可する見返りとして、荒廃したインナーシティの再開発を義務づけるというようなリンケージもあります。

いずれの場合も、都市の一定部分における業務空間への特化、あるいは開発エネルギーの集中を避け、その地域に住民が住み続けることを可能とすると同時に、開発が必要な地域に投資を向けさせることによって、都市全体のバランスのとれた発展をねらっているといえます。

その意味で、リンケージは、二重の意味をもっています。第一には、繁栄している地区の開発エネルギーを、経済的に衰退したり遅れをとっている地区に誘導し、その開発と結合することです。第二に、住宅リンケージに見られるように、経済開発のエネルギーを、それによって破壊されかねない生活基盤の維持に転化させることです。

このような成長の管理やリンケージの考え方は、東京一極集中や産業空洞化・過疎問題が進行している日本においても、十分検討に値するものであるといえます。それは、都市開発の方法という枠だけでなく、農村部を含めた国土全体を含む、地域階層ごとの地域発展計画や地域づくりを考える際に、大いに参考になるように思います。

## 日本への適用可能性

実際に、日本のいくつかの地域で、成長の管理の考え方を導入した取り組みが行われてきました。例えば、東京都中央区では、一九九〇年四月から「居住継続支援事業」制度を設けて、業務用ビルのデベロッパーに対して、低家賃住宅の付置と家賃補助の原資となる開発協力金を義務づける試みを開始しました。このような事業は、港区、台東区に、新宿区など都心部において区段階の施策として広がっていきました。

さらに注目すべきことに、大都市の都心部ではなく、大分県の山間部にある湯布院町（現・由布市）でも、この成長の管理政策が導入されました。湯布院町は、一九九〇年九月に「潤いのある町づくり条例」を制定します。湯布院町の由布院盆地は、別府温泉の奥座敷といわれた温泉町であり、そのユニークな町づくり運動は、よく知られています。この由布院盆地も、一九八〇年代末のバブル期に外部資本によるリゾートマンション、ホテル、分譲別荘の建設申請が相次ぎ、地価高騰や環境破壊の問題が起こっていたのです。これに対して、先の条例は、湯布院町の最大の資源である自然環境と景観の維持を目標に、町内全域を対象として、開発をコントロールするために作られたのでした。マンション建設は、都市計画区域外でも高さや土地利用が厳しくチェックされる一方、町内過疎地域での開発を誘導しようとしました。つまり、外部資本はすべて拒否ということではなく、湯布院町内の環境と景観を守るというルールに沿って受け入れ、地域開発を管理しようとしたものでした（由布院盆地でのまちづくりについては、次章で詳しく述べます）。

ただし、アメリカの成長の管理と日本のそれとの大きな違いは、前者においては住民が運動を通して自ら都市計画案をつくり、住民投票で多数を獲得したうえで、質の高い都市づくりを行ってきているのに対して、日本では都市計画策定への住民参加の制度的保障が不十分であり、結局は行政が先取り的に成長管理的な施策を個別的に行っている点にあります。

将来的に、日本においても、都市づくりや地域づくりの計画に、住民自身が積極的に参加できる制度的仕組みが必要です。あわせて、都市や地域の将来ビジョンや都市・地域計画を提案できるだけの高い水準の住民運動が求められるようになるのではないでしょうか。

## 資本の活動のコントロールとコミュニティの重視

もうひとつ、アメリカの社会運動から学ぶべきこととして、コミュニティでの生活の質の向上を第一において、地方自治体や州・連邦政府の行財政権限を活用しながら、資本の無政府的な活動を社会的にコントロールする仕組みが多様に作られている点があげられます。

例えば、企業が勝手に工場閉鎖することを事前にチェックする工場閉鎖規制法がありますし、進出企業に対して域内からの原材料の調達を義務づけるローカル・コンテンツ法があります。また、金融機関に地域内での投融資や地域貢献を誘導する地域再投資法が存在します。さらに、大型店の出店を成長の管理の視点からコントロールしている自治体もあります[15]。

すでに述べたように、外部から進出してきている企業も、その地域の地域内再投資力の担い手のひとつです。その進出企業と地域経済とのリンケージを強めることによって、地域の再投資力を一層高めることができます。そのためには、進出企業に対して、できる限り地域から正規雇用や商品を購入するように誘導することや、地域経済への貢献を高めるよう求めていくことが必要となります。また、さまざまな優遇措置を受けながら、企業の都合で突然勝手に工場閉鎖や店舗閉鎖をしないような、工場閉鎖規制あるいは解雇規制の制度化が求められます[16]。金融機関についても、地域中小企業に対して貸し渋りをするのではなく、積極的な投融資をするように勧奨する制度や運動が必要になっているといえます。

国レベルでの法制度化が困難なものも、例えば地方自治体において中小企業・小規模企業（地域経済）振興基本条例という形で制度化する動きが二〇一〇年初頭以降、活発化しています。現に二〇二〇年五月一五日時点で、四五都道府県、五三五の市区町村で制定されています（中小企業家同友会全国協議会調べ）。とくに、近年制定された中小企業振興基本条例の多くに、「大企業の役割」や「金融機関の役割」についての条項が入り、それぞれ地域経済あるいは地域中小企業の発展に貢献することを求めている点は、大いに注目すべきです。その場合、行政まかせにせず、住民や中小企業経営者が自発的に参加した地域づくりの運動が行われていることが前提になっていることは、いうまでもありません（詳しくは、第10章参照）。

他方、多国籍企業は、このような「ローカル・コンテンツ規制」の強化を嫌い、TPP（環太平洋経済連携協定）やFTA（自由貿易協定）において、ローカル・コンテンツ規制の禁止を求める条項やISDS（投資家と国家との紛争処理）条項を設けて、多国籍企業や投資家の利益を損なうと考えられる国や地方自治体を国際法廷に訴えて、法や条例の修正や廃止、損害賠償請求を求めることができる制度を要求してきています[17]。日本では、第二次安倍政権の下で、二〇一八年以降、TPP11や日米FTAが発効してきており、多国籍企業や大企業の規制をめぐるせめぎあいが続いている状況にあります。

その点で、注目されるのは、二〇一〇年代に入ってからのアメリカの労働運動の新しい潮流です。職場のなかでの賃金引上げ・労働条件改善運動だけでは、格差と貧困が広がるだけだとして、地方自治体や国の教育、医療、福祉、住宅、まちづくり等、自分たちの支払う税金の再配分でなされている公共サービスについて、勤労者や中小企業経営者の生活の質が向上するような共同の運動を「コアリッション」をつくって広げてきています。これらは「地域力をつける労働運動」と呼ばれています。日本でも中小企業と労働組合が連携して、最低賃金引上げや公契約条例をもとめる運動も始まっており、大いに注目されるところです[18]。

いずれにせよ、地域内再投資力をつけるためには、内発的に進めるにせよ、進出企業と地域経済のリンケージを強めることによって進めるにせよ、地域住民の共同体である地方自治体の存在と役割が極めて大きくなっており、主権者としての住民の学びの重要性が高まっているといえます。

## 注

（1）　総務省ホームページ（http://www.soumu.go.jp/gapei/d2.html）から。
（2）　従来の地域開発政策の検証については、鈴木誠「地域開発政策の検証」（岡田知弘・川瀬光義・鈴木誠・富樫幸一『国際化時代の地域経済学』改訂版、有斐閣、二〇〇二年、所収）も参考。
（3）　詳しくは、岡田知弘「つくる、まわる：経済」大谷幸夫他編『都市のフィロソフィー』こうち書房、二〇〇四年、参照。

（4）地域金融機関が地域経済に果たす役割については、金佑榮『現代日本における地域金融機関の機能と役割―地域経済論からのアプローチ―』京都大学博士学位論文、二〇一八年、参照。

（5）なお、二〇一四年からの地方創生政策において、地域経済循環を推奨する動きが強まり、地域内からの価値の流出をストップさせることの必要性が強調されています（枝廣淳子『地元経済を創りなおす―分析・診断・対策―』岩波新書、二〇一八年など）。これ自体は、必要なことですが、より重要なのは、肝心の経済的価値を生みだす地域の経済主体の再投資力を質的にも量的にも高めることだといえます。

（6）D・ハーヴェイ、松石勝彦・水岡不二雄他訳『空間編成の経済理論―資本の限界―』上・下巻、大明堂、一九八九年〜九〇年、参照。

（7）岡田知弘『震災からの地域再生―人間の復興か惨事便乗型「構造改革」か―』新日本出版社、二〇一二年、第五章「中越大震災における山古志復興から学ぶ」、参照。

（8）京都大学経済学部岡田ゼミナール『地下鉄開通の夢と現実』一九九八年。

（9）なお、大阪維新の会が掲げる「大阪都」構想は、大阪市を解体したうえで、現状の区を統合して少数の特別区に再編することとあわせて、大阪都（当面は大阪府）に開発財源を吸収する方向を打ち出しており、本論で述べている現行政令市制度における区の行財政権限の強化、住民の自治権の拡大とはまったく違う代物です。

（10）ベン・ワイズナーほか『防災学原論』築地書館、二〇一〇年では、生物起源によるバイオハザードも、自然災害の一つとして捉えています。また、感染症研究者も、同様に災害のひとつであると指摘しています（岡田晴恵・田代眞人『感染爆発に備える―新型インフルエンザと新型コロナ―』岩波書店、二〇一三年）。

（11）「創造的復興」については、塩崎賢明『復興〈災害〉』（岩波新書、二〇一四年）、「ショック・ドクトリン」については、ナオミ・クライン、幾島幸子・村上由見子訳『ショック・ドクトリン―惨事便乗型資本主義の正体を暴く―』上下巻、岩波書店、二〇一一年、前掲『震災からの地域再生』を、参照。

（12）福田徳三『復興経済の原理及若干問題』同文館、一九二四年、及び岡田知弘・秋山いつき『災害の時代に立ち向かう―中小企業家と自治体の役割―』自治体研究社、二〇一六年、参照。

(13) 各自治体の具体的な取り組みについては、岡田知弘・自治体問題研究所編『震災復興と自治体―「人間の復興」へのみち―』自治体研究社、二〇一三年、及び綱島不二雄・岡田知弘・塩崎賢明・宮入興一編『東日本大震災　復興の検証―どのようにして「惨事便乗型復興」を乗り越えるか―』合同出版、二〇一六年、参照。

(14) アメリカにおける都市の成長管理については、矢作弘・大野輝之『日本の都市は救えるか　アメリカの「成長管理」政策に学ぶ』開文社出版、一九九〇年、大野輝之、レイコ・ハベ・エバンス『都市開発を考える―アメリカと日本―』岩波新書、一九九二年、中村剛治郎『地域政治経済学』有斐閣、二〇〇四年、第九章、参照。

(15) 矢作弘『都市はよみがえるか―地域商業とまちづくり―』岩波書店、一九九七年、参照。

(16) フランスにおける工場閉鎖に対する公的規制については、清水陽子・井上芳恵・中山徹「フランスにおける工場閉鎖に伴う雇用喪失と地域経済への対応策に関する事例」『日本建築学会技術報告集』一四巻二八号、二〇〇八年、参照。

(17) 詳しくは、岡田知弘・自治体問題研究所編『TPP・FTAと公共政策の変質―問われる国民主権・地方自治・公共サービス―』地域と自治体第38集、自治体研究社、二〇一七年、参照。

(18) エイミー・ディーン・デイビット・レイノルズ、アメリカの労働運動を原書で読む会訳『地域力をつける労働運動―アメリカでの再興運動―』かもがわ出版、二〇一七年、及び後藤道夫他『最低賃金一五〇〇円がつくる仕事と暮らし―「雇用崩壊」を乗り超える―』大月書店、二〇一八年、参照。なお、コアリッションとは、ある政治的目標を達成するためにつくられた、労働組合や地域の市民団体、個人による共同組織のこと。

# 第8章　「一村一品」から地域内産業連関の構築へ

## 1　大分県「一村一品」運動の限界

### 地域づくりのモデルを検証する

前章では、地域の持続的発展のためには、地域内再投資力を高めることが決定的に重要であると、述べてきました。それでは、どのように再投資力を高めたらよいのでしょうか。本章では、一九八〇年代に全国の地域づくりのモデルとして注目された大分県の「一村一品運動」をとりあげて検証しながら、特定の品目に限定するのではなく、地域内産業連関をつくり、地域内経済循環をつくることの重要性について述べていきたいと思います。

まず、一躍有名になり、中国やタイでも取り組まれるようになった「一村一品運動」が、はたして地域の持続的発展につながったのかどうかという点について、この運動の二〇年の歴史を振り返るとともに、「一村一品運動」の原型となった大山町（二〇〇五年三月に日田市に編入合併）と湯布院町（同年一〇月に隣接二町と合併し由布市となる）がどのような地域づくりを行い、その後、いかなる問題を抱えるようになり、最近どのような取り組みを行っているかを、明らかにしていきたいと思います。

## 一村一品運動推進事業の廃止

二〇〇三年四月、一村一品運動の生みの親である平松守彦が大分県知事を引退し、後任に広瀬勝貞元経済産業省事務次官が就任しました。同時に、県庁内の組織再編のなかで、企画文化部におかれていた一村一品運動推進室が廃止され、その業務は国際交流センターと企画調整課政策企画班に移管されることになりました。あわせて、同推進室が手がけてきた「一村一品二一推進事業」も廃止されてしまいます[(1)]。代って、大分県では、地域づくりの方向性として、「地産地消」（地域の農産物は地元で消費する）を強調する「とよの国食彩」運動が前面に出るようになります。

大分県が一村一品推進事業を廃止した理由について、大分県「事務事業評価調書[(2)]」は、「各市町村が選定する一村一品（ものづくり）の調査業務は、その結果を広報するとともに、各市町村間で競わせることにより、地域住民のやる気を醸成するために始めたものであり、運動の広がりに伴い、農村女性の起業活動や企業によるさまざまな農林水産加工品が創出されるようになるなど、所期の目的を十分達成したことから廃止する」と記しています。

同評価調書は、そのころから各地で流行しつつあった行政評価手法に即したものであり、「数値による業績測定」として一村一品の指定件数の計画値と実績値をとり、前者を後者で除した数値（二〇〇一年度で一〇四・三）を「目標の達成度」としています。また、これとは別に「効率性指標」をとり、事業費（県単独事業費二〇〇一年度九三三万六〇〇〇円）を上記の指定件数（二〇〇一年度七九三件）で除した、「単位当たり一万二〇〇〇円」を算出しています。そして、この二つの成果指標と、効率性指標を総合評価した結果、「目標を達成しているので事業を廃止する」という考え方です。

けれども、このような行政実務の数値目標を基準にした目標達成度指標及び効率性指標のとり方では、一村一品運動が地域経済の発展にどのように寄与したかはまったくわかりません。本来、地域づくりを政策目標にした一村一品運動であるならば、当然、そのこと自体を評価の対象に加える必要があるのではないでしょうか。ここに従来の行政評価手法の大きな限界を見ることができます。そこで、以下では、このような視点から、一村一品運動の実際を独自に検証してみることにします。

## 一村一品運動の広がり

一村一品運動は、一九七九年四月に就任した平松守彦大分県知事が、「まちづくり懇談会」を県内各地で行うなかで、「事なかれ主義、無気力感」から脱却する必要を痛感し、大山町や湯布院町で展開されていた地域づくりに触発されて開始した地域づくり運動です[3]。

県の文書には、「一村一品運動は、地域を活性化する一つの道として、地域の顔となる、地域の誇りとなるものを掘り起こし、あるいはつくりだして、それを全国、世界に通用するものとして」提唱されたと記されています(4)。

同運動では、以下の三つの原則が謳われていました。

第一に、「ローカルにしてグローバル」。地域の文化と香りを保ちながら、全国、世界に通用する「モノ」をつくる。

第二に、「自主自立・創意工夫」。何を一村一品に選び、育てていくかは地域住民が決める。一村で三品もあれば、二村で一品もある。行政は、技術支援やマーケティングなど、側面から支援する。

第三に、「人づくり」。一村一品の究極の目標は人づくりであるとする。先見性のある地域リーダーがいなければ一村一品運動は成功しないとし、何事にもチャレンジできる想像力に富んだ人材を育てる。

大分県では、以上のような原則に基づいて、一村一品の特産品、地域資源を指定する一方で、知事が先頭にたって東京等へ出向くなどして県内産品のマーケティングを支援しました。また、人づくりのための、地域リーダーの育成にも努め、一九八八年度からは県内一二カ所で「豊の国づくり塾」を開始、卒塾生は二〇〇〇年度までに二〇〇〇人を超えました。

他方、大分県が開始した一村一品運動の理念や手法は、石油ショック後の構造不況と財政危機に悩む多くの諸県にも普及していったほか、中国や韓国、フィリピン、タイなど発展途上国にも受け入れられていきます。

## 一村一品運動の低迷

こうして、一村一品運動は、国際的にも注目される地域づくり運動となりますが、地域経済の発展という視点から見ると、決して成功したと言い切ることはできません。

**表8－1**は、特産品の販売額、品目数の動向を示しています。最上段にある販売額を見る限り、一九八〇年度の三五九億円から二〇〇〇年度の一、四〇二億円へ、順調に伸びているように見えます。しかしながら、これは新規品目が追加された結果であるといえます。品目数は、一九八〇年度には一四三品目でしたが、一九九七年度には三〇六品目となり、二〇〇〇年度には三二九品目と増えています。このため、一品目当たり販売額は、一九九七年度の四億四九〇〇万円がピークであり、その後は漸減傾向にあります。しかも、販売金額別に品目数が最も多い時期を見ると、表中では一〇億円以上層が一九九〇年度、五～一〇億円が九〇年度と九五年度、一～三億円が九七年度、一億円未満層が二〇〇〇年度となっており、大規模販売産品ほどバブル期及びその直後がピークであり、その後は低迷傾向にあることがわかります。

次に、一〇億円以上販売額層の内容を、**表8－2**で見てみます。この表からは、四五〇億円の最大販売額を誇る生産者が、宇佐市のむぎ焼酎メーカーであることが確認できます。また、第二位で一七〇億円の販売額を擁するのも、日出町のむぎ焼酎メーカーです。これらの焼酎メーカーは、折

### 表8－1　大分県一村一品運動特産品の販売額及び品目数の推移

| 年度 | 1980 | 1985 | 1990 | 1995 | 1997 | 1998 | 1999 | 2000 |
|---|---|---|---|---|---|---|---|---|
| 販売額(百万円) | 35,853 | 73,359 | 117,745 | 129,350 | 137,270 | 136,291 | 139,762 | 140,213 |
| 品目数 | 143 | 247 | 272 | 289 | 306 | 312 | 318 | 329 |
| 1億円未満 | 74 | 148 | 136 | 156 | 170 | 173 | 187 | 198 |
| 1～3億円 | 34 | 53 | 68 | 76 | 68 | 79 | 70 | 75 |
| 3～5億円 | 16 | 14 | 21 | 15 | 30 | 24 | 28 | 22 |
| 5～10億円 | 15 | 17 | 27 | 27 | 21 | 18 | 15 | 15 |
| 10億円以上 | 4 | 15 | 20 | 15 | 17 | 18 | 18 | 19 |
| 1品目当たり販売額 | 251 | 297 | 433 | 448 | 449 | 437 | 440 | 426 |

資料：大分県一村一品運動推進室『平成13年度　一村一品運動調査概要書』(概要・データ編)。

### 表8－2　2000年度販売額が10億円以上の特産品

| 品　目 | 産　地 | 生産者 | 2000年度販売額(百万円) | ピーク時販売額(百万円) | ピーク年度 | 備　考 |
|---|---|---|---|---|---|---|
| 白ネギ | 豊後高田市 | JA生産部会 | 1,414 | 2,489 | 1993 | |
| 冷凍加工野菜 | 国見町 | JA生産部会 | 1,375 | 1,375 | 2000 | |
| 清酒西の関 | 国東町 | 有限会社 | 1,615 | 1,615 | 2000 | 2000年度指定 |
| 竹細工 | 別府市 | 同業組合 | 722 | 1,200 | 1993 | |
| ハウスみかん | 杵築市 | JA生産部会 | 2,609 | 3,209 | 1994 | |
| 大分むぎ焼酎二階堂 | 日出町 | 有限会社 | 17,015 | 17,015 | 2000 | |
| 青じそ（大葉） | 大分市 | JA生産部会 | 1,780 | 1,794 | 1997 | |
| 乳製品 | 野津原町 | 株式会社 | 1,477 | 1,477 | 2000 | 2000年度指定 |
| 豊の活ぶり | 佐伯市 | 漁協 | 1,792 | 1,805 | 1999 | |
| 活魚 | 鶴見町 | 漁業組合 | 2,154 | 3,653 | 1993 | |
| 丸干し | 米水津村 | 同業組合 | 1,184 | 2,099 | 1996 | |
| 豊の活ぶり | 米水津村 | 養殖協議会 | 3,700 | 3,800 | 1999 | |
| 豊の活ぶり | 蒲江町 | 漁協 | 5,113 | 6,351 | 1997 | |
| ひらめ | 蒲江町 | 漁協 | 2,054 | 2,054 | 2000 | |
| 葉たばこ | 野津町 | 生産組合 | 1,477 | 2,008 | 1994 | |
| 牛乳 | 日田市 | 酪農組合 | 2,212 | 2,212 | 2000 | |
| なし | 日田市 | JA生産部会 | 1,708 | 1,725 | 1995 | |
| きのこ | 大山町 | 生産組合 | 1,354 | 1,598 | 1997 | |
| むぎ焼酎 | 宇佐市 | 株式会社 | 45,000 | 45,000 | 2000 | |

注：ピーク年度は、1993年度から2000年度の期間に限って見たものである。
資料：大分県一村一品運動推進室『平成13年度一村一品運動調査概要書』(概要・データ編)、(活動・生産団体編)。

からの焼酎ブームに乗って、二〇〇〇年度まで右肩上がりの販売額の増加を見てきました。さらに、二〇〇〇年度に新たに追加指定された産品も、その生産主体は国東町の酒造メーカーと野津原町の乳業メーカーです。すなわち、このような単一企業の販売額が、一村一品運動全体の販売額を押し上げているわけです。これらの企業の発展が地域経済あるいは地域づくりにどれだけ波及効果をもたらしているかが問題です。

農産物については、一〇品目が一〇億円以上販売していますが、その大半はJA生産部会が主体となっています。ただし、国見町の冷凍加工野菜や日田市の牛乳を除き、一九九〇年代にピークを記録して以後、減少あるいは低迷傾向にある産品が多くを占めるようになっています。水産品も六品目を数えますが、蒲江町のひらめを除いて、その後低迷を余儀なくされています。

さらに、一村一品特産品の販売額と各市町村の就業人口・定住人口の動向を、**表8－3**で市町村別に見てみましょう。表には、一九九三年度から二〇〇〇年度にかけての販売額の増減傾向と、ピーク年度を示しています。大分県内五八市町村のうち、増加傾向にあるのは大分市、中津市、宇佐市、国見町、国東町、日出町、山香町、野津原町、上浦町、本匠村、千歳村の一一市町村だけですが、前述の焼酎メーカーなど大規模販売をしている単一企業の数字を差し引くと、宇佐市、国東町、日出町、野津原町は減少傾向に転じ、残るは七市町村だけとなってしまいます。減少傾向にある市町村のなかには、一村一品運動の原型ともいわれた大山町と湯布院町も含まれています。いずれも、一九九七年度をピークにして、販売額の減少傾向が顕在化しています。また、一九九〇年から二〇

一村一品特産品販売額の動向

（単位：億円）

| | 2000年度販売額 | ピーク時販売額 | ピーク年度 | 傾向 | 備考 | 人口増加率 | 就業人口増加率 |
|---|---|---|---|---|---|---|---|
| 宇目町 | 3.6 | 4.8 | 1996 | ▼ | | -16.9% | -15.7% |
| 直川村 | 0.6 | 1.1 | 1994 | ▼ | | -16.0% | -20.9% |
| 鶴見町 | 25.0 | 40.6 | 1993 | ▼ | | -18.1% | -15.2% |
| 米水津村 | 49.0 | 52.7 | 1996 | ▼ | | -17.0% | -15.5% |
| 蒲江町 | 86.4 | 95.7 | 1994 | ▼ | | -15.2% | -16.4% |
| 野津町 | 21.3 | 28.0 | 1997 | ▼ | | -12.9% | -14.0% |
| 三重町 | 4.2 | 5.8 | 1993 | ▼ | | -1.6% | 1.3% |
| 清川村 | 2.0 | 2.1 | 1999 | ▼ | | -12.1% | -16.0% |
| 緒方町 | 3.7 | 7.5 | 1994 | ▼ | | -16.9% | -15.5% |
| 朝地町 | 5.8 | 6.3 | 1999 | ▼ | | -17.9% | -14.5% |
| 大野町 | 6.8 | 7.5 | 1999 | ▼ | | -16.8% | -15.9% |
| 千歳村 | 1.5 | 1.5 | 2000 | ○ | | -11.4% | -0.4% |
| 犬飼町 | 0.6 | 1.3 | 1995 | ▼ | | -17.0% | -14.9% |
| 荻町 | 12.1 | 13.0 | 1998 | ▼ | | -13.2% | -10.8% |
| 久住町 | 13.5 | 15.9 | 1994 | ▼ | | -7.6% | -7.8% |
| 直入町 | 5.3 | 9.6 | 1994 | ▼ | | -11.2% | -9.3% |
| 九重町 | 22.8 | 26.7 | 1994 | ▼ | | -11.4% | -9.0% |
| 玖珠町 | 16.8 | 22.0 | 1997 | ▼ | | -10.4% | -8.8% |
| 前津江村 | 2.1 | 3.1 | 1993 | ▼ | | -11.9% | -13.7% |
| 中津江村 | 2.3 | 6.4 | 1993 | ▼ | | -14.5% | -18.1% |
| 上津江村 | 5.9 | 6.4 | 1994 | ▼ | | -8.9% | -15.2% |
| 大山町 | 18.9 | 21.8 | 1997 | ▼ | | -14.0% | -12.7% |
| 天瀬町 | 2.5 | 5.1 | 1993 | ▼ | | -15.8% | -10.7% |
| 三光村 | 1.6 | 2.1 | 1994 | ▼ | | 0.9% | -7.6% |
| 本耶馬渓町 | 2.4 | 2.8 | 1993 | ▼ | | -16.8% | -22.7% |
| 耶馬渓町 | 5.3 | 8.5 | 1994 | ▼ | | -16.9% | -16.6% |
| 山国町 | 1.7 | 2.6 | 1997 | ▼ | | -16.9% | -16.9% |
| 院内町 | 2.1 | 3.2 | 1996 | ▼ | | -13.4% | -11.9% |
| 安心院町 | 5.7 | 10.8 | 1993 | ▼ | | -11.1% | -11.9% |

び大分県『大分県統計年鑑』等による。

表８－３ 市町村別に見た

| | 2000年度販売額 | ピーク時販売額 | ピーク年度 | 傾向 | 備考 | 人口増加率 | 就業人口増加率 |
|---|---|---|---|---|---|---|---|
| 大分市 | 33.9 | 33.9 | 2000 | ○ | | 9.5% | 13.0% |
| 別府市 | 81.0 | 127.2 | 1994 | ▼ | | -4.4% | -4.8% |
| 中津市 | 7.7 | 7.7 | 2000 | ○ | | 1.4% | 1.6% |
| 日田市 | 57.2 | 60.9 | 1998 | ▼ | | -4.1% | -1.5% |
| 佐伯市 | 23.8 | 24.5 | 1999 | ▼ | | -4.9% | -1.9% |
| 臼杵市 | 13.8 | 24.7 | 1997 | ▼ | | -7.2% | -4.6% |
| 津久見市 | 9.6 | 11.0 | 1996 | ▼ | | -16.1% | -11.4% |
| 竹田市 | 8.9 | 11.0 | 1994 | ▼ | | -17.7% | -13.6% |
| 豊後高田市 | 24.4 | 38.8 | 1993 | ▼ | | -7.4% | -10.8% |
| 杵築市 | 47.7 | 58.3 | 1995 | ▼ | | 4.6% | 4.1% |
| 宇佐市 | 465.7 | 465.7 | 2000 | ○ | むぎ焼酎を除くと▼ | -2.7% | -3.9% |
| 大田村 | 0.9 | 2.0 | 1993 | ▼ | | -14.6% | -26.6% |
| 真玉町 | 4.9 | 8.6 | 1998 | ▼ | | -12.5% | -10.9% |
| 香々地町 | 1.1 | 2.6 | 1993 | ▼ | | -14.2% | -16.9% |
| 国見町 | 17.9 | 17.9 | 2000 | ○ | | -15.8% | -16.4% |
| 姫島村 | 1.7 | 17.5 | 1993 | ▼ | | -15.5% | -9.1% |
| 国東町 | 24.2 | 24.2 | 2000 | ○ | 清酒西の関を除くと▼ | -12.7% | -13.1% |
| 武蔵町 | 2.4 | 4.0 | 1993 | ▼ | | 0.3% | 4.9% |
| 安岐町 | 0.8 | 2.3 | 1995 | ▼ | | -6.0% | -3.3% |
| 日出町 | 179.1 | 179.1 | 2000 | ○ | むぎ焼酎を除くと▼ | 13.3% | 12.5% |
| 山香町 | 14.3 | 14.3 | 2000 | ○ | | -10.8% | -15.4% |
| 野津原町 | 17.0 | 17.0 | 2000 | ○ | 乳製品を除くと▼ | -10.6% | -12.3% |
| 挾間町 | 2.1 | 2.7 | 1998 | ▼ | | 14.5% | 12.6% |
| 庄内町 | 12.2 | 16.1 | 1995 | ▼ | | -10.4% | -8.7% |
| 湯布院町 | 4.1 | 4.8 | 1997 | ▼ | | -3.3% | -0.4% |
| 佐賀関町 | 7.8 | 11.2 | 1997 | ▼ | | -21.0% | -17.5% |
| 上浦町 | 0.4 | 0.4 | 2000 | ○ | | -20.8% | -18.0% |
| 弥生町 | 1.5 | 2.0 | 1998 | ▼ | | 0.6% | -1.9% |
| 本匠村 | 4.6 | 4.6 | 2000 | ○ | | -14.1% | -27.0% |

注：1）ピーク年度は、1993年度から2000年度の期間に限って見たものである。
2）「傾向」欄の○印は増勢、▼印は減勢にあることを示している。
3）人口増加率は、1990年から2003年の間の住民基本台帳人口の動態を示している。
4）就業人口増加率は、1990年から2000年の間の国勢調査の就業人口の動態を示している。
資料：大分県一村一品運動推進室『平成13年度一村一品運動調査概要書』（概要・データ編）及

〇〇年の間に就業人口を増加させると同時に九〇年から二〇〇三年にかけて住民基本台帳人口を増やしている市町村は、大分市をはじめとして、わずか六自治体に過ぎませんでした。全体として一村一品運動によって、地域産業の持続的発展がなされ、人口の定住が図られたとは言い難い状況であるといえます。

その原因は、何よりも、Ⅰ部で述べたように、二重の国際化のインパクト、とりわけ農林水産物や中小企業性製品の輸入が激しかったため、全国の地域経済と同様、農村部を中心に地域産業の後退と人口の減少を招いたことが決定的に大きいといえます。それと同時に、一村一品運動が、特定の特産物にのみ特化し、それを都市市場に対して大量に市場出荷することによって、売上を伸ばそうとしてきたことにも、原因のひとつがあると考えられます。そこで、大山町の事例を取り上げて、この点を掘り下げてみたいと思います。

## 2　大山町での「一村多品」型地域づくりの展開過程

### 「梅栗植えてハワイに行こう」

大山町（一九六九年町制施行）では、農業基本法が制定された一九六一年から、コメ中心の農業から離脱して、水田に梅、畑に栗を植えて、所得の向上を図る「梅栗運動（ニュー・プラム・アンド・チェスナッツ運動　第一次NPC運動）」を展開し始めます。農協組合長でもあり、村長でもあった矢幡治美の先見性と強力なリーダーシップの下で、「梅栗植えてハワイに行こう」をキャッチフレーズにした大山町の取り組みは全国の注目を浴びるようになります。大山町における地域づくりは、コメ中心の農政を批判しながら、中山間地域にある地域の個性を生かした地域内再投資力の形成を、農協と町が投資主体となって、展開してきたところにあります。

大山町では、所得向上という目標を一応達成した一九六五年からは、「豊かな心と豊富な知識を持つ人づくり」を新たな目標にすえた第二次ＮＰＣ（ネオ・パーソナリティ・コンビネーション）運動を開始、さらに六九年からは第三次ＮＰＣ（ニュー・パラダイス・コミュニティ）運動に取り組みます。これは、農村にあっても都市と同じ快適な生活環境を享受することを目標としたものであり、イスラエルのキブツの社会に学び、町内を八団地に分けて、各団地のコミュニティ・センターを中心とした文化集積団地の運営を始めます。何よりも、町内の一人ひとりの生活と所得の向上を目的とした地域づくりを目標としていることに注目したいと思います。農業振興の面では、一九七二年から農協が農産物加工部門を開始するほか、梅栗だけでなく、ぶどう、李（すもも）、イチゴ、エノキなどの栽培を奨励し、多品種生産の「百足（ムカデ）農業」を志向していきます[(5)]。

そして、「平成の大合併」がなされる直前時点における人口千人当たりパスポート保持率は、全国の市町村のなかでもトップクラスになります。夢を現実のものとしたわけです。

## 地域内産業連関を重視した地域づくり

平松知事が大山町を訪れ、「一村一品運動」への着想を得たのは、このような時期でした。大山町の農業振興の最大の特徴は、コメ依存の農業政策からいち早く脱却し、高所得が期待できる複数以上の農産物に特化して、その生産振興に財源と人材を集中するばかりでなく、農産物加工部門の設置に代表されるような川下部門への産業連関を自覚的に形成し、しかも文化活動を含む農村コミュニティづくりと農業振興施策を結合していた点にありました。

しかし、「一村一品運動」が注目したのは、梅に代表される移出型産品の開発と、国際交流、人づくりであり、町と農協の強力なタイアップによる生産振興、地域内産業連関の意識的形成、特産品振興と地域づくりの結合、地域づくりへの多数の住民の参加という点については見落とされていたといえます。ここに、その後の大分県「一村一品運動」が限界にぶつかる要因があったと考えられます。

つまり、移出型産品をひとつつくり、それが単一の企業だとしても、売上を伸ばしていけば、統計上、一村一品運動としては成果があがったことになります。しかし、地域経済の視点から見るならば、地域内に産業連関もなく、それに関わる生産者や住民の数が少なければ、地域経済や住民生活の持続的発展にはつながらないことになってしまうのです。

## 市場出荷重視から「地産地消」重視へ

さて、この大山町での一村一品運動特産品販売額も、一九九七年度をピークに減少に転じます。表8－4によれば、大山町の「一村一品特産品」は、九三年度時点では、梅、すもも、きのこの三品で、合計一六億円余の販売実績がありました。その後、九七年度には梅干し、ハーブ、クレソンの三品目が追加され、二二億円弱の販売を記録しますが、その後減少局面に入り、二〇〇〇年度は一九億円ほどになっています。品目別では、きのこと梅の減少が響きました。

これらの特産品を含め、大山町の農業生産の中核を担っている大分大山町農協（以下、大山町農協と略）の農産物販売高も、一九九三年度をピークに減少に転じていきます。すなわち、九三年度に二五・三億円を記録した販売高は、二〇〇一年度には二〇・二億円へと五億円近く減少したのです。その要因としては、国内の産地間競争の激化に加え、梅やきのこ類など輸入品増大による価格低落、そして高齢化の進行にともなう後継者不足があると指摘されています。とりわけ、市場出荷の伸び悩みが大きな要因となっています。(6)

このため、大山町農協は、中間マージンを圧縮し、生産者と消費者を直接つなぐ販売手段として直販施設の運営に力点を置くようになります。一九九〇年に、観光栗園の跡地を活用して、木の花ガルテンを開業したのに続き、直営店を福岡市内に二店舗、大分市内に二店舗、開業していきます。いわゆる「二・五次産業化」を進めていったのです。町も、この木の花ガルテンの建設を支援するだけでなく、二〇〇三年に宿泊施設や加工体験施設も整備した「ひびきの郷」を建設、開業し、観

表８－４　大山町の一村一品特産品の販売額推移

（単位：百万円）

| 品目名 | 1993年度 | 1994年度 | 1995年度 | 1996年度 | 1997年度 | 1998年度 | 1999年度 | 2000年度 |
|---|---|---|---|---|---|---|---|---|
| 梅干し | | | | | 60 | 36 | 100 | 100 |
| 梅 | 196 | 157 | 122 | 75 | 111 | 118 | 115 | 76 |
| ハーブ | | | | | 163 | 152 | 134 | 151 |
| すもも | 127 | 117 | 127 | 96 | 128 | 102 | 115 | 100 |
| クレソン | | | | | 121 | 120 | 116 | 113 |
| きのこ | 1,287 | 1,168 | 1,074 | 999 | 1,598 | 1,493 | 1,256 | 1,354 |
| 合計 | 1,610 | 1,442 | 1,324 | 1,170 | 2,181 | 2,022 | 1,835 | 1,894 |

資料：大分県一村一品運動推進室『平成13年度　一村一品運動調査概要書』（概要・データ編）。

光客を呼び込むことで、地元での消費を喚起する「地産地消」の取り組みを強化していきます。

二〇〇一年度決算によると、木の花ガルテン五店舗の総販売額は、一〇億円弱に達し、九〇〇〇万円近くの利益を出しています。同年度の市場出荷額が一八億円まで低下していることを見れば、木の花ガルテンを通した直販がいかに大きな役割を果たしたかがわかります。このうち、大山町にあるガルテン大山は、二〇〇二年度に「農家もてなし料理バイキング」をセールスポイントにしたオーガニック農園を開業し、一気に集客力を高め、四億円の売上を記録しました。同店には、農協の直販品だけではなく、町内の農家小組合や個別農家が生産した農産物や生活雑貨が、生産者名入りで多品目にわたって販売されており、ひとつひとつの農家経済を直接潤す販路となっていました。

このように、農協が中心となって、これまでの市場出荷体制依存から脱却し、町内の多様な生産者をネットワークしながら、地域内産業連関を意識的に再構築することで、新たな発展方向を切りひらいていったのです。

## 農協合併と市町村合併

以上のように、大山町農協は、文字通り、大山町農業および地域経済を支える、地域内再投資力の中心的な役割を果すまで発展してきました。二〇〇一年度末時点で、組合員数六九五人、職員数七八人を数え、本所と支所一カ所のほか、きのこ培養工場八カ所、堆肥工場二カ所、直販所五カ所、加工場一カ所、福祉施設一カ所、原料蜂蜜等の調達のための中国現地法人二カ所を擁する、一大経営体となりました。農協経営全体としても健全であり、二〇〇一年度事業収益は三五・六億円であり、経常利益六三八三万円、当期剰余金五四五九万円を計上しました。また、同年度末の自己資本比率も二二％であり、処理を要する不良債権の発生もありませんでした。

一方、大分県下では農協大型合併の動きが強まり、大山町周辺でも、一九九九年に中心都市の日田市を中心とした広域合併農協＝ＪＡ日田が発足します。これに対して、大山町農協は一町一農協体制を堅持する方針をとり、現在も単独農協体制を維持しています。

これに対して、市町村合併については、二〇〇三年一月に大山町が日田市郡六市町村の法定合併協議会に参加し、合併特例法期限内の二〇〇五年三月二二日に新日田市の一部になりました。合併前の町当局の姿勢は、農協とは異なり、財政事情が悪化するなかで、合併やむなしという姿勢をとっており[7]、合併に反対する住民運動も目立ったものはありませんでした。ちなみに、二〇〇一年度の町決算指標を見ると、財政力指数〇・一八、経常収支比率九四・三％、地方債現在高は町歳出額を二億円近く上回る四二・六億円、積立金残高八・二億円となっており、財政の硬直化が進行していました[8]。

以上のように、地域づくりの主体として、これまで連携をとってきた基礎自治体と農協が、合併問題を機に、行政領域と営業領域とが乖離する事態が現実のものとなってしまいました。これまでの大山町の地域づくりは、農協主導だったとはいえ、町による農協の各施設への建設投資や農業振興への財政的人的支援なしには、なしえなかったといえます。また、農業以外の産業支援や生活支援をしていた役場の存在は、大きいものがありました。役場がなくなったことにより、旧大山町の国勢調査人口は二〇〇五年の三六〇〇人から、一五年には二七五六人へと二三・四％も減少してしまいます。この減少率は日田市平均の一〇・三％の二倍超にあたります。

## 農協が支える地域経済

旧大山町における人口減少は厳しいものがありますが、そこで所得や仕事、生活の場を支えている大山町農協は健在です。木の花ガルテンの売上高は初年度である一九九〇年度の六八〇〇万円から、一八年度は一六億円超になっています。店舗数も、一〇店舗に増え、年間二四〇万人の来客があります。

さらに、二〇一九年一二月からは、高齢者を雇用し、コミュニティづくりの核となる「文産農場」事業も始めました。大山町農協の矢羽田正豪組合長によると、文産農場では雇用した高齢者にクレソンやハーブを栽培してもらい、木の花ガルテンで販売する計画であり、「月に一〇万～一五万円の収入がお年寄りに入るように」し、高齢者が集い楽しめる場にしたいそうです[9]。

大山町農協の取り組みで注目されるのは、多くの組合員農家が自発的に種々の農産物づくりに取り組み、個性的な生産物を名札付きで販売し、顧客と所得を獲得していることです。表8-5を見てください。旧大山町地域では、日田市平均、大分県平均よりも、販売なし農家比率や五〇万円未満農家構成比が低く、一〇〇万円以上～五〇〇万円未満層を中心に高額販売農家の比率が相対的に高いことがわかります。一戸一戸の農家の再投資力の高まりが、旧大山町地域における地域内再投資力を維持することにつながっているといえます。

これは、二〇一五年の販売規模別農家数の構成比を示しています。

## 3　地域内経済循環の形成と地域社会の持続的発展

### 地域経済の担税力を強化する

以上のように、一世を風靡した大山町でさえ、市町村合併問題の大波のなかで、地域の将来の見通しがきかなくなってきています。基礎

表8-5　農産物販売規模別農家数の構成比（2015年）

| | 計 | 販売なし | 50万円未満 | 50～100万円 | 100～500万円 | 500万円以上 |
|---|---|---|---|---|---|---|
| 大分県 | 24,300 | 2,488 | 10,763 | 3,954 | 4,849 | 2,246 |
| 日田市 | 1,964 | 304 | 854 | 199 | 328 | 279 |
| 旧大山町 | 255 | 13 | 63 | 48 | 84 | 47 |
| 大分県 | 100.0% | 10.2% | 44.3% | 16.3% | 20.0% | 9.2% |
| 日田市 | 100.0% | 15.5% | 43.5% | 10.1% | 16.7% | 14.2% |
| 旧大山町 | 100.0% | 5.1% | 24.7% | 18.8% | 32.9% | 18.4% |

資料：農林水産省『農林業センサス　大分県統計書』2015年版から作成。

自治体の枠組みの揺らぎが、地域経済の発展にとって、何よりも大きな問題となっていったといえます。市町村合併を余儀なくされている最大の要因は、財政基盤の脆弱さでした。しかし、財政基盤そのものは、その地域の担税力に規定されているわけです。その担税力は、地域内の再投資力に規定されています。ところが、市町村合併は、後に述べるように、地域内再投資力を萎縮させることがあっても、それを拡大することは期待できません。

「平成の大合併」政策の目的の一つとされている「行財政基盤の確立」は、「目的」ではなく、むしろ「結果」だといえます。市町村合併によって広域合併で一時的な数合わせをしたとしても、これまでの地域産業政策を続ける限り、一層税収基盤を縮小させるだけではないでしょうか。問題は、いかに地域経済の担税力を高めるかにあります。それは、結局、当該地域の地域内再投資力を強めることにつきるといえます。そうすれば、合併せずとも、地域経済を持続的に発展させる道を切りひらくことができるといえます。しかも、その地域内再投資力の強化のためには、大山町農協が重視した「地産地消」という言葉に象徴的に示される地域内産業連関の自覚的構築による地域内経済循環の形成が決定的に重要になっているといえます。これは、他地域への一部特定商品の販売拡大だけを重視してきた大分県の「一村一品運動」の限界からも、導き出せる教訓でもあります。

もっとも、個別の地域における地域内再投資力及び地域内経済循環の構築を保障するには、国による地方財政調整制度の維持・拡充が何よりも必要であり、地域産業を苦境に陥れている構造改革政策の根本的転換がなされなければならないことはいうまでもありません。けれども、国の政策の転換とあわせて、あるいはそれに先駆けて、地方自治体レベルでの地域産業政策の見直しや地域の企業・住民による地域づくりの取り組みによって、地域の持続的発展もある程度は可能になるといえます。また、そうしなければ、グローバル化と大不況の圧力の下で、「住民の生活領域としての地域」が壊滅しかねない時代になっているのです。

## 地域内経済循環の経済効果

では、なぜ、地域内産業連関による地域内経済循環が必要なのでしょうか。すでに述べたように地域内再投資力の主体としては、民間企業はもちろんのこと、農家や商店などの個人経営、協同組合、そして地域金融機関や地方自治体や公社なども含まれます。これらの経済主体の力を強めたり、ネットワーク化を図るために、行財政の果たす役割が決定的に大きいのです。

このような地域内の経営主体のネットワーク化は、地域内産業連関を再構築し、地域内経済循環をつくりだすものであり、地域内再投資力を増幅させるために決定的なポイントとなります。図8-1は、地域内経済循環の経済効果を、進出企業のそれと比較しながら、概念図として示したものです。第6章で詳しく述べたように、進出企業の場合、地域内で得た収益の多くを本社（①）や同一企業グループ企業（③）への所得移転、国や本社所在地自治体への納税（⑤）という形で、域外流出させる傾向が強いという特徴があります。地域内には、賃金支払い（⑦）や下請け企業への支払い（⑥）、基礎自治体への地方税（⑨）という形で資金を循環させますが、これらの企業が海外に

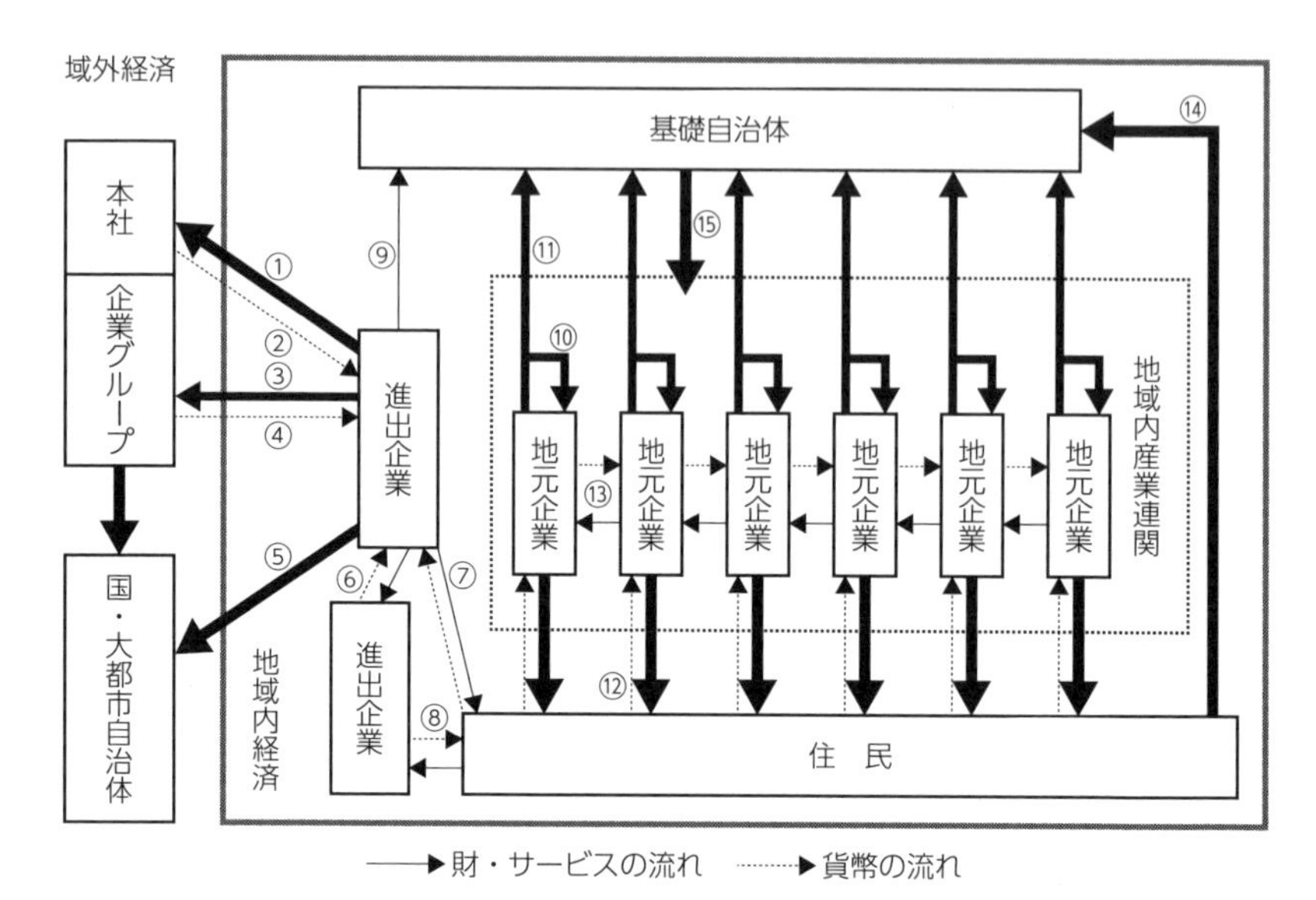


図8－1　地域内産業連関の経済効果

出所：著者作成。

シフトしたり、分工場や支店をリストラしたりすると、その資金循環は縮小・喪失することになります。

グローバル化は、これまで大手資本を中心に垂直的に組織されてきた下請連関が切断される過程であるともいえます。親企業は、下請企業との取引を切断することなしに、自由に海外に生産を移転することができないからです。そうなると地域内には、優れた技術やノウハウをもちながらも取引先を失った事業所が多数残されることになります。地域産業の再構築を図るためには、これらの経営資源を生かし、新たにネットワークを結び直すことが求められるわけです。こうして地域の資源を生かした新たな地域産業の複合体が生まれることになります。第6章で紹介した地場産地の場合と同様、地域の企業が相互にネットワークを組み、「横請け関係」を創り出せば、相互取引（⑬）のなかで、仕事とお金が回転し、雇用効果（⑫）も税収効果（⑪、⑭）も高まることになります。この税収の増加を、基礎自治体が地域内に追加的に再投資すれば（⑮）、地元企業の地域内再投資力（⑩）は一層高まっていくことになります。

## 4　由布院のまちづくりと地域内経済循環

### 由布院盆地のまちづくり

もう少しイメージを豊かにするために、具体的な事例として、やはり「一村一品」運動の原型といわれた、大分県の由布院盆地におけるまちづくりを例に地域内経済循環の効果とそれを組織する方法について述べてみたいと思います。

由布院盆地は、周知のように、中谷健太郎と溝口薫平という二人のリーダーを中心に、牛喰い絶叫大会や映画祭、音楽祭などで有名なユニークなまちづくりを展開し、今や年間四〇〇万人近くの観光客を集める、日本でもトップクラスの人気観光地となっています。[10] けれども、それは決して平坦な道ではありませんでした。

ここでタイトルに掲げた由布院という地名は、「平成の大合併」で消滅した「湯布院町」の一部です。また、湯布院町は、「昭和の大合併」で、由布院町と湯平村が合併してできた町です。中谷や溝口らは、この由布院盆地で、まちづくりに取り組んできました。

由布院盆地は、戦後のダム計画、自衛隊誘致、そしてゴルフ場計画、大分中部地震（一九七五年）と、幾多の試練を重ねるなかで、開発計画を中止させ、豊かな自然と農村景観、どこにでも湧き出る温泉を中心とした質の高いまちづくりを展開してきました。ここでは、この地区での取り組みを述べる際には「由布院」という地名を使い、自治体行政について語る際には、「湯布院」という自治体名を使うことにします。

由布院には、他の温泉観光地には見られない独自の特色があります。それは、景観的に見れば、大規模なホテルや旅館が一般住宅と離れたところに集中して立っているという姿ではなく、小規模な宿泊施設が由布岳の麓に広がる農村景観のなかに散らばって展開している姿です。

## 由布院温泉観光協会を中心とした地域内産業連関

また、それらの宿泊施設で使用される食材や土産品は、極力地元のものを使うことを心がけてきました。二人のリーダーが営んできた旅館も、地元農家から食材を購入し、それを料理するだけでなく、加工して土産品として販売するようにしています。そのために、多くの雇用を直接、間接に作りだしています。また、旅館やホテルの料理長が集まり（「料理研究会」といいます）、仕事の後、地元食材を生かした料理法の研究をしたり、場合によっては板場を行き来することもあります。

さらに、当時の別府のように、大きな旅館やホテルが、館内にお店や遊興施設をつくり、お客をすべて囲いこむようなことはしませんでした。中谷、溝口、そして志手康二（故人）の三人が、一九七一年に南ドイツのバーデンヴァイラーを視察し、地域の資源を生かしたまちづくりの重要性を学び、旅行の「泊食分離」形態（宿泊と朝食のみを宿泊旅館が供給し、昼食、夕食、買い物は町のなかの他の飲食店等でしてもらう形態）をいち早く導入します。

旅館やホテルが、お客さんに飲食店や別の宿泊施設を紹介することも行っています。つまり、観光業を中心にした地域内産業連関が、意識的に形成されてきたのです。そのネットワークの主体は、由布院の場合、行政ではなく、由布院地区の観光関連業者でつくる由布院温泉観光協会でした。

## まちづくりと地場市場づくり

由布院温泉観光協会のまちづくりの考え方は、次のような中谷の文章にあますことなく表現されています。「湯布院が素晴らしい所だと聞いて、人も物も流れ込んでくる。みんなが頑張ったおかげで、湯布院はいい町になり、そのエネルギーが交流人口を四〇〇万人にも押しあげた。大事なことは、それを良い方向に誘導する装置をつくること。今、旅行は泊食分離に向かっている。それによって、食事や散歩やショッピングのお客様が町中を回流することになる。そのためには散策歩道や、車道、駐車場整備、緑の木陰も欠かせないんじゃないかな。外からの人、物、文化の流入を促しながらも、町の生活を『潤いのあるもの』に保つための『誘導装置』も必要となってくるでしょう。そして、何よりも大事なものが『モノツクリ』であり、農産物をはじめ、木工、竹工、鉄工、紙工、染色、織物等、あらゆる生産、加工の技術を守り、盛り立てなければ、湯布院町に未来はありませんよ。そのためにこそ、『地場市場』が必要なんです。地場産品は地場市場の上に生まれ、育つもの。そして地場市場が成り立つために必要な『仕組みづくり』が『町づくり』なんですよ。環境、産業、町並み、交通網、伝統、歴史、技術、教育、福祉、医療、文化等々……」[11]。この文章からは、湯布院町が全国の自治体に先駆けて「成長の管理」の考え方を取り入れた「潤いのある町づくり条例」を制定した理由を知ることができます。町づくりとは、ものづくりであり、そして、人と人との関係、人と自然との関係を意識的につくりだすものである、という優れた目標と理念をもって展開されてきたのです。

## 観光まちづくりの地域波及効果

このような優れた理念のもとで、由布院の観光業は、農業や商工業の発展も支えてきたといえます。表8－6は、一九八〇年から九五年にかけての湯布院町の観光消費額と産業別生産額及び消費額の動向を示しています。観光客の増加にともなう観光消費額の増加にあわせて、商業販売額が二倍近くも伸び、さらにそれが町内の製造業や農業にも波及している様子がうかがえます。

由布院温泉観光協会の会員リストを見ても、会員がかなり広範な業種に広がっていることがわかります[12]。最も多いのは旅館、ホテル、ペンション、民宿、貸別荘、ユースホステル、保養所などの宿泊施設で一〇三会員にのぼります。このほかに、飲食関係が五〇会員、土産品関係が四七会員、

表8－6　湯布院町の産業別生産額の推移

（単位：百万円）

| | 1980年 | 1985年 | 1990年 | 1995年 | 1995年/1980年 |
|---|---|---|---|---|---|
| 農業粗生産額 | 1,191 | 1,491 | 1,543 | 1,876 | 1.58 |
| 製造品出荷額 | 1,432 | 1,147 | 1,144 | 1,803 | 1.26 |
| 商品販売額 | 5,319 | 7,573 | 9,187 | 10,870 | 2.04 |
| 観光消費額 | 7,384 | 10,728 | 11,130 | 14,075 | 1.91 |
| 観光客数（万人） | 181 | 272 | 362 | 381 | 2.11 |

資料：湯布院町『2000　町勢要覧　ゆふいん物語』2000年、36頁。

美術館、博物館、ギャラリー、窯元などの観光施設が三九会員、日曜雑貨関係が一八会員、交通関係が一五会員、食料品・酒店が一一会員、土地・建設関係が八会員のほか、風呂専門店、病院、薬局、金融機関、保険事務所、会計事務所等々、広範囲の業種が観光を軸につながっているのです。会員以外でも、旅館に食材を提供している農家や牧場、部屋や庭の手入れをする畳屋や造園業も、相当存在しています。

図8－2は、私も参加して二〇〇五年度に由布院温泉観光協会が行った観光業を起点にした産業連関調査のまとめです。この概念図は、同協会に所属している観光関連業者をサンプリングして詳細な聴き取り調査を行い、商品、サービス、雇用調達の地域内調達額を五次波及効果まで推計したものです。結論的にいえば、二〇〇四年度の観光関連産業の生産額は波及効果を合算すると少なくとも三二〇億円に達すると推計されますが、これは二〇〇二年度の町内総生産五〇〇億円の六四％に相当します。雇用で計算すると七割近くに達することがわかりました。また、地域内経済循環を意識的に行っているため、合併後の由布市域外への流出（漏出）額はわずか九〇億円くらいにしかなりませんでした。

湯布院町では、「潤いのある町づくり条例」に見られるように、外部

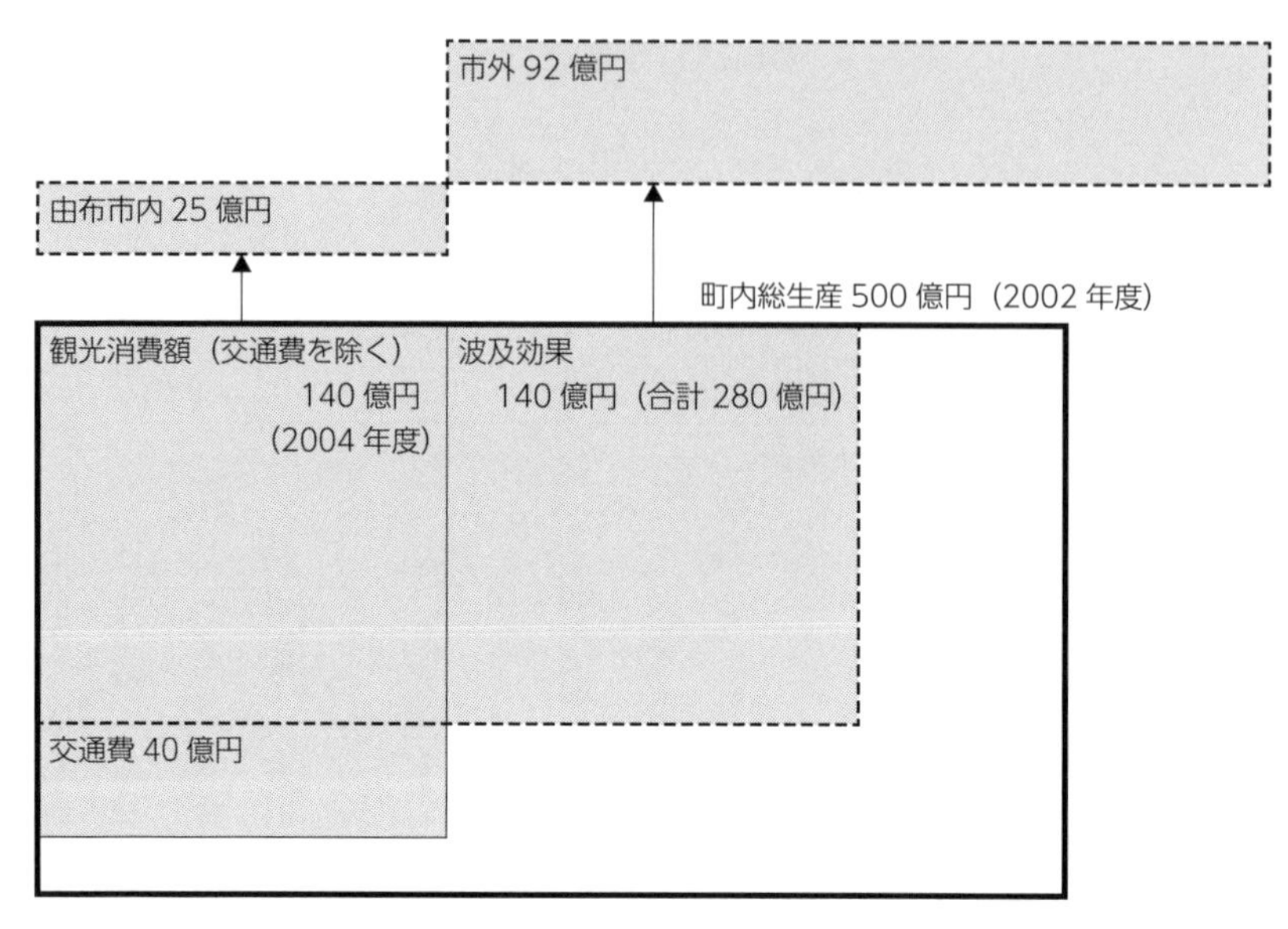


**図８－２　湯布院町内総生産に占める観光業の経済的波及効果の比重**

資料：由布院温泉観光協会『観光環境容量・産業連関分析調査及び地域由来型観光モデル事業報告書』2006 年、による。

資本の参入を都市計画の「成長の管理」手法でできるだけ規制する仕組みをつくったのは、先にみたとおりです。しかし、由布岳と由布院盆地の自然・農村景観を守ったのは、それだけではありませんでした。由布院の牧場や農地を守るために、農家が生産する有機農産物や低農薬野菜、コメなどを農家が再投資可能なように、観光協会のホテル、旅館、レストラン、食堂などが比較的高価格で買い取ったことが決定的に重要な役割を果たしました。例えば、玉の湯の目玉料理のひとつとなった命のスープは、江藤農園が作ったクレソンを原料にしていますし、旅館やホテルに花や野菜を供給しながら自ら宿泊業も経営するフローラハウスなど、ユニークな経営体が生まれ、地域内産業連関を作る取り組みを行ってきました。それによって、由布院盆地全体として観光客の増加にともなう波及効果を高めてきたといえます。

この結果、町の財政力もつき、二〇〇一年度の財政力指数は〇・五九と県内の町村のトップクラスとなります。ところが、当時の町長は、「このままでは財政再建団体になる」と危機感をあおり、周辺二町との合併を強力に推進しました。これまで、まちづくりの中心になっていた観光協会は、志手淑子会長や桑野和泉専務理事を先頭に住民投票条例制定の運動や町長リコール運動も展開し、自立した町での地域づくりを提案していきますが、結局出直し町長選挙で、合併推進の現職町長が再選され、二〇〇五年一〇月に由布市に統合されることになってしまいました。(13)

## 合併・地震・インバウンドブーム・コロナショックに抗して

「平成の大合併」によって、由布院盆地は、由布市のなかでも大分市から最も離れた地区になってしまいました。当初は、旧湯布院町役場に分庁舎と地域振興局が置かれましたが、その機能や人員は次第に削減されて、二〇一六年四月には振興局湯布院庁舎の責任者の待遇が一ランク格下げされてしまいます。(14)

「潤いのある町づくり条例」については、旧湯布院町に限り継続することになりましたが、実際には、条例の理念に反する開発事案が複数生まれ、また星野リゾートの進出計画も動き始めました。合併反対運動に取り組んできた人たちは、由布市議会において地域自治組織制度の整備を要求しましたが、これは実現を見ていません。由布市では、観光客のほとんどが旧湯布院町内に集中しているにもかかわらず、他の二つの町と同額の観光協会補助金しか配分されませんでした。そこで、由布院温泉観光協会では、由布市と協議を続け、同市商工課と由布院温泉観光協会が共同して運営する新組織である「由布市まちづくり観光局」を設立します。

ところが、二〇一六年四月、熊本地震に連動して由布院盆地を再び地震が襲いました。旅館の建物、塀や壁、屋根、什器に大きな被害がでたのですが、半壊・一部損壊建物は大分県内でも由布院盆地の一部や別府の一部に集中したため、すぐには激甚災害指定がなされませんでした。それよりも問題だったのは、前述したような旧湯布院町の支所機能の低下のなかで、当時増えつつあったインバウンド観光客の誘導や避難については、由布市役所が機能せず、観光協会やJR九州の由布院駅の職員がもっぱら対応した点でした。復旧、復興にあたっても、地域住民の声は届きにくく、困難を極めました。やはり、市町村合併の後遺症が、災害のときに表面化したわけです。

由布院温泉観光協会の桑野和泉会長たちは、東日本大震災で活用された中小企業向けのグループ補助金制度に着目し、その適用を実現します。その復興過程のなかで、インバウンド観光客が増加し、さらに外部から簡易宿所や民泊の進出が相次ぎます。湯の坪街道などにはインバウンド観光客相手の店舗が市外から多数進出し、かつての「由布院らしさ」を楽しむ観光客が減っていくことになりました。そこで、由布院観光のあり方を、インバウンド観光客にも知ってもらうために、市と共同して由布院駅前に由布院インフォメーションセンターをオープンさせることにしました。

あわせて、星野リゾートなどの進出に備え、地域の観光まちづくりを担う中小企業を育成し、大企業に対しても地元中小企業や地域経済の振興に貢献するよう求めた由布市中小企業振興基本条例の制定を提案しました。同条例は、二〇一七年四月一日に施行されました。同条例では、行政計画としての「新・由布院温泉観光基本計画」に特別な位置が与えられます。それを念頭において、由布院温泉観光協会と由布院温泉旅館組合は、共同でワーキングチームをつくり、二〇一八年三月に「新・由布院温泉観光基本計画」をまとめ、発表しました。同計画では、新しい参入者にも由布院のまちづくりの歴史や理念を共有してもらうこととともに、その理念に基づいて、新規参入宿泊業者に対して、延べ床面積だけでなく客室数の基準も設けました。住民主導の「成長の管理」の取り組みが現在も続いていることがわかります。

二〇二〇年一月末からの新型コロナウイルス感染症の拡大により、由布院も観光客の減少に苦しんでいますが、県内外の常連客を中心に由布院温泉をサポートする動きも広がっています。由布院のまちづくりに共鳴する「応援団」の存在が、由布院の観光事業者を励ましているのです。

由布院盆地では、観光まちづくりの理念が世代を超えて継承されてきていますが、その出発点は中谷・溝口たちが一九七〇年代に公民館での地域学習組織の一つとして作った「明日の由布院を考える会」の機関誌である『花水樹』の合冊本で語られていた内容にあります。とりわけ、大正期の本多静六東京帝国大学教授の提言「由布院温泉発展策」は、今も読み継がれ、まちづくりの実践に生かされてきています。

由布院のまちづくりのベースに地域での学習があることに注目すると、その範囲は観光事業者に留まりません。溝口らは由布院盆地の女性たちとともに、若い時から、公民館活動に関わり、農業や食、健康についても学びの輪を広げ、全国的な交流もしてきたといいます。

また、由布院小学校では、平和を願い、全校の児童、教職員、地元の音楽家、合唱団等のみなさんが一緒になって、毎年実話に基づく「ぞう列車」の組曲を全曲合唱する取り組みも続けています(15)。このような学びの蓄積と継続が、広い意味での次世代のまちづくりの担い手をつくりだす源泉ともなっています。

いま、中谷らは、地域づくりの歴史を語る文章、手紙、映像、音楽などの資料を次の世代に残すためのアーカイブズ事業を「由布院の百年・編集サロン」を拠点にすすめています。どんな困難なことがあっても、地域社会を持続させるための工夫や努力が、このように続けられているのです。

**注**

（1）大分県「平成一五年度　組織改正の一覧（四月一日付）」（大分県ホームページ掲載）。
（2）大分県「事務事業評価調書（一四年度）」（大分県ホームページ掲載）。
（3）以下、一村一品運動についての詳細は、大森彌監修『一村一品運動二〇年の記録』大分県一村一品二一推進協議会、二〇〇一年、参照。
（4）大分県一村一品運動推進室『平成一三年度　一村一品運動調査概要書（概要・データ編）』二〇〇二年。
（5）大山町における地域づくりの歴史と概要については、大山町誌編集委員会『大山町誌』大山町、一九九五

年、大分大山町農業協同組合『大分大山町農業協同組合創立五〇周年記念誌』同農協、一九九八年、参照。
(6)大分大山町農業協同組合の経営動向・データについては、大分大山町農業協同組合『同上書』及び、同『第五四期　業務のご報告』二〇〇二年、及び同農協総務課でのヒアリング調査から（二〇〇三年三月五日）。
(7)大山町役場企画調整課でのヒアリング調査から（二〇〇三年三月五日）。また、日田市郡法定合併協議会の動向については、同協議会ホームページ（http://www9.ocn.ne.jp/~hita123/）、参照。
(8)データは、大分県総務部市町村振興局『平成一四年度版　市町村財政のすがた』同局、二〇〇三年、参照。
(9)「大分大山町農協の矢羽田組合長　農協を地域社会の核に興すパーソン」『日本経済新聞』二〇二〇年一月二〇日付。
(10)由布院におけるまちづくりの展開過程をわかりやすくまとめた、木谷文弘『由布院の小さな奇跡』新潮新書、二〇〇四年、参照。また、岡田知弘「農村リゾートと複合的発展―温泉のまち・由布院を事例に―」中村剛治郎編『基本ケースで学ぶ地域経済学』有斐閣、二〇〇八年、岡田知弘『一人ひとりが輝く地域再生』新日本出版社、二〇〇九年、「特集　観光、心に残る人と地域と自然」『住民と自治』二〇一八年六月号所収の米田誠司論文、中谷健太郎・溝口薫平・桑野和泉インタビュー、参照。
(11)中谷健太郎『湯布院発、にっぽん村へ』ふきのとう書房、二〇〇一年、一三六頁。
(12)由布院温泉観光協会資料、参照。
(13)湯布院町の合併問題については、中谷健太郎『由布院に吹く風』岩波書店、二〇〇六年、米田誠司「市町村合併による『住民自治』の変容―大分県旧湯布院町を事例にして―」『熊本大学社会文化研究』第九巻、二〇一一年三月、参照。
(14)前掲『住民と自治』特集号での中谷・溝口・桑野インタビューから。
(15)荒木紀理子「三〇年間、途切れず『ぞう』全曲全校合唱　大分・由布院小学校」『うたごえ新聞』二〇二〇年二月三日号。

# 第9章　小さいからこそ輝く自治体——地方自治と地域づくりの原点を探る——

## 1　人口小規模自治体は「不効率」で無能力なのか

### 小規模自治体を研究する意義

前章では、農協や観光協会などの地域内経済循環による地域づくりの具体例を紹介しました。そのなかで、「平成の大合併」の影響が大きく影を落としていることも指摘しました。第7章で示したように、地域内再投資力の主体としての潜在的な力を地方自治体、とりわけ生活領域に近い市区町村はもっているからです。

本章では、地方自治体と地域づくりの関係を、もっともわかりやすい、人口が少ないという意味での「小さな自治体」に焦点をあてて捉えてみたいと思います。もちろん、地方自治体には人口規模が一〇〇万人を超える大規模自治体も存在しており、そこに住む人々や行政職員、議員、首長からみると、「自分たちのところとは比較の対象にならない」と考える人も少なくないと思います。けれども、まず単純でわかりやすいものを分析し、次に複雑な研究対象の分析にすすむというのが社会科学の方法の基本です。地方自治と地域づくりの関係を見るために、この小規模自治体における地域づくりの分析は必要不可欠な出発点なのです。

## 国から見た小規模自治体像

「平成の大合併」のころから、現代の「自治体戦略二〇四〇構想」に至るまで、国の立場から見た人口小規模自治体の位置づけは変わっていないようです。

例えば、「平成の大合併」を本格的に開始するタイミング（二〇〇二年一一月）で、第二七次地方制度調査会の西尾勝（東京大学）副会長が、「西尾私案」を発表しました。ここでは、地方分権化を「実現するためには、規模・能力を備えた基礎的自治体の体制整備が必要である」という認識から、「分権の担い手にふさわしい行財政基盤を有するとともに地域の総合的な行政主体としての性格を有する基礎的自治体を形成する」必要があるとしていました。

けれども、市町村合併ができなかった小規模自治体が残る可能性があるとして、人口がある一定の規模以下の小規模自治体（人口六〇〇〇人あるいは一万人という話が飛び交いました）については、行財政能力が不十分であり、財政の「効率性」が高くないので、行政サービスや議会の権限を制約して、近隣の都市自治体や都道府県に補完させるようにすべきだという提言を発表したのでした。ここでの認識は、あくまでも国の立場から見て、とくに行財政面において「人口小規模自治体は無能力で不効率である」というものでした。

同様の見方は、二〇一四年五月に発表された日本創成会議（増田寛也座長）による「ストップ少子化・地方元気戦略」（「増田レポート」）でもなされています。すでに述べたように、二〇四〇年までに、二〇～三〇歳代女性が半減すると予想される地方自治体が半数に及ぶとして、これらを「消滅可能性都市」と呼んだのです。さらに二〇一四年六月に『中央公論』で発表されたレポートでは、「消滅可能性都市」のうち人口一万人以下の五二三自治体を実名で公表し、「消滅する市町村」と断定しました[1]。二〇一四年八月に中公新書として刊行された『地方消滅』では、これらの「消滅可能性都市」「消滅都市」を統合するために、「選択と集中」によって行政機能・経済機能を「地域拠点都市」に集約すべきだと提言したのです[2]。

この議論の問題点については、すでに指摘していますので再論は避けますが[3]、本章のテーマとの関係でいえば、「人口小規模自治体は、このままいくと二〇四〇年までには若い女性人口が五〇％以上減少するので、持続できません。だから、早めに合併をするか、中心都市と連携をした方がいいですよ」、という政治的な意図をもったものであり、この年の九月から始まる地方創生政策の議論の前提として活用されることになります。ここでも国の視点から、小規模自治体は整理対象としてしか視ていないことがわかります。

日本創成会議の提言は、国による地方創生政策が始まるなかで、中核市以上の中心都市と周辺の中小自治体とが連携する「連携中枢都市圏」として制度化されていきます。そして、二〇一八年に登場したのが、総務省の「自治体戦略二〇四〇構想」でした。本構想では、「増田レポート」で描いた人口減少論を大前提として、ＡＩやロボティクスを導入して職員を半減させるとともに、中心都市への行政機能等の集約化を図り、周辺の中小規模市町村を西尾私案のように特例的団体として位置づけ、中心市や都道府県が補完するような「圏域」制度を「標準化」すべきだと提起したのです。この構想を主導したといわれる山崎重孝自治行政局長（当時。二〇一九年一月から内閣府事務次官）は、総務省のホームページに掲載されている論文「地方統治構造の変遷とこれから[4]」において、「地方政府のサービス供給体制の思い切った効率化による再構築」が必要だとし、これからは情報技術と圏域行政によって、それが可能であると強調しています。その発想は、西尾私案と同じだといえます。また、あくまでも、国の立場から見た「地方統治構造」としてしか地方自治体を捉えていないこと、また「地方自治体」という言葉を使わず、あくまでも「サービス供給」を行う「地方政府」としてしか見ていないことが問題です。つまり、人間の生活領域としての地域に生きる住民の姿も、彼らが主権者として自らの地域をつくっていくために参画している地方自治体の姿も視野の外にあることがわかります。

けれども、西尾私案や「増田レポート」、そして「自治体戦略二〇四〇構想」に共通して流れている「小さな自治体は無能力で不効率である」という認識は、本当に正しいのでしょうか。以下では、それが間違いであることを示していきたいと思います。

## 2　小さくても輝く自治体フォーラム運動と長野県栄村での地域づくり

### 小さくても輝く自治体フォーラムの発足

ここで注目したいのは、「小さくても輝く自治体フォーラム」に参加する自治体の取り組みです。このフォーラムは、小規模自治体の行財政・自治権限を制限する「特例団体」化を提言した第二七次地方制度調査会の西尾私案に異議申し立てを行うために、あえて「自立」の重要性を強調し、当初五人の呼びかけ人（逢坂誠二・北海道ニセコ町長、根本良一・福島県矢祭町長、黒澤丈夫・群馬県上野村長、高橋彦芳・長野県栄村長、石川隆文・福岡県大木町長）によって開始されました。二〇〇三年二月、長野県栄村での第一回開催から始まり、二〇一〇年五月には常設組織として「全国小さくても輝く自治体フォーラムの会」を設立し、毎年フォーラムを開催、二〇二〇年一〇月には高知県大川村での開催が予定されています。

政治的立場を超えて、首長、議員、職員、住民、研究者が集まり、政府の小規模自治体攻撃を批判しながら、自立した自治体の地域づくりの取り組みの成果を毎回交流しています。このフォーラムの中では、小規模自治体の取り組みを理論面、研究面でサポートする研究者間の共同が進んで、財政分析や地域振興の政策論的・理論的成果も生み出されてきました。これがマスコミを通して社会的にアピールできたことも、運動を広げた大きな要素であったといえます。

加えて、自立を選択した自治体の実践交流を通じて、政府の進める「グローバル国家」の下での大企業の利益に直結する地域政策とはまったく異なる、住民の利益を第一にした「一人ひとりが輝く自律的な地域づくり」が着実に広がってきている点も、特筆すべきことです。

このフォーラム運動を通して、前述の長野県栄村や阿智村、宮崎県綾町、徳島県上勝町、高知県馬路村、岡山県奈義町などで、先駆的な地域づくりの実践例がつくられ、広がっています。これが次章で述べるように大都市や広域合併自治体での都市内分権を求める運動にまで波及していることに注目したいと思います。いずれも、現場の声を基に自治体と住民、企業、農家、協同組合が共同して創造的かつ総合的な地域政策をボトムアップ的に積み上げてきた結果であり、「地方創生」のトップダウン的な政策手法とは正反対のやり方です。これらの小規模自治体の合計特殊出生率は東京都をはるかに超え、奈義町は日本トップになっているほか、島根県海士町や宮崎県綾町などでは人口を維持ないし増やしているのです[5]。以下では、この「小さくても輝くフォーラム運動」の原点のひとつでもある長野県栄村における一九八〇年代から二〇〇〇年代初頭までの地域づくりの取り組みについて述べてみたいと思います。

## 長野県栄村＝大豪雪地帯の山村

長野県栄村は、一九五六年に、千曲川を挟む水内村と堺村とが合併して発足し、村内には三一の集落があります。合併当時六五〇〇人（一一八〇世帯）を数えた人口も、二〇〇〇年にはわずか二六三九人（九三一世帯）へと減少し、高齢化率は四〇％に達しました。人口規模からいえば、「西尾私案」で「特例団体化」の対象として想定された一万人未満の「小規模」自治体です。しかしながら、面積は二七〇㎢に及び、東京都区部面積の四四％に相当します。そのうち、九割が山林によって占められる山村です。しかも、年間一四〇日近くも根雪に覆われる日本有数の大豪雪地帯でもあります(6)。

この村で、一九八八年に高橋彦芳村長が誕生して以来二〇年間、注目すべき村づくりが展開されてきました。高橋村政の最大の特徴は、「実践的住民自治」と「内部循環型経済」を目標に掲げ、それを着実に具体化したところにあります。高橋村政は、地域づくりの基本理念として、住民自治を重視し、住民生活の向上を図ることを最優先しました。開発にあたっては、外部資本を入れず、できるだけ地元主体で行うことが追求されたのです。これは外部資本の誘致による開発が、村の発展に貢献してこなかったという過去の苦い経験に基づくものでした。

## 地域の個性を知る

地域づくりを展開していくためには、何よりもまずその地域を知ることが前提となります。地域を知るということは、その地域の個性を科学的に捉えることです。高橋村長（当時。以下同）も「私は村の職員としての最後の九年間を企画課長として過ごすようになり、一つの反省をしました。私たちは外の情報を頼りに政策をたてるくせがついているが、逆に個の存在状況を見つめなおして、そこから政策を進めるということ」が重要であると述べています。国の「猫の目農政」に忠実に従うほど、村の農林業がすたれ、過疎化が進行し、村人が元気を失っていく矛盾。

こうして、公民館活動もしていた高橋村長は、職員や住民とともに地域を深く知り、個としての栄村の良さを再興していくことを目指します。その際、農家の廃屋を活用した「ふるさとの家」などでの都市民との交流のなかで、村民自身が栄村の個性のすばらしさを自覚していったことも無視できないポイントです。政策立案者だけでなく、住民自身が地域づくりの主体になるには、その対象となる地域そのものを深く知ることが第一歩になるからです。

## 栄村の地域づくりの目標は村民一人ひとりの個を輝かせること

高橋村政下の栄村の地域づくりのユニークさは、その目標にあります。栄村では、村民一人ひとりがいきいきとくらし、その能力を発揮できるようにすることが目標に据えられているのです。一九八八年に行われた最初の村長選挙に際し、高橋村長は以下の公約を掲げました。

① 住民がもっている知恵や技術を生かし、育てることを大切にする住民自治の村政
② 約束を守り、だれにでも親切で公正な村政
③ つねに政策を明瞭に示し、住民の生活向上に責任をもつ村政
④ 住民がふるさとの自然や文化に誇りを持ち、明るく活動することを大切にする村政
⑤ 高齢化、結婚難、就労、健康問題などの生活不安にとりくみあたたかみのある村政

ここに示された村づくりの目標が、総合振興計画の基本的考え方に継承されていきました。「個としての栄村」の発展をつきつめていけば、それは村の自治の担い手である「個としての住民」の発展を意味するということでもあります。高橋村長に言わせれば、これがあたりまえの住民自治の考え方であるということになります。

## 雪害対策から克雪事業へ

栄村の歴史は、雪との闘いの歴史であったともいえます。一九六一年には青倉集落で雪崩のために一一人が死亡するという痛ましい事故がおこりました。また、豪雪のたびに、挙家離村が相次ぎ、人口が急速に減っていきました。冬場は重い根雪に閉ざされるために、国鉄（ＪＲ）飯山線も度々運休し、多くの村民は出稼ぎにいくか、雪のなかに閉じこもって生活しなければなりませんでした。一九八〇年代以降は、高齢化のなかで、一人暮らしや夫婦のみの高齢化世帯が増え、雪に閉じこめられた不自由な生活や健康への不安も増えていきました。

高橋村長は、企画課長時代の一九七二年に、「雪害対策救助員」という特別公務員制度を創設します。これは、屋根の雪下ろしができなくなった高齢者世帯などの要請を受けて、雪害対策救助員が屋根の雪下ろしや家周辺の雪かきを行うというものです。豪雪地帯では、高齢者が雪下ろしで転落したり、雪の重みで圧死するという事故が頻発し、多くの自治体が雪下ろしのための補助金制度を設けていますが、栄村ではお金を給付するのではなく、特別公務員を派遣することによって対応したわけです。これは、お金があっても作業を頼める人がいなければ最悪の事態になるおそれもあり、地域の実情にあった合理的な対策であることに加え、特別公務員となった雪害救助員には冬季の現金収入機会も生み出しました。介護保険制度が発足してからは、そのサービスのひとつにも加えられました。

雪対策としては、高橋村政になってから「克雪資金無利子融資制度」を実現しました（一九八九年）。これは、個人に対しては雪下ろしが不要となる融雪型屋根への改良などへの融資（上限三〇〇万円）、また集落に対しては地区内道路の改良、流雪溝、共同車庫の建設などへの融資を行うものです。個人への融資条件として、村内に住居があり、資産及び債務の相続予定者があるものとされています。これは、他出している後継者がふるさとの家にUターンしてくれることを期待してのことでもありました。また、雪害対策は、集落を越えた広域単位でも共同して行う必要があるために、村では複数集落をまとめ九つの「克雪生活圏」を設定します。

## 地域づくりの根幹に農林業をすえる　田直し事業

栄村は、雪深い中山間条件不利地域に属しており、平場の農地は限られています。他方で、村の総面積の九割にも及ぶ広大な林野を抱えています。このことが栄村の地域産業づくりを考えるうえで、大前提となります。さらに、農業就業者の高齢化も急速に進行し二〇〇〇年には六四％に達していました。栄村の地域づくりの大きな特徴として、農林業を村の基幹産業としてしっかりと位置づけ、右のような村の自然条件・社会条件に即した創造性あふれる農業支援策を講じたことがあげられます。これは、多くの市町村財政の目的別支出では土木費がトップだったのに対して、当時の栄村では農林水産業費の比率が公債費を除くと第一位になっていたことにも現れています。

高齢化が進む栄村では、農家の多くが圃場整備を待ち望んでいました。それに立ちはだかったのが、事業費の高騰と農家負担の増大でした。高橋村政が誕生した一九八八年に、この問題を解決するために、村単独事業として「田直し事業」といわれる小規模圃場整備事業を創造します。

村単独事業としたので、設計・工事を請負契約でする必要がなくなり、補助金事業よりもはるかに安く工事ができました。具体的には、村内のオペレーターに作業委託し、そのオペレーターは村が除雪用に有する重機を使う方式を考え出します。これによって、工事費は一〇アール当り四〇万円以下に抑えられ、農家は、そのうち半分を負担すればいいだけとなりました。しかも、その負担についても、県農業開発公社の制度資金によって低利融資（五年償還、一年据え置き）を活用することで軽減されています。一〇アール当り収量が村平均の八俵穫れるところでは、二俵ほどの負担にすぎません。こうして、高齢者も安心して圃場整備することが可能となりました。また、オペレーターは地元の建設業者が担っているため、村の建設業の育成にも役立ちました。この結果、一九八九年度から二〇〇〇年度までに、一一三〇枚の田圃が四〇七枚にまとめられ、三二ヘクタールの圃場整備が完了しました。これは、栄村の水田面積の八分の一を超える面積です。受益農家数は三六九戸に達しました。約三分の二の農家が恩恵を得たことになります。

## 農業生産の奨励と一戸当り粗生産額の向上

栄村では、田直し事業の発想を、「道直し支援事業」という道路整備においても具体化しました。やはり村単独事業で行っている道路拡張整備事業です。この事業は、国や県道、村道から各戸の軒先までの比較的短い距離の生活道路を、冬場に除雪車が入るように拡幅・簡易舗装する工事です。このように栄村では、公共工事を、地域の条件に合わせて、村民の農業生産や生活に直接役立つものとして展開しました。現に、田直し事業が行われた集落では、自主的に稲作の基幹作業の共同化がなされていきました。

さて、このような農業基盤整備を行いながら、栄村では、農業の担い手の高齢化を考慮し、菌たけ類や、アスパラガス、野沢菜、サヤインゲンなどの軽量野菜の導入を促進してきました。栄村では、冬場に豪雪があるため、多年生の果樹の栽培は難しく、また高齢者が身体を酷使しないですむ軽量野菜の栽培を推奨してきました。その結果、一戸当り粗生産額は、一九九九年で二七五万円となっており、県平均の二三二万円を上回っていきます（図9－1）。

村では、このほか、森林資源を生かすために、山菜の採取や、林床を利用したきのこ類の栽培・加工、そして素材を加工しての、木工品の生産にも力を入れました。林家の多くは、農業との兼業であることから、農林一体の政策が行われたといえます。これによって、農地や林地の荒廃も防ぐことができます。また、できるだけ多くの付加価値をつけるために、森林資源の活用も図られました。

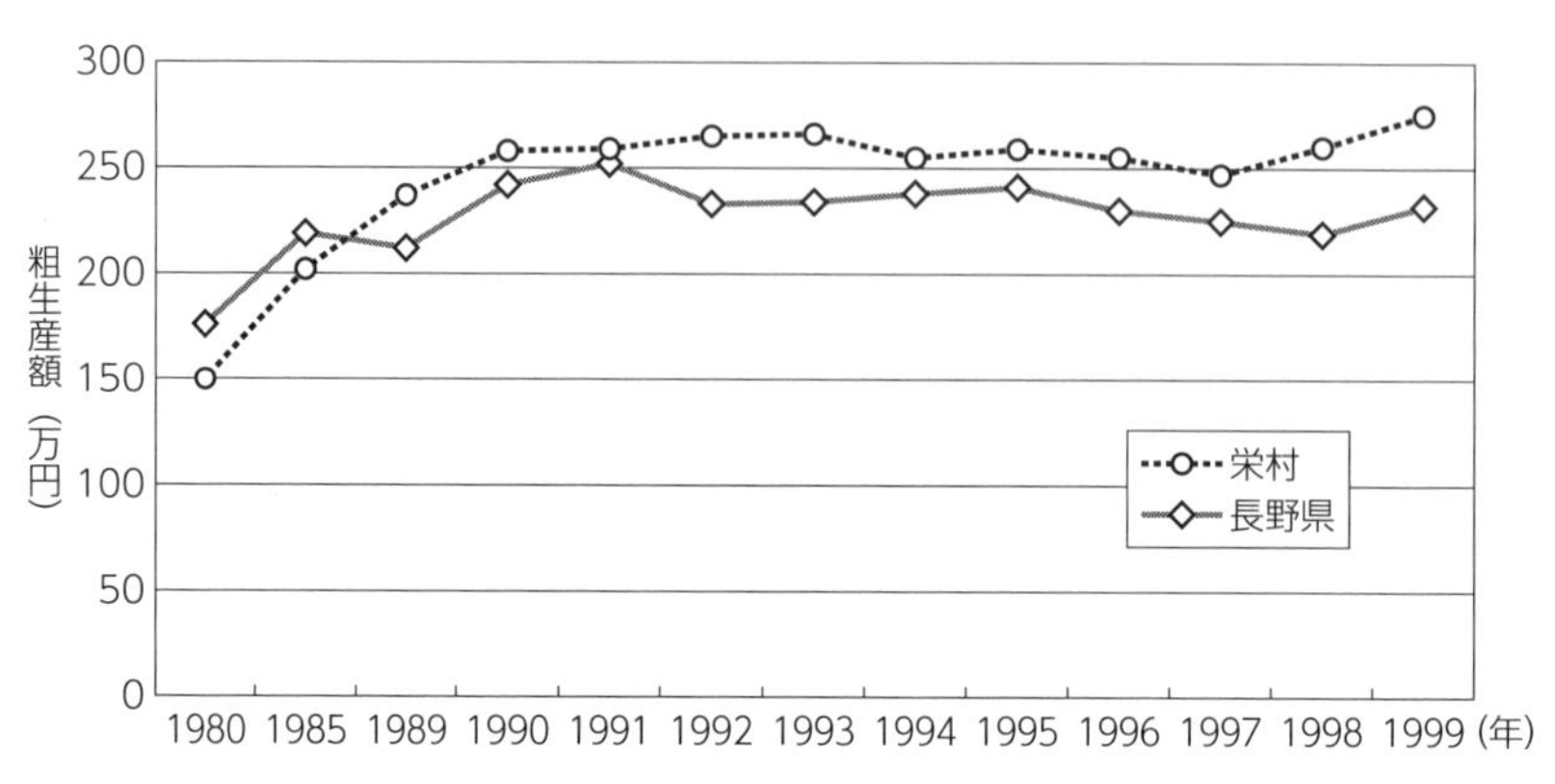


図９－１　農家一戸当り農業粗生産額の推移

資料：栄村『平成12年度　農林業統計』。

もうひとつ注目したいのは、雑穀の生産です。これは、雑誌『食べ物通信』を編集していた家庭栄養研究会の二〇周年記念事業が八九年に栄村で開かれたことをきっかけに再び活発になりました。もともと、栄村では稲作が盛んになる前から、アワ、ヒエ、キビ、ソバ、豆などの雑穀類がつくられていました。この雑穀生産の伝統が、アトピー性皮膚炎に悩む大都市住民の要望に応えて、蘇えったのでした。九〇年から、村が、食べ物通信社を窓口とした産直運動を開始します。産直価格は、消費者との協議によってコメとほぼ同水準に設定され、市場価格よりも有利なこともあり、多くの農家が栽培することになりました。大都市の一部の小学校で給食用食材としても使用されるようになり、栄村の農家と大都市の消費者とを結ぶ重要な生産物となりました。

## 地域づくりのセンターとしての公社

高橋村政下の栄村においては、以上のような農林業を基盤にした地域産業おこしのセンターとして、村が全額出資した財団法人・栄村振興公社および有限会社・栄村物産センター「またたび」という二つの第三セクターが大きな役割を果たしました。栄村振興公社は、一九八六年に、秋山郷での村営宿泊施設事業を引き継いで設立されました。二〇〇〇年代当初の事業内容は、観光関連施設における収益事業と、都市との交流・特産物開発（販売紹介事業）、地域活動の情報提供、自然保護・民俗祭事の振興などの公益事業からなっていました。この公社とは別に、一九九三年には、村、農協、森林組合、商工会が共同出資して有限会社栄村物産センターを設立し、公社と連携しながら、地域特産品の開発・販売、食堂経営を行っていました。

栄村振興公社は、村が全額（五〇〇〇万円）出資し、村長が理事長を兼ねる第三セクターです。当時、公社では、正職員一六名、臨時職員一三名のほか、数十名のパート職員が働いていました。また、栄村物産センターの資本金は、村、農協、森林組合、商工会が出資しており、国道沿いにつくられた「道の駅」を村から受託管理していました。社長は、村長が務め、五人の職員が働いていました。

リゾート開発の失敗以来、多くの市町村で、第三セクターはお荷物のように扱われるようになりました。また、公共性を目的に設立されながら、経営的な利益を優先した運営がなされがちです。栄村の場合、第三セクターを、あくまでも地域振興のための手段として位置づけ、活用したところに大きな特徴があります。すなわち、高橋村長の考え方に基づき、経営方針としては、村の住民の生活向上につながる「公共性」があれば赤字になってもかまわないという姿勢を貫いたのです。そのために住民が主体的に公社の経営にタッチできるように、公社の評議員には、生産組織、村づくり組織、各種組合、年齢階層の代表が参画できるようにしました。

### 村内生産者の組織化と「地域マーケティング」

そして公社の事業内容を見ると、農林業を基盤にした村内の農林産物加工組織をネットワークで結び、その生産物を観光客及び大都市との交流団体を通して、自然と伝統あふれる栄村イメージとあわせて文字どおり「地域マーケティング」した点が重要な点です。

たとえば、この地域に伝わる藁工芸品「ネコつぐら」（ねこの家）は、高齢者を中心とした生産組合が製作しています。「ネコつぐら」は、もともと各農家で統一した規格もなく自家用としてつくられていたのですが、公社が設立されてから、商品化に成功したものです。商品化にあたっては、栄村伝来の技法に加え、先輩格にあたる新潟県の関川村の「ネコちぐら」から多くを学んでいます。「ネコつぐら」は、折からのペットブームのなかで注文に応じきれないほど売れることになりました。このほか、振興公社では村内の農協、森林組合、各種生産組合、個人商店、会社、女性グループ、個人が製造する農林産加工品を全量買い入れ、それを公益事業としてマージンなしで販売斡旋し、これらの農産加工品製造事業を支えました。他の市町村公社であれば、当然、手数料をとるところですが、当時の栄村では、村民の利益を最大化させることが「公益」であるとしているため、手数料をとっていませんでした。

## 公社調達額の七割が村内に還流

また、公社が運営する観光宿泊施設の飲食材料の調達は、二〇〇一年頃の時点で年間四〇〇〇万円以上にのぼりましたが、その調達は村内優先・定価買取りとなっており、村内の個人商店や食材供給農家にも公社経営の利益が波及する工夫がなされていました。公社の資料によると、表9－1に示したように、二〇〇一年度の公社経費二億八〇〇〇万円のうち七割にあたる約二億円が村内の企業や農家、住民に環流していました。一世帯当り約二二万円という金額であり、かなりの効果です。

表9－1　栄村振興公社の経費別村内調達率（2001年度）

| | 調達額（万円） | 村内調達率（%） |
|---|---|---|
| 消耗品 | 93 | 42 |
| 飲食材料費 | 4,279 | 45 |
| 売店材料費 | 3,418 | 54 |
| 光熱水料費 | 3,254 | 45 |
| 租税公課費 | 61 | 100 |
| 人件費 | 11,365 | 100 |
| その他 | 4,801 | 57 |
| 計 | 28,331 | 70 |

資料：栄村振興公社。

当時の栄村には、毎年二〇万人を超える観光客が訪れていました。その多くは、大自然に恵まれた秘境・秋山郷を訪れる夏場の観光客であり、スキー場開設後は冬場の観光客も増加しました。これらの観光客の多くは、大都市の住民であり、栄村の自然と村の低農薬農産物を食材にした地元料理を楽しみにやってきていたのです。宿泊施設としては、公社が直営している施設とは別に民間旅館、民宿もありますが、公社は民間宿泊施設を圧迫しないように相互連携を図っていました。こうして観光客が村で消費する支出が、村内の経済主体や住民に循環していったわけです。

さらに、栄村は、公社を通して、大都市部に確かな交流組織をつくりました。単なる経済的な顧客という範囲を超えて、都市の人々と栄村の住民との人間的な交流が組織されていったのです。二〇〇〇年代初頭時点で、交流組織は七団体あり、地名が同じ横浜市栄区の住民などと継続的な交流活動を行っていました。栄村の場合、集落単位の村づくりや伝統的祭事と結びつけた小イベントを年間通して多数実施しているところに特徴がありました。それだけでなく、山路智恵の絵手紙展や、創作木彫家しまずよしのりの創作展など、全国的にアピールできる文化イベントを行い、村民の文化活動を刺激するとともに、マスコミを使った情報発信を積極的に行いました。このような村の「応援団」が存在していることも、由布院と同じです。

公社の地域マーケティングのターゲットは、明確に首都圏の都市住民に絞られ、そのニーズを摑むために東京都内にアンテナショップを設けたり、先端的な食品加工技術を習得するために若手職員を都内理系大学に派遣したりするなど、大都市の市場やエネルギー・技術を利用した地域づくりを意識的に追求したことも重要な点です。

このような取り組みを中心的に行っている振興公社は、経営的には単年度赤字でしたが、前述した若者を中心とした直接雇用のほか、農林産物加工組織や調達先商店などを含むかなりの間接雇用を生み出したといえます。

## 公社を中心にした地域内産業連関の構築と「内部循環型経済」

　以上のように、高橋村政下の栄村では、地域産業の再構築の主体として、村と第三セクターが極めて重要な役割を発揮していました。しかし、それは決して住民に対して一方的に押しつけるやり方ではなく、集落の自治組織や生産組合の創意を生かし、その活動を、製品の全量買い取りや地域マーケティングなどの具体的支援策によって促していたところが注目されます。また、観光部門で得た収益を、若年層の雇用や、あるいは村内農産物の全量買い取り、伝統文化の継承といった公益事業に再投資し、高齢者の知恵と力を生かしながら村のバランスある発展を追求していたことも学ぶべき点です。これにより、公社を中心とした経済発展の利益が、地域づくりに参加している村内の集落や生産組織に環流し、地域住民の生活向上に直結する仕組み、すなわち高橋村長がいうところの「内部循環型経済」が形成されていったといえます。

　さらに、産業再構築の仕方としては、村にしかない個性的な自然資源や高齢者の人的資源を活用して、農林業を基盤にした地域産業連関と、担い手の世代的連関とを、公社が軸になって創り出し、村内において地域産業のネットワークを形成していったことも教訓的です。もともと農林業の直接的生産物は、最終消費にいたる川下部門において付加価値をつけやすい商品です。その加工、販売部門が地域内にあれば、素材としての農林産物の販売よりもはるかに大きな付加価値が地域内に環流することは明らかです。

## 3　産業と福祉とをつなぐ地域づくり

### 福祉政策と産業振興施策のリンケージ

栄村の地域づくりを見てきて感心したのは、田直し事業に代表される農業基盤整備事業にしろ、第三セクターの公社を軸にした地域産業の振興にしろ、個別領域の産業政策にとどまっておらず、住民の生活の質の向上、あるいは高橋村長のいう「一人ひとりの住民が輝く」ことと明確に結びつけられていた点です。

従来、国が展開してきた地域開発政策の考え方は、まず産業開発政策があり、その利益が次第に住民に「トリクルダウン」する（したたり落ちる）だろうというものでしたが、結局失敗の連続でした。これに対して、栄村では、住民生活の質の向上を直接的な目的におき、しかも産業振興政策と福祉政策を「リンケージ」（結合）する工夫がなされていたのです。栄村では、高齢化が進行しているため、高齢者に視点をおいた地域づくりを独自に追求する必要に迫られていたともいえます。すでに述べたように、栄村では、産業振興策として、菌たけ類や軽量野菜などの高齢者でも生産可能な品目を奨励したり、高齢者でも投資決断がしやすい短期低負担の田直し事業を村単独事業で実施したり、あるいは「ネコつぐら」や雑穀生産、伝統食、伝承祭事など高齢者が身につけている技能・技術を、村づくりの重要な分野として積極的に位置づけていました。産業の振興にとって、高齢者のもつ技能や知恵が欠かせないものとなっていたのです。

## 一人当り老人医療費の少なさと「げたばきヘルパー」

「生涯現役」として元気に活躍している高齢者が多いために、栄村の高齢者は一般的に健康であるといわれています。長野県は、一人当り老人医療費が全国最低であることで有名ですが、なかでも、栄村は高齢化率が県内で上位に位置するにもかかわらず、全国市町村の単純比較ができる最後の年である二〇〇七年時点をとると、図9－2のようになっていました。全国平均の八六万九六〇四円はもとより、長野県平均の七一万五五六四円を下回る、六三万七五九八円にとどまっていたのです。日本で最も一人当たり課税所得が多い東京都港区の場合、八八万六七九五円でした。この差は、医療へのアクセス機会が少ないからではありません。実は、長野県で戦後、厚生連佐久総合病院から広がった在宅医療、予防医学の普及の結果であり、近年では在宅医療・在宅介護サービスの効果の現れともいえます(7)。

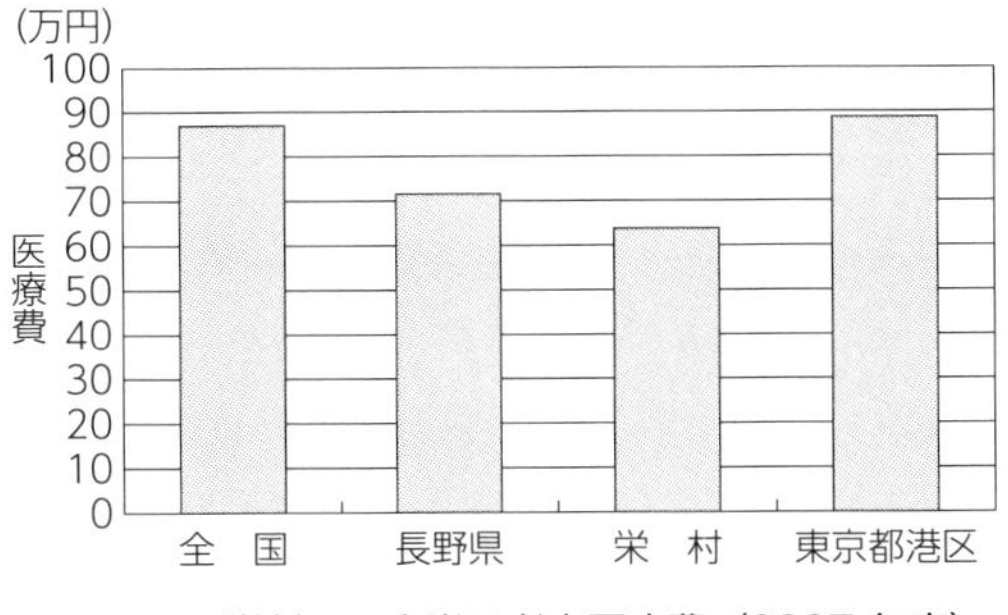


図9－2　栄村の一人当り老人医療費（2007年度）

資料：厚生労働省「老人医療事業報告」2007年度版から作成。

栄村でも村の診療所を中心に在宅医療・在宅介護サービスを広げていきました。二〇〇〇年度からの介護保険制度の開始とともに、積雪期も高齢者が安心して生活できるように集落ベースでの

「げたばきヘルプ」制度を新たに発足させました。集落が点在し、積雪期間が長い栄村には、民間の介護サービス会社は進出するはずもなく、村の社会福祉協議会が唯一の介護事業者となっており、当初、なんと一二〇名の住民が資格を取得して「げたばきヘルパー」として登録したのです。仕事の行き帰りに面倒をみたり、二四時間対応できるために、ヘルパー側から見ても、利用者から見ても都合のいい方法だといえます。また、保険者が介護保険サービスを安心して受けられるように、保険料を県内最低の二〇〇〇円以下に設定しました。ともあれ、高齢化とともに、多様な福祉サービスが増えてきていますが、そのサービスに必要な雇用の機会も同時に生み出しているのです。そこで働く若者も増えることになります。

## 年金経済とつなぐ

高齢化の中で無視してはならないのが、高齢者が受け取る年金とその支出です。年金制度自体はかなり問題があり、その給付額も低レベルで、生活することができない高齢者が多くいます。その改善が必要であることを前提にして、ここで注目したいのは、地域内再投資力や地域内経済循環に占める、当該地域における年金支出の役割です。私が調査した一九九九年度に栄村で支払われた国民年金総額は約五億円に達していました。厚生年金や共済年金支給額を合わせるとおそらく一〇億円を下らない金額になります。同じ年の栄村の小売業年間販売額は約一二億円ですので、ほぼそれに匹敵する規模でした。ちなみに、同年の製造業粗付加価値額は五億八〇〇〇万円、農業粗生産額は一六億六〇〇〇万円、村の一般会計歳出総額が三四億五〇〇〇万円ですので、年金経済がいかに大きな比重を占めていたかがわかります。

高齢者の日々の生活の基本部分は、この年金の支出によってまかなわれているわけですから、年金経済の域内循環如何によって村の小売業やサービス業の持続性が定まるといえます。これらの年金をいかに村内に循環させて、地域内に雇用や所得を生み出していくかが、高齢化社会における地域経済の持続的発展を考えるうえで、日本のあらゆる地域で重要な課題となっているといえます。その意味で、小泉構造改革時の「三位一体の改革」の際にも、高齢者向けの各種補助金を維持し、村内での消費を奨励した栄村は、高齢化時代における地域づくりの先進地であったといえます。

## 村民の利益のために税金を使う

当時の栄村では、高齢者福祉に限らず、直接村民の利益につながるように、税金が有効に使われていました。とくに、広大な土地に、三一の集落が散在していることから、交通や上下水道の問題が、高齢者だけでなく若い住民にとっても生活をするうえで大きな問題でした。

村では、一九八〇年代半ばに、立地上の問題で路線バスが通らない一部の集落を除くほぼすべての集落に、村営バスを走らせるとともに、越後湯沢駅から中心集落の森までをつなぐ民営バスに補助金を交付して、住民の足を確保しました。このほか栄村では、通学補助制度や心身障害者のハイヤー利用料金補助制度も設けていました。

一方、村民からトイレの水洗化に対する要望も強くだされたために、村はまず中心集落の森地区に農水省の補助事業である農村集落排水事業を導入します。しかし、同事業方式を集落全体に拡大しようとするならば、工事にともなう住民や村の負担が莫大なものになるため、他の地区については負担が大幅に軽減できる合併浄化槽方式を取り入れることにしました。しかも、その際、栄村らしいのは、浄化槽の設置と管理にあたって、村の一一の関連業者が共同して設立した「有限会社・環境さかえ」に委託する方式をとったことです。これによって、補助事業であれば、村外の大手業者が受注することになってしまう下水道事業の建設・維持管理費が村の業者に環流することが可能となったのです。

このほか、栄村では、国民健康保険税や保育料、介護保険料、水道料金など各種税金、負担金・料金を周辺市町村の最低水準に抑える一方で、出産祝金、特定疾患激励金、長期療養者見舞金、寝たきり老人見舞金、老人長期入院見舞金のほか、在宅介護者に対する家庭介護者慰労金、学校給食補助（伝統食は割増）等を、村の独自施策として実施していったのです。

## 4　地域内再投資力と地域住民主権

### 地域内再投資力と地域内経済循環の形成

以上のような栄村での地域づくりの実践は、過疎化が深刻な中山間条件不利地域における地域再生にとって大いに参考になるものです。加えて、大都市部も含めて、住民の生活の向上や地域産業の持続的発展のために自治体はいかにあるべきかについて深い示唆を与えているといえます。

栄村の地域づくりを、今後の中山間地域の地域政策のあるべき姿と結びつけて一般化するならば、次のようにいえるのではないでしょうか。第一に、地域産業政策は、狭い意味での「産業立地」政策に留ってはならず、何よりも、住民の生活の向上や地域環境の保全と結びついた本来の意味での地域政策の一環でなければなりません。第二に、そのような地域産業政策は、インフラ整備だけに留まってはならず、地域内再投資力を強め、個々バラバラに分断されている地域内の諸産業の連関を強め、産業の発展が生活の向上や環境の保全と結びついたものにしなければなりません。第三に、その場合、基本に置かれるべきは、民力の形成であり、農林業や非農林業の経営体や担い手による地域産業づくりの運動です。行政の政策的関与は、これらの地域産業づくりの運動を、その到達段階と地域の特性に即して、支援するものでなければならないと思います。

## 「実践的住民自治」と「公と私の協働」―地域住民主権の発揮―

もっとも、栄村の地域づくりを右のように政策論のみで一般化してしまうと、決定的なところを見落としてしまう危険があります。それは、「実践的住民自治」の存在です。すでに指摘してきたように、高橋村政の第一の特徴は、住民自治を徹底的に重視し、住民生活の向上を最優先したところにあります。この考え方に基づいて、開発にあたっては、外部資本に頼ることを避け、できるだけ地元の住民の知恵と力で地域づくりを行ってきたといえます。

このような村行政の姿勢を支えているのは、村内にある地域づくり諸主体の活発な取り組みにありました。村内の三一集落の六割以上に地域づくりの自主的な組織がありました。また、農業委員会や商工会などでの女性の進出、活躍もめざましく、農業委員会では毎回の会議で、農地転用などのルーティン事項だけではなく、必ず村づくり全体をめぐる問題を討議していました。田直し事業が発案されたのも、農業委員会での議論からです。議会も活発で、さまざまな施策の提案も村会議員から出されたものです。栄村議会の「議会報」は、当時、議会事務局ではなく議員が発行委員会をつくって自ら編集・執筆して出していました。

栄村の独創的な地域づくりの施策群は、決して村長一人の手で生み出されているわけではなく、このような議会内外の住民の要求や施策提案が具体化していたのです。村役場のなかでの施策決定も、透明なものにされていました。総合振興計画の策定にあたっては、集落単位での住民懇談会の積み上げを重視して、コンサルタントまかせにせず、手づくりで丁寧に行われました。また、予算策定では管理職査定などをせず全職員による直接提案方式を採用し、村民の意向を重視した創造的施策づくりと、村職員の行政能力の向上を図りました。高橋村長の行政運営の優れているところは、いわゆるワンマン的なリーダーシップをとっているのではなく、以上のような住民や議員、職員の声をできるだけていねいに吸い上げ、議論しながら、政策として具体化し村民とともに実践したところにあったといえます。

高橋村長は、このような民主的な行政運営に心がけるとともに、村民の集落単位での自主的な自治活動との「協働」につとめました。すなわち、田直し事業にしろ、道直し事業にしろ、げたばきヘルパーにしろ、住民が集落単位で自己決定し、自ら活動することを大前提にした事業です。いわば村＝「公」と住民＝「私」が、「協働」してはじめてできる事業であり、その利益は村民のものになります。これは、「地方分権」論のなかでいわれている「住民参加」よりもはるかに質の高い自治行為であるといえます。それは、私の言葉でいえば、地域住民主権、すなわち「地域のことは地域の住民自身が決定し、自ら実践していく」活動です。行政は、このような住民の活動を支援する役割に徹すべきであり、住民の方は「行政にやってもらう」という受け身の姿勢ではなく主権者としての自立性と実践が求められているといえるでしょう。

栄村を見ていると、小規模自治体だから十分な行政能力はないという見方は根本的に誤りであることがわかります。むしろ、少ない人口だからこそ、「小さいからこそ」村長を中心にして、地域の特性と住民の要望を生かした効果的な地域づくりが実践できることがわかります。

### 三・一二震災後の栄村

二〇一一年三月一一日の東日本大震災の翌日、三月一二日に震度六の直下型地震が、なんと栄村を襲います。この揺れによって七割の建物が全壊や半壊等の被害を受けます。鉄道や道路、田畑も破壊される大きな被害でしたが、幸い、この時に亡くなった人はいませんでした。

集落単位で助け合いながら避難し、地震発生後一時間半で、村民全員の安否を確認することができました。日頃の、地域づくり、助け合いだけでなく、村役場があったことが災害時の底力になったといえます。

二〇〇八年に引退した高橋彦芳村長に代わった島田茂樹村長は、高橋村政の村づくりの理念を引き継いでおり、それをもとに復旧・復興にあたりました。とくに注目したいのは、二〇一二年一二月の時点で、復興公営住宅が完成し、被災者が入居できる状態になったことです。東日本大震災の被災地では、大規模復興公営住宅や高台移転にこだわったために、被災後五年経っても、復興公営住宅の建設は遅々として進んでいなかったことと比べると大きな差が現れたのです。栄村では、高齢者が孤立しないように、集合住宅に集約するのではなく、知人・隣人が多い集落内に木造の復興公営住宅を建設して、コミュニティを重視した再建を行いました。

ただ、避難生活中に、高齢者や除雪事故で三人の住民が震災関連死するという哀しい事態も経験します。さらに、高齢化が進んでいた栄村では、住宅の再建をあきらめ、他出する人も増えていきました。震災前の二〇一〇年時点の人口は二三四八人でしたが、二〇一九年には一八二八人と、五〇〇人以上も減少してしまいました。一九年の高齢化率も五〇・九％に達しました。

地震の痛手が大きくなるなかで、二〇一六年の村長選挙では、中央とのパイプの太さを強調し、これまでの村政の転換を訴える森川浩市が当選します。森川村政の下では、国が主唱した公共サービスの市場化政策を積極的に導入し、栄村振興公社の解体がなされました。公社が経営していた宿泊施設等は、民間企業に委託されてしまいました。また、震災によって農業施設等に痛手を受けた農家の廃業も続き、地域産業と地域社会の持続が困難な状況に追い込まれていきます。

優れた地域づくりの実践があったとしても、それが当該地域で継続される保障はありません。大規模災害や国の農業・産業政策のあり方、そして自治体の首長の姿勢によって大きく左右されるということも、この間の栄村の歴史から学ぶことができます。

二〇二〇年四月に村長選挙が行われました。現職の森川村長を大差で突き放して当選したのは、宮川幹雄・前教育長でした。宮川新村長は、高橋・島田村政の下で職員として地域づくりに取り組んできた経歴の持ち主です。適正・公正な行財政運営、地域の農林業の振興、思いやりのある医療・福祉政策の充実等を訴えての当選でした。今後の栄村の動向に注目です。

## 5　小さいからこそ輝く自治体の広がり

### 個性輝く「小さな自治体」の広がり

一方、栄村で生まれた「小さくても輝く自治体フォーラム」は、市町村合併推進政策が二〇〇九年に終了したのちも、毎年開催され、次第に地域づくりの交流、学びの場としての色彩を濃くしていきました。栄村をはじめとして、地域の資源を生かした、その自治体ならではの地域づくりが、住民が主体となって広がっていきました。

例えば、山林資源を活用した地域づくりの例としては、高知県馬路村や徳島県上勝町の取り組みがあります。馬路村は、高知県の東部にある人口八五〇人近くの山村です。村の九六％が山林、しかもほとんどが国有林という状況のなかで、営林署の統廃合・縮小が進み、村の存続をかけて、農協が中心となって「ゆず」の栽培と加工による村づくりを行ってきました。村公認飲料とされた「ごっくん馬路村」がヒットし、「ゆず酢」などの加工品が次々と開発され、村の人々の雇用と所得を支えていくことになりました。

さらに、馬路村は、二〇〇〇年に第三セクターの株式会社「エコアス馬路村」を設立します。もともと、馬路村は、「銘木・魚梁瀬杉（ヤナセスギ）」の産地でした。この山の資源をまるごと生かすためにつくられた会社です。社名は「明日はきっとエコロジー、いつか生態系循環の永遠の森につながるように」というポリシーに由来しています。「森を育てる」「森を集める」「森を加工する」「森を販売する」をスローガンに、森の資源をまるごと循環させることで、「守る」から「攻める」姿勢に立って、永遠の森づくりをめざしています。同社の製造するスギの間伐材を活用したバッグや団扇、おもちゃ、食器などは、デザイン的にも優れていることから欧米にも輸出、オンラインショッピングにも力を入れ、新たな地域産業の拠点となっています(8)。

徳島県上勝町も、山林面積が八六％を占める人口約一五〇〇人の小さな町です。高齢化率は五三％近くですが、かつてはみかんと林業で栄えた町でした。一九八〇年代に、貿易自由化の荒波と冷害のなかで、みかんも林業も大きく衰退してしまいました。高齢者の生活を支える産業として、農協の職員であった横石知二が中心になって試行錯誤し、たどりついたのが山の資源である「葉っぱ」を生かした事業でした。料理の「つまもの」として、多くの高齢者が収穫し、調製した「葉っぱ」が、どんどん出荷されるようになったのです。町も出資して一九九九年に設立された第三セクターの株式会社「いろどり」は、今では二億六〇〇〇万円の売上げを記録し、村の高齢者の所得源となっているだけでなく、かけがえのない生きがいの手段となっています。しかも、上勝町では、お金を儲ければいいという考え方ではなく、日本一美しい村をつくり、未来の子どもたちに、きれいな水、山を残し、地球環境問題にも貢献することをめざし、「ゼロ・ウェイスト政策」（ゴミ・ゼロ政策）や木質バイオマスの活用も進めています。(9)

これらの町や村では、自治体と農協、住民が一体となって、住民一人ひとりの生活が成り立つように、農山村のもつ地域資源を有効に活用しながら、しかも地球環境問題に対する取り組みとして意気高く地域づくりに取り組んでいることがわかります。

このほか、照葉樹林の保護運動から始まり公民館を中心にした「一戸一品」運動で全国に先駆けて有機農業を展開し、人口も増やしていった宮崎県綾町や、県産材を活かした学校、保育園の建設を行ったうえ地元材を木質ペレット化し、それを公共施設中心に燃料として活用し、灰を土に返すユニークな政策を展開している岩手県紫波町の試みも注目されます。いずれの地域でも、住民が主体的に、安全で美味しい農産物づくりや、森林エネルギーの活用だけでなく、自ら地球環境問題に積極的に貢献している点で、現代の日本と世界の危機的状況を打ち破る先進的な取り組みとして高く評価されます。

## 人口減少に抗して

以上のように、長野県栄村や宮崎県綾町、徳島県上勝町、高知県馬路村などに代表されるように、合併を選択しなかった小規模自治体ほど、住民一人ひとりの命と暮らしに視点をおいたきめ細かな地域づくり、有機農業や森林エネルギーの活用、地球環境問題への取り組みが可能になることが明らかとなっています。いずれも、現場の声を基に自治体と住民、企業、農家、協同組合が共同して創造的かつ総合的な地域政策を積み上げてきた結果であり、「地方創生」のトップダウン的な政策手法とは正反対です。

これらの小規模自治体の合計特殊出生率は東京都をはるかに超え、隠岐の島にある島根県海士町や綾町、北海道東川町などでは人口を増やしているのです。また、この間、合計特殊出生率が全国で最も高かったのは、岡山県奈義町でした。同町からは、ほぼ毎年、町長と全議員がフォーラムに参加し、全国の自治体の取り組みから学び、種々の定住政策とあわせて子育てがしやすい町をつくるために青年の住宅や仕事を保障する施策も工夫し、住民と協同しながら展開してきています[10]。

ここで紹介したいのは、人口増加までには至っていないものの、国の人口シミュレーションが大きく外れた事例です。前述した「増田レポート」の発表直後に開かれた「小さくても輝く自治体フォーラム」の集会で、宮崎県西米良村の黒木定藏村長のお話を聞きました。

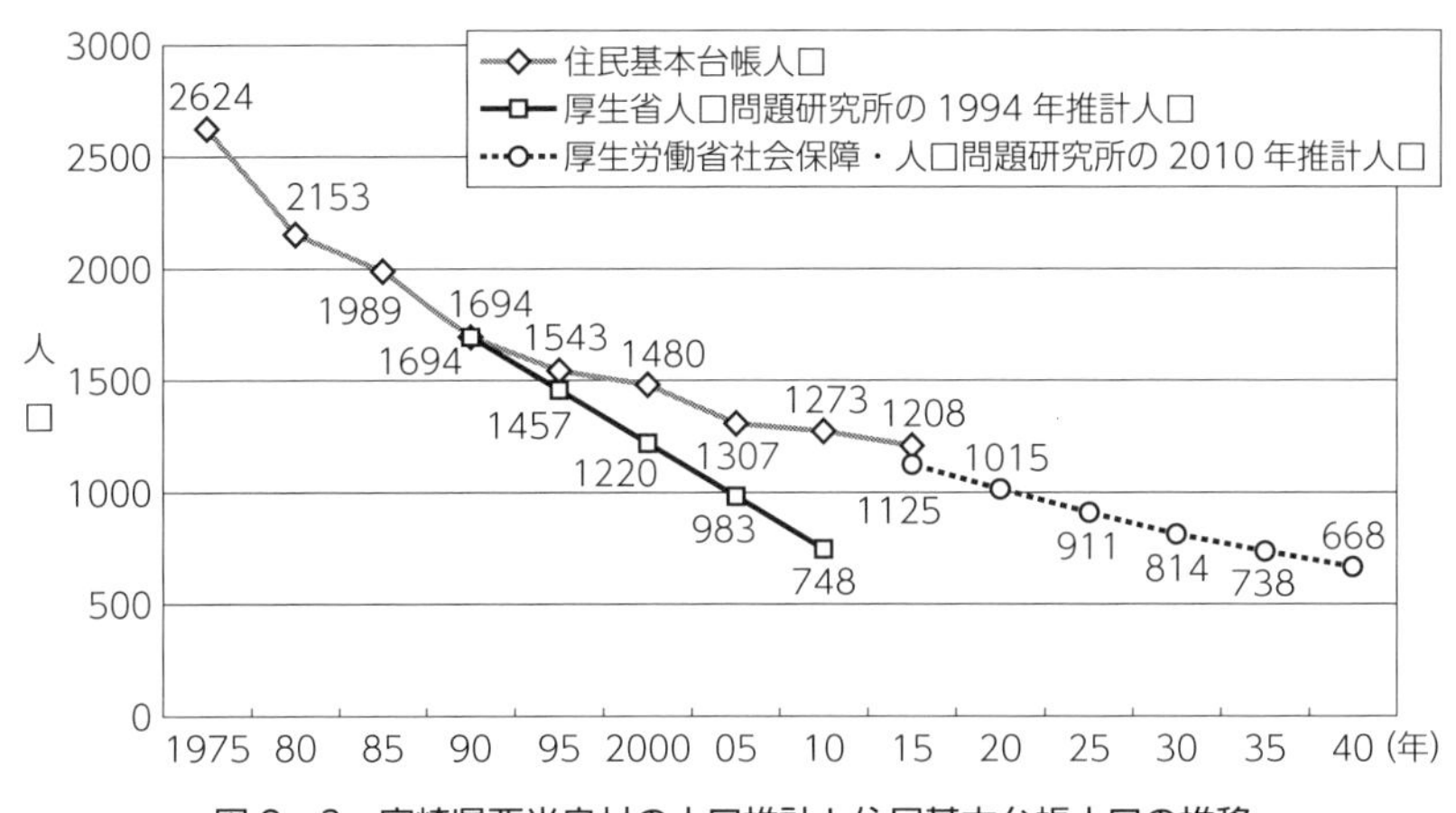


**図９－３　宮崎県西米良村の人口推計と住民基本台帳人口の推移**

資料：日本地域経済学会第28回宮崎大会（2016年）地域公開シンポジウムでの黒木貞蔵西米良村長報告資料。

西米良村は宮崎空港から車で約三時間かかる山村です。焼畑農業で有名なところです。黒木村長は、「かつて厚生省人口問題研究所が発表した村の将来推計人口は、二〇一〇年に七四八人になるとされていました。けれども二〇一三年四月時点の人口は一二四九人です」と発言したのです。これは、統計の誤差では説明できない、大きな差です（**図９－３**）。

実は、「増田レポート」のシミュレーションでは、地域づくりの主体的要因、人々の努力を完全に無視しています。西米良村ではオーストラリアに学んでブルーベリー等の収穫期である夏休みに若い人に都会から来て貰って、コテージに住みながら賃仕事をしてもらう「西米良型ワーキングホリデー事業」を、一九九八年以来取り組んできました。その結果、定住者が生まれ、結婚して子どもができるカップルが生まれます。ちなみに、総務省が、国として「ふるさとワーキングホリデー」を始めるのは、二〇一六年度のことでした。小さな自治体でも、国よりもはるかに早く、先見的な施策を創出できるのです。

さらに、西米良村では、若い人たちや子どもと交流したお年寄りが元気になり、村づくりに一層積極的に参加するようになってきています。村の子育て、高齢者福祉・医療政策も充実し、高齢者が今までよりも村を離れなくなっていきました。人口の社会減が減り、社会増がやや増え、人口が自然増加していく。その結果が、先ほどのシミュレーションと実勢値との大きな差に現れたのです。

西米良村の取り組みは、地域づくりの主体的努力が大事だということを教えてくれています。しかも黒木村長は「自分たちは数値目標を掲げて人口何人を実現しようということは一切考えて来なかった。ブータン国王のように、住民の幸福度（しあわせど）をいかに高めるかということで住民の皆さんと智恵を出し合って、村と住民がいっしょになって取り組んで来た結果です」と言いきりました。これこそが地方自治の原点ではないかと思います。

たまたま全国市長会が「増田レポート」の一年後に興味深い調査結果を出しています。同会が、合計特殊出生率の高いトップ三〇自治体の担当者にアンケートをしたところ、最大の要因としてあげた回答がほぼ同じで、「コミュニティが充実しているから」というものでした[11]。決して企業誘致をしたとか、大型プロジェクトをやったとか、ということではありませんでした。

地域社会が安定的だから安心して結婚し、そこで子どもを作り育てていく、そして老いていくことができるのです。これができていれば、特殊出生率も高いわけです。したがって、若年層を中心とした就業機会の確保、最低賃金・所得の向上と生活の安定がなによりも必要だといえます。

さらに、小規模自治体の優れた地域づくりを見ると、団体自治と住民自治が結合してはじめて、地域づくりがすすむことがわかります。まさに「小さいからこそ輝く」のであり、これが地方自治の原点であるといえます。とりわけ注目されるのは、これらの小規模自治体では、共通して社会教育活動が活発であり、住民が主権者として地域づくりに参加している点です。(12) この論点については、改めて第12章でとり上げてみたいと思います。

**注**

(1) 日本創成会議・人口減少問題検討分科会「消滅する市町村全五二三リスト」『中央公論』二〇一四年六月号。
(2) 増田寛也編著『地方消滅―一極集中が招く人口急減―』中公新書、二〇一四年。
(3) 岡田知弘『「自治体消滅」論を超えて』自治体研究社、二〇一四年、小田切徳美『農山村は消滅しない』岩波新書、二〇一四年など、参照。
(4) 総務省ホームページ、https://www.soumu.go.jp/main_content/000562327.pdf、参照。
(5) 全国小さくても輝く自治体フォーラムの会・自治体問題研究所編『小さい自治体　輝く自治―「平成の大合併」と「フォーラムの会」―』自治体研究社、二〇一四年。
(6) 以下の栄村についての記述は、高橋彦芳・岡田知弘『自立をめざす村―一人ひとりが輝く暮らしへの提案長野県栄村―』自治体研究社、二〇〇二年の岡田執筆分を再編したものである。栄村の取り組みについては、矢口義男「長野県栄村の村興しへの取り組みをみる」『農林経済』一九九五年九月、広瀬進「農業を基本に中山間地で村おこし」『前衛』一九九五年一〇月、稲沢潤子『山村で楽しく生きる―栄村・四季の暮らしと村政と―』本の泉社、一九九六年、長野県地方自治研究センター・栄村『明日の栄村』一九九八年二月、高橋彦芳『田舎村長人生記―栄村の四季とともに―』本の泉社、二〇〇三年、高橋彦芳『田直し、道直しからの村づくり―実践的住民自治をめざす栄村の挑戦―』自治体研究社、二〇〇八年、参照。
（7）この点については、色平哲郎『大往生の条件』角川新書、二〇〇三年、参照。
（8）上治堂司・竹下登志成『ゆずと森をとどける村 馬路村』自治体研究社、二〇〇七年、参照。
（9）笠松和市・中嶋信『山村の未来に挑む―上勝町が考える地域の活かしかた―』自治体研究社、二〇〇七年、参照。
（10）岡田知弘監修『しりたいな全国のまちづくり2　少子高齢化とまちづくり』かもがわ出版、二〇二〇年、参照。
（11）全国市長会少子化対策・子育て支援に関する研究会「人口減少に立ち向かう都市自治体と国の支援のあり方【報告書】」二〇一五年五月二六日。
（12）『社会教育・生涯学習研究所年報』第一三・一四号、二〇一九年、の特集論文を参照。

# 第10章　都市の「空洞化」とまちづくり

## 1　都市部での産業空洞化とコミュニティの衰退

### 都市部での地域内再投資力を考える

前章まで、農村部の人口規模の小さな町村での地域づくりについて述べてきました。そこでは、「平成の大合併」までは、概ね住民の生活領域と基礎自治体の範囲がほぼ重なっており、住民と地方自治体の政策との関係が大変わかりやすい形で存在していました。

これに対して、住民の生活領域と基礎自治体の範囲が大きくずれている場合は、どうなるのか、あるいはどうするのか、という疑問が当然わいてくるかと思います。例えば、大規模な政令指定都市の場合、住民の生活領域をはるかに超えた面積に七〇万人以上の人口を抱えた基礎自治体です。とくに「平成の大合併」で急増した政令指定都市や、人口二〇万人以上の中核市の場合、そう簡単に地域住民主権を発揮できそうにもありません。また、大都市近郊で住宅団地が作られた衛星都市のように、住民の通勤圏よりも狭い範囲の基礎自治体もあります。

このような都市部におけるまちづくりを考える際にも、私は住民の生活領域を単位としてまちづくりを考えることが非常に重要になっているのではないかと考えています。とりわけ、高齢化の波は、過疎自治体だけでなく、大都市内部の下町地域にも広がっており、狭い範囲での生活がなりたつ仕組みをつくりだすことが必要だからです。

例えば、京都市の東山区では高齢化率が三三％近くに達しており（二〇一五年）、生活範囲が限られた後期高齢者が将来的に急増していくと考えられます。そうなると、一五〇万人近くの人口を抱えた京都市という基礎自治体の範囲は自治組織として大きすぎることになります。

現在は、東京都を除いて、区という行政組織には独自の行財政権限は認められていません。けれども、これからは東京都以外の政令市や中核市などの大規模都市には、このような地域自治組織が必要不可欠になってくると考えられます（詳細は、第12章で述べたいと思います）。実際、東京都の墨田区や世田谷区では、特別区制度独自の自治権（区長及び区議会議員の設置と住民による選挙権、一定の行財政権限）を生かして、地域に根ざした地域づくりを、行政と民間企業がタイアップしながら、ある程度実現してきています。

大都市の経済は、複雑に入り組んだ分業と協業によって成り立っていますが、経済活動が住民の生活を支えているという点では、農村と変わりません。この経済活動が衰退すれば、住民の生活も不安定化します。「都市再生」が声高にいわれ、公共投資も一見、大都市に集中しつつありますが、それは再開発プロジェクトが行われている都心、あるいは副都心など、ごく一部の地域にしか過ぎません。それ以外の中小工場地帯や近隣商店街は、経済のグローバル化の中で産業空洞化が進み、地域コミュニティの崩壊が進行している状況にあります。本章では、その状況を確認したうえで、このような大都市で行われている地域内再投資力形成の試みを紹介していきたいと思います。

## 東京二三区と大阪市の実体経済の動き

まず、表10-1で、二〇〇八年のリーマンショック後の二〇〇九年から一六年にかけての東京二三区と大阪市の実体経済の動向を見てみましょう。すでに、東京都内への経済的富の集中が進行している事態については、紹介しました。けれども、地域内再投資力の担い手である事業所数及び、再投資力を測るための指標の一つである従業者数の動向を見ると、人々が生活するための実体経済は厳しいものがあります。

東京二三区でも、この間に事業所数が一割、五万八〇〇〇件減少しているだけでなく、従業者数も二%、一四万五〇〇〇人減少しています。とりわけ、製造業の従業者数が二九万人以上、率にすると四割近く減少していることが目立ちます。ただし、東京二三区では従業者数三〇〇人以上を中心に、一〇〇人以上の大規模事業所で事業所数、従業者数ともに増えていることが目立ちます。大企業については蓄積と雇用を拡大していることがわかります。ところが、東京二三区でも、従業者数九九人以下の中小規模事業所数及びそこでの従業者は減少してきているのです。しかも、一〜四人の零細事業所は、事業所数、従業者数とも、七年間に一割を超える減少となっています。

大阪市は、それよりも、もっと厳しい状況にあります。事業所も、従業者数も、総数で見ると東京二三区を上回る減少率となっています。製造業は、東京二三区を下回る減少率であるものの、大きく減らしているうえ、東京二三区では増えていた卸小売業は三万人、五％余りの減少率となっています。「商いの都」の衰退ぶりがうかがえます。また、従業者規模別にみると、事業所数は三〇〇人以上規模で若干増えていますが、他の規模では軒並み減少し、特に一～四人の零細規模では一八・五％の減少となっています。さらに従業者数で見ると、全規模の階層で減少しており、とくに三〇〇人以上規模でも五％余りの減少を記録しているのです。

者数の推移

| 大阪市 | | | |
|---|---|---|---|
| 2009 年 | 2016 年 | 増減数 | 増減率 |
| 208,289 | 179,252 | ▲ 29,037 | -13.9% |
| 22,657 | 16,574 | ▲ 6,083 | -26.8% |
| 56,884 | 49,355 | ▲ 7,529 | -13.2% |
| 31,683 | 26,607 | ▲ 5,076 | -16.0% |
| 120,579 | 98,275 | ▲ 22,304 | -18.5% |
| 73,931 | 67,108 | ▲ 6,823 | -9.2% |
| 10,143 | 10,058 | ▲ 85 | -0.8% |
| 2,276 | 2,121 | ▲ 155 | -6.8% |
| 632 | 641 | 9 | 1.4% |
| 2,364,216 | 2,209,412 | ▲ 154,804 | -6.5% |
| 285,810 | 199,334 | ▲ 86,476 | -30.3% |
| 575,718 | 545,635 | ▲ 30,083 | -5.2% |
| 246,525 | 217,507 | ▲ 29,018 | -11.8% |
| 268,437 | 216,810 | ▲ 51,627 | -19.2% |
| 787,892 | 737,164 | ▲ 50,728 | -6.4% |
| 508,687 | 501,280 | ▲ 7,407 | -1.5% |
| 363,131 | 340,296 | ▲ 22,835 | -6.3% |
| 436,069 | 413,862 | ▲ 22,207 | -5.1% |

## 大阪経済が落ち込んだ要因

大阪経済の落ち込みがどういう原因に基づくものなのか、私なりに五つの要因を考えてみました。第一に、一九八〇年代半ば以降のグローバル化の負の影響が最も大きい、ものづくりを中心とした地域であったことがあげられます。江戸時代以来、上

表10－1　東京23区と大阪市の民営事業所数と従業

| | | | 東京23区 | | | |
|---|---|---|---|---|---|---|
| | | | 2009年 | 2016年 | 増減数 | 増減率 |
| 事業所数 | 産業別 | 全産業 | 552,349 | 494,337 | ▲58,012 | -10.5% |
| | | 製造業 | 51,241 | 36,560 | ▲14,681 | -28.7% |
| | | 卸小売業 | 134,773 | 120,853 | ▲13,920 | -10.3% |
| | | 宿泊業・飲食サービス業 | 78,312 | 71,277 | ▲7,035 | -9.0% |
| | 規模別 | 1～4人 | 302,464 | 261,570 | ▲40,894 | -13.5% |
| | | 5～29人 | 206,612 | 190,552 | ▲16,060 | -7.8% |
| | | 30～99人 | 31,772 | 29,551 | ▲2,221 | -7.0% |
| | | 100～299人 | 7,294 | 7,299 | 5 | 0.1% |
| | | 300人以上 | 2,487 | 2,715 | 228 | 9.2% |
| 従業者数 | 産業別 | 全産業 | 7,695,399 | 7,550,364 | ▲145,035 | -1.9% |
| | | 製造業 | 731,225 | 440,047 | ▲291,178 | -39.8% |
| | | 卸小売業 | 1,608,469 | 1,690,141 | 81,672 | 5.1% |
| | | 宿泊業・飲食サービス業 | 722,723 | 700,884 | ▲21,839 | -3.0% |
| | 規模別 | 1～4人 | 685,009 | 581,263 | ▲103,746 | -15.1% |
| | | 5～29人 | 2,238,661 | 2,105,696 | ▲132,965 | -5.9% |
| | | 30～99人 | 1,581,945 | 1,479,128 | ▲102,817 | -6.5% |
| | | 100～299人 | 1,175,118 | 1,178,326 | 3,208 | 0.3% |
| | | 300人以上 | 2,014,666 | 2,205,951 | 191,285 | 9.5% |

資料：横浜市「大都市比較統計年表」各年版から作成。原資料は、総務省「経済センサス」。

方は、京都を含めて日本のものづくりの中心でした。とりわけ、織物業や紡績工業の発展は、日本の工業化を推し進める原動力の役割を果たし、戦後も基盤的な産業のひとつとなっていました。高度経済成長期以降、重化学工業や電気機械、輸送機械工業が発展し、繊維工業に代わるリーディング産業の地位を占めていました。ところが、経済のグローバル化が進む中で、これらのリーディング産業が大幅に海外に生産を移し、工場を閉鎖あるいは縮小し、下請企業の仕事を奪うことになりました。本格的な産業空洞化が進行したのです。それだけでなくて、地場産業と競合する繊維製品が中国等から大量に輸入され、「中抜き」といわれる流通の「合理化」が進み、繊維産業が製造部門も卸売部門も大崩壊する状況が生まれてしまったのです。

第二に、規制緩和のマイナス効果が最も大きい中小企業、零細企業が集積した地域であったということです。これは京都とも共通していますが、大店法の規制緩和以降、個人商店がかなり減少したうえ、大型店の過当競争のために、京阪神を拠点としていたダイエーなどの大手スーパー資本も次々と経営破たんし、それが取引業者や周辺商店街に与えた影響も少なくありません。

第三に、バブル崩壊の影響がかなり大きかった地域だったことです。バブル期において、東京マネーが流れ込んで、最後に地価が高騰していったのは、京阪神地方でした。その際に、地域金融機関、信用金庫、信用組合などが無理な土地担保金融を行い、バブル崩壊後、不良債権を大きく抱えこんでしまいました。それらの地域金融機関が次々と経営破たんすることによって、「貸し渋り」にあった中小企業・業者が経営に行き詰まることになり、いわゆる二次被害、三次被害が広がっていきました。

これに加えて、かつて大阪を本拠とした大金融資本である住友系や三和系グループが、「金融ビッグバン」によって四大金融グループに大再編されるという事態が生まれました。この結果、大阪にある程度残されていた金融中枢機能や本社機能の、東京への再編統合が加速することになってしまいました。

このことは、図10－1に明確に示されています。この図は、二〇〇〇年三月末から一九年三月末までの国内銀行貸出残高の都道府県別推移を見たものです。この約二〇年間に全国の銀行貸出残高は四二・四兆円の増加をみましたが、その増加分の六四％が東京都に集中しているのです。これに対して、最も落ち込みが大きいのは大阪府のマイナス三五％でした。貸出残高が絶対的に減少している府県数は、東海銀行の本店がなくなった愛知県を含め一三府県にのぼっています。貸出残高の減少は、当該地域経済における地域内再投資力の弱体化を表しているのです。この点を無視して、大阪府と大阪市を統合して「大阪都」を実現することを声高に言ったとしても、大阪経済の構造的弱点を解決することはできないといえます。

第四に、いわゆる大型プロジェクト型開発で、関西の「地盤沈下」を食い止め、何とか「関西の復権」を図ろうとしました。けれども、すでに見たように、関西新空港やりんくうタウンの建設、あるいは関西学研都市の建設などの大規模プロジェクトは、地域経済を発展させることにはつながりませんでした。期待していた企業の立地がうまくいかず、逆に「行政の不良債権」がたまってしまって、全国最悪といわれる地方財政危機に陥ることになってしまいました。二〇〇〇年代後半以降の大阪維新の会による「市場化」政策や行政改革、中小企業支援策の縮減が、大阪市内の中小企業や市民生活にさまざまな行政サービスの後退、あるいは社会的負担の増加という形で影響を及ぼし、地域経済の疲弊が広がってしまうことになっているのです。

第五に、政府のすすめる野放図な「国際化」政策や規制緩和政策に対して、大阪の地域経済は最も影響が出る構造を有していたにもかかわらず、大阪府や大阪市の自治体産業政策が大阪の産業的

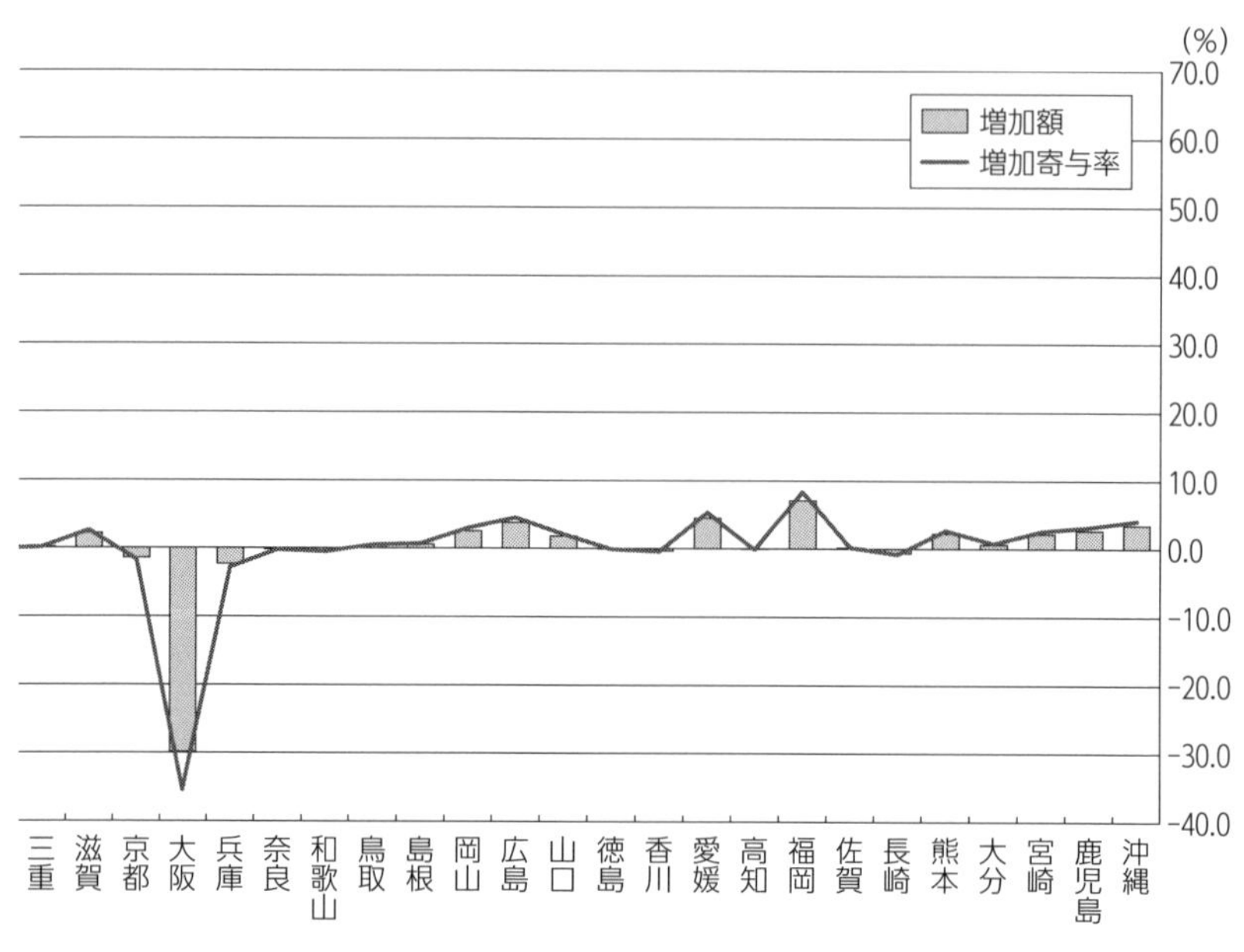


動向（2000年3月末～2019年3月末）

個性にあった独自の地域産業政策を展開してこなかったことも、大きな要因のひとつではないかと考えられます。例えば、繊維関係の産業集積をしっかり生かしながら、新しい新規創業を支援していく、あるいは大型店の規制を独自のまちづくり政策によって行うという産業政策の方向性はとられませんでした。むしろ大規模な公共事業をして企業誘致をすすめればいいという開発政策が、大阪維新の会の主要経済政策である大阪湾岸開発やカジノ、万国博覧会の誘致に見られるように、今も継続しているところに問題があるといえます[1]。

## 東京都内で広がる経済格差・社会的格差

大阪市と比べると、東京都内では大規

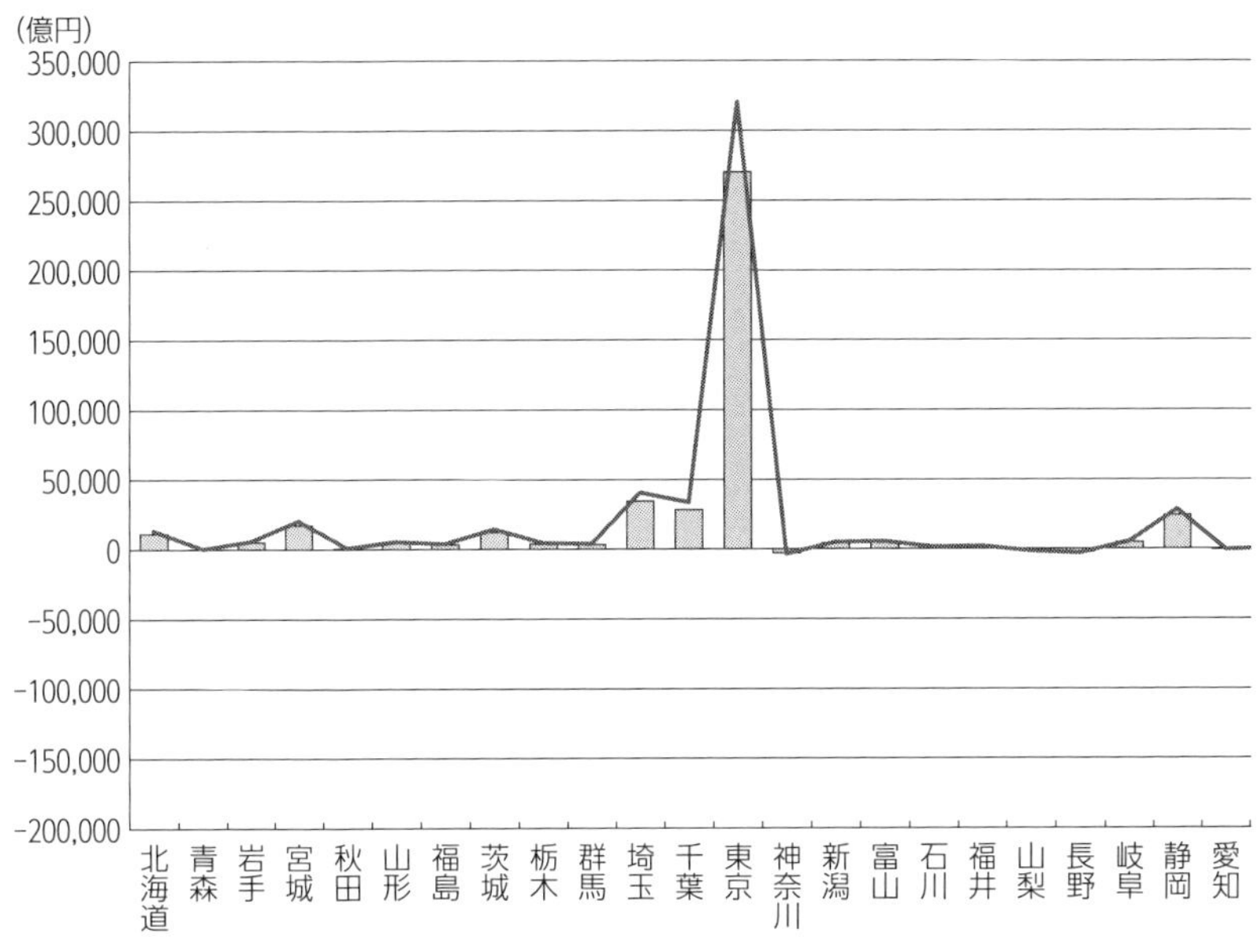


図10－1　国内銀行貸出残高の都道府県別

資料：日本銀行ホームページの統計情報から作成。

模事業所の数と雇用力が増えていることが明確な傾向として現れていました。それは、すでに第6章でも強調した、東京都内への法人所得の移転や東京系企業による地方や海外での工事、商品、サービス受注によるところが大です。とりわけ、第二次安倍政権が発足してから、東京の大規模開発は一層推進されることとなりました。その推進力となったのは、二〇二〇年の東京オリンピック・パラリンピックの誘致でした。二〇一三年九月、安倍首相は、世界が懸念する福島第一原発事故については「アンダーコントロール」されていると演説し、東京へのオリンピック誘致に成功します。

さらに、これを機に国家戦略特区制度を活用して、二〇一四年五月に東京圏を地域指定し、建物の容積率の緩和等の都市再開発や外国人客の誘客を行うための民泊の推進策を講じていきます。東京都も、二〇一四年末に『東京都長期ビジョン』を策定し、都心六プロジェクト（有楽町、兜町、芝浦、三田、虎の門、西新宿再開発）の遂行を掲げました。あわせて、羽田空港の国際化と、成田空港とのアクセス改善、さらに都市高速道路の整備を図りました。これにより、二〇一五年度だけでも、東京都内では二〇階建て以上の高層ビルが四〇棟建設され、拠点開発地域では再び地価が高騰する事態となりました。

このように書くと、東京都内全体が経済的に潤っているかのような印象を受けますが、これは一種の錯覚だといえます。東京都は大きく区分すると、二三の特別区、三多摩地区、さらに小笠原諸島をはじめとする島嶼地域からなっています。本社の業務機能が集中するのは、二三区のうち千代田区や港区、新宿区などの都心部の区です。

しかも、二三区について絞り込むと、図10－2のような明確な経済格差、社会格差が存在しています。この図では、二〇一八年度の住民一人当たりの課税対象所得額の指数を棒グラフに、住民千人当りの生活保護受給者比率（以下、生活保護率）を折線グラフで表現しています。課税対象所得額指数というのは、二三区平均の所得額を一〇〇とした各区の所得額の水準を示しています。これを見ると、港区が二六〇でトップを占め、以下、千代田区の二四六、渋谷区の一九五が続きます。反対に、指数が低いところは足立区の六四、葛飾区の六七、江戸川区の七〇であり、足立区と港区の格差はほぼ四倍に達します。他方、生活保護率は、台東区が最も高く四一・四‰であり、以下、足

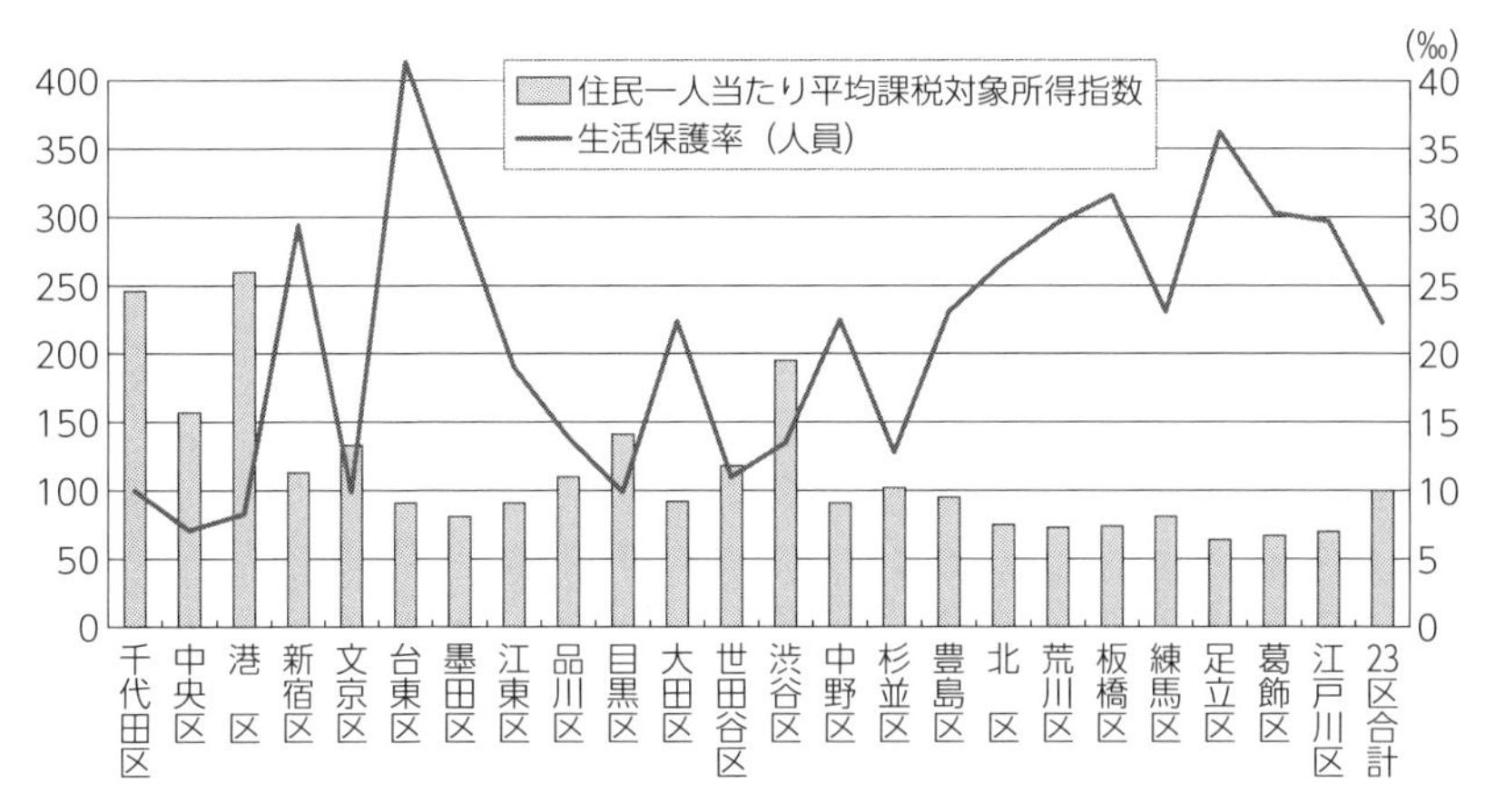


**図10－2　東京都区別の一人当たり課税対象所得指数と生活保護率（人員）**

注：一人当たり課税対象所得指数とは、各区の課税対象所得を2019年1月1日時点での住民基本台帳人口で除したうえで、区平均の課税対象所得を100として計算した指数を示している。

資料：東京都福祉保健局『福祉・衛生　統計年報』平成30年度版、および総務省「平成30年度市町村税課税状況等の調」から作成。

立区の三六・二、板橋区の三一・二が続きます。生活保護認定については、個々の自治体の政策姿勢や生活保護認定の運動力量の差によって違いがでてきますが、概ね二三区における貧困化の程度を推測できる数値だといえます。このように、二三区といえども、その内部に大きな格差と貧困の広がりがあることを見ておく必要があります(2)。

## 生活の場としての都市の持続性があぶない

大都市内部では、戦後復興から高度経済成長期にかけて、都市の商工業を支え、都市経済拡大の基盤をつくってきた年代層が高齢化・引退する時期に、経済のグローバル化、規制緩和の嵐が吹きあれた結果、大変な勢いで都市の産業空洞化が進行しています。

大都市においては、青年の完全失業者や不安定就業者が多数存在する一方で、中小商工業の経営を引き継ぐ後継者数は、大変少なくなっています。商店街がシャッター通り化し、空き地が虫食い的に広がるなかで、景観が崩れるだけでなく、犯罪の温床となり、さらに顧客が遠ざかり、残った商店の経営も困難となる悪循環が大都市部、地方都市を問わず広がっています。

大都市には、農村のようなコミュニティ機能はあまり存在しません。隣人とのつきあいのない一人暮らし高齢者世帯も数多く存在します。ひとたび寝たきりになると、助けも呼べない人々も少なくありません。自治体も、財政や人手がないために、農村のように「お互いの顔がわかる」ような形で、生活を日常的にサポートすることはできず、農村に比べて一人当り医療費も介護費用も多額になる傾向にあります。コミュニティ機能なしには安心して生きていけないのですが、地域におけるコミュニティ機能は前述した産業空洞化のなかで、衰退を余儀なくされているのです。このように、人間の生活の場としての都市の持続的発展は、農村以上に困難な局面を迎えているといってよいかと思います。

はからずも、二〇二〇年に拡大した新型コロナウイルス感染症は、東京都をはじめとする大都市圏、とりわけ首都圏に集中し、ＰＣＲ（Polymerase Chain Reaction、ポリメラーゼ連鎖反応）検査が進まない、医療機関が麻痺するなどの問題が顕在化しました。行き過ぎた東京一極集中の負の側面が露呈したといえます。また、オリンピックの延期による経済的・財政的ダメージがあり、大規模開発依存の経済構造の弱点も浮き彫りになりました。さらに、政府が決めた一人一〇万円の現金給付の運用実態をみると、例えば「小さくても輝く自治体フォーラムの会」に参加している北海道東川町では、町単独事業として地域金融機関と連携して、前倒しで一〇万円給付を開始しましたが、東京都内や政令市のような大都市ほど給付が遅れる傾向にありました[3]。住民の視線から見ると、大規模自治体だからといって行政サービス水準が高いわけではないことも、明らかになっているのです。

## 2　大都市製造業の再生と共同受注の組織化

### 「グローバル国家」論と大都市再生

経済のグローバル化とともに大都市の産業も生活も大きく変わる中で、政府も対策を講じてきています。とりわけ、一九九八年の参議院選挙において、大都市部で敗北を喫した自民党は、「大都市再生」を党の基本方針のひとつとします。大都市に向けた、行政投資を重点的に行うことになるわけですが、それは、すでに述べてきた「グローバル国家」戦略の一環でもありました。

政府は、九六年の「橋本行革ビジョン」以来、「多国籍企業に選んでもらえる国づくり、地域づくり」を目標にしてきました。その多国籍企業の本社機能が立地する箇所に、情報化投資を含む大規模なインフラストラクチャ建設を行い、現代のグローバル競争にふさわしい「二四時間」都市をつくるプロジェクト型開発を推し進めてきているのです[4]。

それは、一九八〇年代後半からの東京の品川、汐留周辺の元国鉄跡地を中心にした大規模再開発ですし、第二次安倍政権下での二〇二〇年オリンピック・パラリンピックの誘致と国家戦略特区制度活用による都内での大規模再開発に象徴されます。

注意したいのは、これらのほとんどが多国籍企業の利益のための業務空間の整備であり、決して大都市の圧倒的多数の住民が住む生活領域への行政投資ではないということです。建設工事も、ゼネコン中心に受注していることはいうまでもありません。

このような大都市再生の方法では、ごく少数の多国籍企業にとっては利益になるかもしれませんが、急速に崩壊する商工業やコミュニティを維持・再生することにはなりません。では、大都市の商工業を再生する方策はないのでしょうか。以下では、その再生の方向を実践的に打開しようとしている試みを紹介したいと思います。

## ナニワ企業団地協同組合の共同受注事業

一九九〇年代以降、製造業が衰退し、産業空洞化問題が深刻化している大阪にあって、地域産業を再構築すべく新たな挑戦を行っている中小企業グループが多数存在しています。これらの中小企業グループの取り組みは、グローバル化がすすむ現代日本において地域の産業と住民生活を維持発展していくうえで、実に多くの示唆に満ちています。以下では、そのグループのひとつであるナニワ企業団地協同組合（以下、ナニワ企業団地と略す）の試みについて述べていきます。[5]

ナニワ企業団地は、大阪市内の西成区と住之江区にまたがる地域にあります。同団地は、かつて「川筋造船」と呼ばれていた木津川河口部の造船所跡地を、住工混在による騒音公害等に悩まされていた中小企業が、一九八〇年に協同組合をつくって自主的に買収、建設したものです。石油ショック後の造船不況によって衰退した同地域の産業を、造船業に代わって再構築しようとしたのは二六〇社近くの中小企業だったのです。同団地を造成するにあたって、協同組合は公的資金に頼ることなく、民間銀行から融資を受け、自力でつくり上げてきました。都合、四次にわたって団地を造成し、二〇一九年時点で合計約九万六〇〇〇㎡の団地に二五〇社近くの中小企業が協同組合を組織して立地しています。

注目したいのは、ナニワ企業団地は、工業のみに特化した「工業団地」ではなく、異業種事業所が複合立地した「企業団地」だということです。事業所の約半数を占める金属加工業を主軸に、建築・土木、デザイン・インテリア・イベント関係、自動車販売・整備、石油製品販売、運輸・物流、食品など、広範囲にわたる異業種事業所が立地しています。

さらに、ナニワ企業団地協同組合の大きな特徴として、共同事業の活発な展開を指摘しなければなりません。団地内では、異業種の集積メリットをいかしたさまざまな共同事業が取り組まれています。とりわけ注目されるのは、団地内取引の組織化や共同受注事業に代表される団地内ネットワークの形成です。単に工場敷地が団地化されているだけの多くの工業団地とは異なり、ナニワ企業団地では強力な事務局のサポートもあって、零細ではあるものの経営力と技術力を備えた異業種企

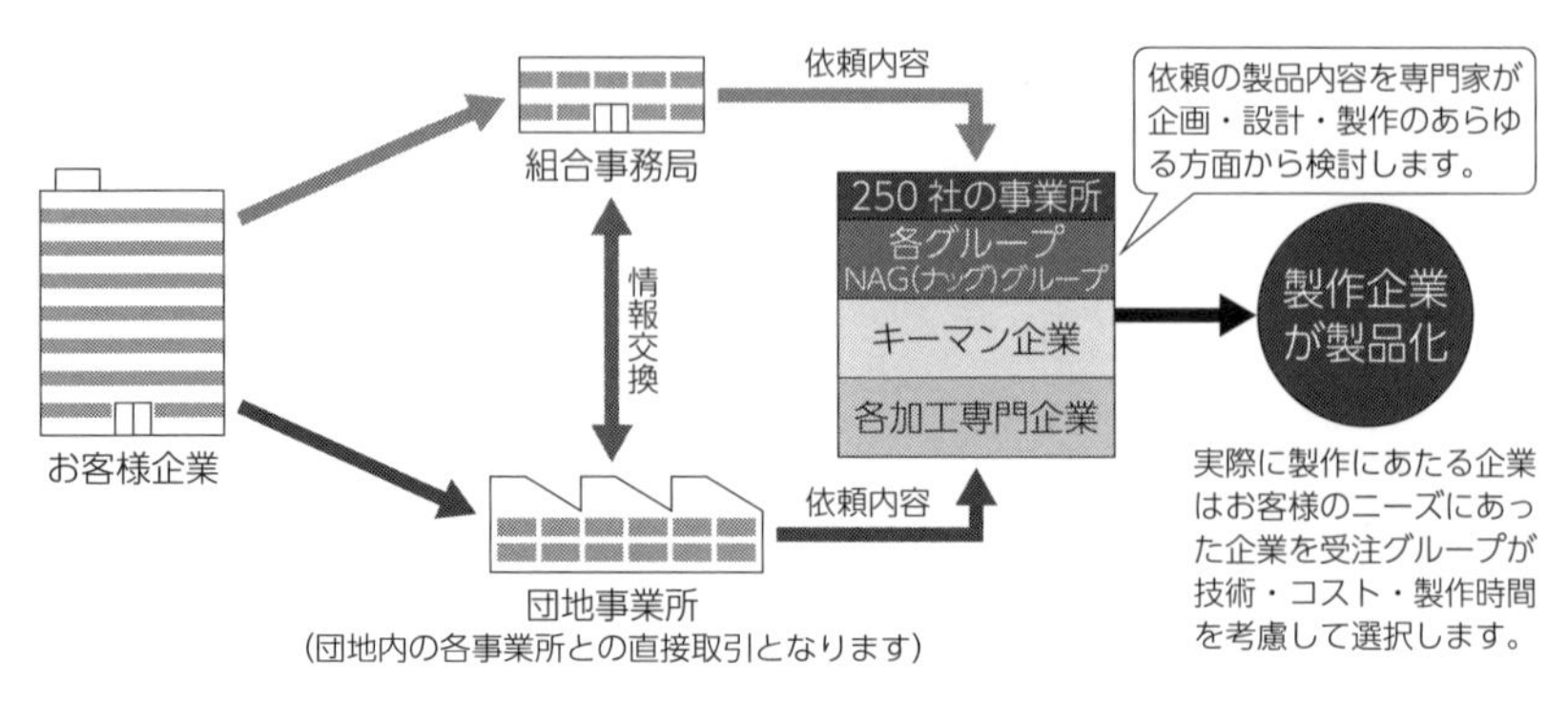


図10－3　ナニワ企業団地の共同受注の流れ

資料：ナニワ企業団地協同組合のホームページより。
http://www.nkdk.org/joint_order/order.index.html

業が、団地内での相互受発注（横請け）を展開しているのです。

具体的には、主力の金属関係だけでなく、建設・木工・電気・自動車・運輸等でも共同受注する仕組みを、**図10－3**のようにつくりあげています。ホームページには、「特に異業種ならではの特徴として、他業種の力を一部借りないとできない物件でも『団地内の横請け』で製作することができます。ぜひ、ご利用ください」と案内されています。

ナニワ企業団地では、二〇〇〇年代初頭時点で「大総建（大阪総合建設協同組合）」、「ナップグループ（ナニワ　ユニオン　プロダクト）」、「ＮＩＤ（ナニワ　インテリア・アンド・ディスプレイ）」の三事業グループがありました。「大総建」は、一九八七年二月に建設関連一二事業所が参加して設立したものであり、建物の解体、撤去、企画、設計、施工、メンテナンスに及ぶ一貫したシステムを提供していました。

「ナップ」は、金属加工関係組合員を中心に一九八八年三月に設立されたものです。私たちが調査した一九九七年九月時点で四七事業所が参加し、共同受・発注、共同購入、共同利用、異業種交流、共同製作品の見本市への出展などを行っていました。インターネットによる受注もでき、仕事の引き合いの多くがネットによるものでした。「ＮＩＤ」は、店舗内装、展示、木工関連一八事業所によって、一九八九年四月に設立され、相互の受・発注取引、情報交換を展開していました。

今は、このような分野別の共同受注の仕組みを、分野横断的なものとし、専門の受発注委員会を設けて受注する仕組みにしているのです。

これらに加え、ナニワ企業団地協同組合では全組合員を対象にして、共同求人事業や経営情報の分析・宣伝事業、雇用促進センターとの共催による各種能力開発セミナー、福利厚生事業、地域自治会との連携など、分野別共同事業も行っています。

## 共同受注事業の経済効果

このナニワ企業団地での共同受注事業の経済効果を検証するために、大阪市全体で金属製造業の産業空洞化と熟練労働者の維持・確保が焦眉の問題となっていた一九九七年度に、労働省（現・厚生労働省）からの受託調査を実施しました。同団地が毎年実施している経営アンケートの原票を基にして、表を作成してみました。**表10－2**は、共同受注事業に参加している企業と非参加企業で、それぞれ売上高がどう変わったかを、一九九七年の秋の時点で調べたものです。この年は、消費税率

表 10－2　共同受注事業と売上高の動向（1997 年）

| 共同受注事業 | 構成比 | | | | | 総回答数(実数) |
|---|---|---|---|---|---|---|
| | 増　加 | 横ばい | 減　少 | 不　明 | 総　計 | |
| 参加企業 | 26% | 60% | 12% | 2% | 100% | 57 |
| 非参加企業 | 13% | 49% | 37% | 1% | 100% | 107 |
| 合　計 | 18% | 52% | 29% | 1% | 100% | 164 |

資料：ナニワ企業団地協同組合「1997 年経営アンケート」より作成。

表 10－3　共同受注事業と従業者数の変化（1993〜97 年）

| 共同受注事業 | 構成比 | | | | 総回答数(実数) |
|---|---|---|---|---|---|
| | 増　加 | 不　変 | 減　少 | 総　計 | |
| 参加企業 | 75.0% | 12.5% | 12.5% | 100.0% | 32 |
| 非参加企業 | 63.6% | 13.6% | 22.7% | 100.0% | 22 |
| 総　計 | 70.4% | 13.0% | 16.7% | 100.0% | 54 |

資料：表 10－2 と同じ。ただし、不明回答分を除く。

の三％から五％への引き上げによって、一時上向いていた景気が、一気に冷え込み、秋には不況色が濃厚になっていました。構成比でみると、共同受注事業参加企業で「増加した」という比率が二六％と、非参加企業の二倍近くになっていました。また、「横ばい」の比率も参加企業の方が高くなっていたことがわかります。

これは、雇用の面でも確認することができます。**表10－3**は、一九九三年から九七年にかけての従業者数の変化状況を比較したものです。やはり共同受注事業参加企業では、回答企業の七五％が「増加」となっており、非参加企業との開きは明白です。

実際に、どれだけ従業者数が増えたかを見るために、九三年から九七年のアンケートにすべて答えていた企業五四社を選んで比較した結果が**表10－4**です。合計欄をみると、参加企業は六七人、二五%の増です。非参加企業も増えてはいますが、三六人、一七%増であり、参加企業の増加率の方が大きいということがわかりました。ちなみに、非参加企業でも増加しているのは、共同受注グループに入っていない企業にも、グループ内で賄えない仕事が発注されているからだということでした。

他方、一九八五年から九六年にかけて大阪市の製造業事業所は三〇%、従業者数は二五%近く減少していました。これに対し、ナニワ企業団地ではむしろ雇用を増やしていたのです。なかでも、共同受注事業に積極的に取り組んでいる企業が、かなり大きな成果を上げていたのです。

**表10－4　ナニワ企業団地共同受注事業参加状況別従業者数の推移**

| | | 共同受注事業 | | 合　計 |
|---|---|---|---|---|
| | | 参加企業 | 非参加企業 | |
| 金属加工業 | 1993年 | 230 | 99 | 329 |
| | 1997年 | 296 | 108 | 404 |
| | 増減数 | 66 | 9 | 75 |
| | 増減率 | 29% | 9% | 23% |
| その他業種 | 1993年 | 36 | 116 | 152 |
| | 1997年 | 37 | 143 | 180 |
| | 増減数 | 1 | 27 | 28 |
| | 増減率 | 3% | 23% | 18% |
| 合　計 | 1993年 | 266 | 215 | 481 |
| | 1997年 | 333 | 251 | 584 |
| | 増減数 | 67 | 36 | 103 |
| | 増減率 | 25% | 17% | 21% |

注：1993、95、96、97年経営アンケートのすべてに答えた54社の合計数を示している。増減率及び増減数は、1993年と1997年の比較。
資料：表10－2と同じ。

では、いったいどのような規模の企業が、その中心となっていたのでしょうか。**表10－5**は、九三年の従業者規模を縦軸に、九七年のそれを横軸で表現しています。注目すべきは、九三年段階で一人から三人規模だった一五社のうち一四社が、九七年段階で四～九人規模に上昇してい

表10－5　ナニワ企業団地共同受注事業参加企業の従業者規模（実数）

| | 1997年の従業者規模 | | | | | |
|---|---|---|---|---|---|---|
| 93年の従業者規模 | ①1～3人 | ②4～9人 | ③10～19人 | ④20～29人 | ⑤30人以上 | 合計 |
| ①1～3人 | 1 | 14 | | | | 15 |
| ②4～9人 | | 5 | 1 | | | 6 |
| ③10～19人 | | 2 | 3 | 3 | | 8 |
| ④20～29人 | | | | 1 | | 1 |
| ⑤30人以上 | | | | | 1 | 1 |
| 不　明 | 1 | | | | | 1 |
| 合　計 | 2 | 21 | 4 | 4 | 1 | 32 |

注：1993、95、96、97年経営アンケートのすべてに答えた54社を対象にしている。
資料：表10－2と同じ。

たことです。この階層が数的に最も多くなっています。こうして、共同受注事業の中心的な担い手が、比較的小規模な企業であり、しかもこの層が、共同受注事業を通して、売上を伸ばし、雇用も増やしていることが明らかになったのです。しかも、このような活発な経営活動の結果として、当時、四割の企業がすでに後継者を確保しており、後継者となる若手層も「コロンブスの会」をつくって、積極的な交流と研修活動を行っていたことも注目されます。

　このようにナニワ企業団地では、協同組合が中心となって中小企業をネットワーク化することにより、遊休地化した造船所跡地に新たな産業を再構築し、さらに下請け取引から脱出することにより拡大再投資のための所得をえて、小規模企業群でより多くの雇用を生み出すことに成功したのです。

### 共同受注＝横請けと地域内再投資力の形成

　経済のグローバル化にともなう産業空洞化は、とりわけ大企業を中心にした海外直接投資の間接効果によって従来の下請関係や地場産業の地域内分業を解体してきました。これに代わる産業を再形成しない限り、その地域で生活し続けることが困難な時代になっているといえます。そうだとすれば、地域に存在するさまざまな既存の資源や経営体を再結合し、住民生活に最大限の効果が及ぶように新たな産業を再構築することが必要となります。

ナニワ企業団地協同組合でのネットワーク事業の試みは、産業空洞化を克服するためのひとつの方向を提起しているといえます。大手企業の下請けではなく、共同受注事業によって、仕事を「横請け」し、グループの中で仕事を回しあうことによって、仕事と所得が創造され、経済波及効果が広がっていくのです。個々には弱小の資本しかもたない中小零細企業であっても、それが共同すれば地域内再投資力も形成されることを、ナニワ企業団地の取り組みは示しているといえます。また、共同受発注事業による仕事の創出と横請けの組織化は、由布院の場合と同様、地域内産業連関を形成することであり、当該地域での資本回転数を増大させることにより、所得と雇用を増やしているのです。

その際、もうひとつ注目したいのは、団地内企業の研修のために、大阪市や大阪府、あるいは公的な機関によるプログラムを活用したり、あるいは技術開発や団地の経済効果分析などに補助金を積極的に活用している点です。また、共同受注グループが、大阪府などが主催する見本市に主体的に参加することによって、マーケティングを展開していることも重要です。このような方法で、地方自治体や公的機関の支援を活用しながら、地域内再投資力を量的にも質的にも高めてきているのです。

## 3　商店街再生への新しい挑戦

### 岡崎市での「まちゼミ」の誕生

大都市や中小都市を問わず、商店街の衰退に悩む地域が広がっています。規制緩和政策による大型店出店の影響だけではなく、Amazonや楽天のような大手インターネット通販サイトを利用する人が増えてしまい、商店街に足を運んで買い物や飲食をする人が大きく減少していることが影響しています。

そのようななかで、愛知県岡崎市の中心商店街にある一〇店舗が始めた「まちゼミ」の取り組みが注目され、二〇一七年一月には四七都道府県三〇〇地域、一万店以上が、この取り組みに参加しています。二〇二〇年五月初めの時点では、三七四地域に広がっています。いったい、「まちゼミ」とは、どういう取り組みなのでしょうか。ここでは、岡崎の化粧品店主である松井洋一郎・岡崎まちゼミの会代表の著作『まちゼミ　さあ商いを楽しもう！』(6)に基づいて説明したいと思います。

岡崎の中心商店街も大型店出店やモータリーゼーションの影響で、とくに九〇年代初頭のバブル崩壊後、急速に人通りが少なくなっていたそうです。御多分に漏れずイベントも打ちますが、一時的に人が集まっても、お店の中に入って、買い物する人が増えることはありませんでした。そんな時に岡崎商工会議所で商店街活性化の取り組みをしていた女性職員の一言がヒントになります。彼女は、顧客目線で考え、個人商店の場合、店に入るかどうか逡巡してしまう場合が多いけれども、一旦、お店に入ったらお店の人から商品について有益な情報を得られて、楽しくなることに気づきます。そこで、商店街の人たちと相談し、「店主や店の人が自店に関する講座を開いてはどうか」ということになり、会場を借りた公開講座を開きます。これが、二〇〇三年一月のことでした。

ところが、学校の講義形式での講座では、参加者数を追求しがちな従来型のイベントと変わらないという問題が浮かび上がってきました。他方で、会場から商品についての質問が出て答えることに、やりがいを感じる店主もでてきました。そして、「少人数の方がお客様の声が聞けた」という声が次第に高まり、お店で少人数の「ゼミ」を開く現在の開催形態に行きつくことになります。そして、この進化過程には、もうひとつの重要な変化がありました。それは、この取り組みの目標は「売上げ」ではなく、「お客様の声を聞く」ことと「自分たち自身を知ってもらうこと」にあるという認識になっていったことでした。

## まちゼミの仕組み

岡崎では、商店街の有志が、手を挙げて、自分のお店のなかで、少人数のお客さんを招いて一定期間、まちゼミを行うことにしました。そのためのマップ（地図）入りの広告も準備します。それを商工会議所が支援する形をとりました。ゼミでは、お店の店主や店員さんが、自らの仕事に関わる話や実体験を一回につき一時間から一時間半、行います。参加者は、五〜六人くらいの市民です。それを商店街や街単位で一カ月程度の開催期間を設けて、お店の事情に応じて、朝、昼、夜に分けて実施します。

「まちゼミ」では、これまでの失敗から学び、重要なルールを定めています。それは、その場でモノやサービスを販売することは絶対にしないということです。「販売する」という下心があると誤解されてしまうと、参加者はやってこないという考え方です。

岡崎の「まちゼミ」に参加した商店の取り組み内容を簡単に紹介すると、以下のような内容です。

化粧品店＝「貴女にあった眉描き&アイメークレッスン」

文具店＝「初心者のための万年筆講座」

ギフト店＝「手作り味噌教室」

あるいは、補聴器を販売しているお店と眼鏡店が連携した企画として、「聞こえ方と見え方の入門講座」というゼミもあります。全国的には、健康、料理・グルメ、美容、歴史・文化といったメニューが人気であり、ゼミに参加した人の二〇〜二五％が再来店しているという結果がでており、母数であるゼミ参加者の数を増やすことが大事なポイントです。

さらにゼミの時には販売しませんが、商品や商店についての認識や信頼を増すなかで、リピータが買い物をするようになります。例えば、右で紹介した文房具店では、ゼミ生に一本数十万円もする万年筆の書き心地を体験してもらう企画をしました。そうすると、翌日から、あるいは何年も経ってから、例えば娘の大学合格祝いにということで、高級万年筆を買いに来店するお客さんが増えていったそうです。ゼミ開始前は、年間五〇本くらいの売り上げだった万年筆が、いまでは一〇〇本近くになり、お客さんにも喜ばれ、商品の説明をする店員さんも自信と誇りをもって販売できるようになったとのことです。

そして、取り組みのあとは、必ず「反省会」を開くことも重要なルールです。ここから、次回の取り組みへのヒントや、課題解決の方向について、互いに情報共有し、連携を強めていくのです。今や、その取り組みは「全国まちゼミサミット」にまで発展してきており、互いに積極的に学び合っています。これらの取り組みを毎年することで、「まちゼミ」参加店が増えたり、新規開業するお店がでてきたり、経営者が高齢化するなかで顧客の一人が事業承継するような事例も生まれてきました。

また、広告費への補助金が切れるなかで、小学校の校長先生たちが児童への配布物のなかに入れるという提案をしてくれたり（浜松市）、まちゼミ開催に合わせて図書館が企画展示をするような地域（調布市）も現れてきています。まちゼミは、子どもたちの社会科教育のひとつであったり、住民の社会教育ともつながっているからです。

### 「まちゼミ」活動の意義

以上で、述べてきたように、「まちゼミ」は、個人商店に入ることに躊躇していた潜在的消費者が、お店の経営者がもっている専門知識、技能、あるいは地域の歴史や酒蔵体験などを通して、商品やサービス、地域への理解を深め、将来の顧客になるきっかけとなっています。

それは、効率性を最優先する大型店やオンライン通販サイトが苦手とする、「生活領域としての地域」で生活したり、営業をしている人と人との信頼関係を大前提にしています。そして、そこで個人商店に入り、商品を購入するお客さん、市民は、その商品やサービスについての知識をゼミ活動から学んだ人たちであり、商品やサービスだけでなく、その中身についていろいろと知っている商店主さんや店員さんへの信頼と尊敬から、それらを購入しているわけです。

松井代表は、松井流「三方よし」として、通常近江商人の家訓と言われている「売り手よし、買い手よし、世間よし」の語順ではなく、実は「買い手よし、売り手よし、世間よし」なんだと強調しています。お客さんが買って喜ぶ姿をみて、売り手も喜び、世間すなわち商店街やその周辺地域も元気になるという意味です。

つまり、効率性重視の大型店や通信販売会社に対して、地域における人と人との関係性、地域への愛情を基本に、仕事への誇りと商売の楽しさを最優先し、地域内再投資力を高める実践活動のひとつとして位置付けることができます。また、商店街や商工会、商工会議所が企画し、共同のゼミの広告や宣伝ページをつくることで、一種の「共同受注」ができ、商店街のなかのお店同士が連携したり、仕事を紹介することで、だんだん売上も増えていく、地域内産業連関に基づく地域内経済循環がつくられているわけです。

しかも、ここでも地域の歴史や自らが扱う商品やサービスについての「学び」があることに注目したいと思います。社会教育は、公民館だけでなく、商店街や商工会、商工会議所のなかでの学習や「反省会」を通しても実践できるのです。このような取り組みは、一人でもやりたい人がいれば、仲間を募りながら、どこでも実践できるものであり、急速に広がっているわけです。

## 4　地方自治体による多数者のための新しい地域政策の広がり

### 経済のグローバル化時代だからこそ地域の個性を重視した産業づくりを

以上で紹介した大都市や都市部の工業地域や商業地域での地域づくりの試みに共通しているのは、地域の経営体とそれらが集まる協同組合や商店街が、産業や分野の違いを超えて、地域経済と地域社会の再形成のために、互いに既存の自然資源や経営資源を活用し合って、ネットワークを張りめぐらしながら、共同事業の領域を広げ、自覚的に地域内産業連関を形成しつつあることです。「グローバル競争」の時代に生き延びるためということで、いつ立地するかもわからないグローバル企業に立地してもらうために多大な先行投資や税の優遇措置を講じるよりも、現に都市経済の担い手である中小企業や小企業の地域内再投資力の形成のために公的資金を活用した方が、はるかに直接的かつ効果的に住民生活の向上や地域コミュニティの持続的発展につながるといえます。この点では、栄村などの小規模自治体における地域づくりと共通したものがあります。栄村の場合は、民間企業の力が弱いために、村が中心的な担い手となっていたわけです。

しかも、地域にある自然資源や歴史資源、経営資源に根づいた産業や商品をつくったり、質の高い地域景観をつくれば、グローバルな規模での破滅的な価格競争にまきこまれることはありません。電気製品や電子製品などのように、どこの国や地域でも生産できる汎用製品は、資本がグローバルに展開する時代においては、地域経済への定着度は低く、より低いコストを求めて、短期間のうちに立地と撤退を繰り返していきます。つまり、コスト比較による破滅的競争が待ち受けています。むしろ、それぞれの地域が相互に、他の地域や国では作ることのできない、各々の地域に特有な個性的な商品や地域景観をつくることによって、互いに共存しながら持続的に発展できる交易と交流が可能となります。グローバル化がすすめばすすむほど、このような地域の「個性」を重視した地域産業づくり、地域づくりが必要となるわけです。

そのような地域産業づくりや地域づくりを推進するために最も大きな役割が期待できるのが、地方自治体です。というのも、地方自治体をつくる主権者の圧倒的多くが中小企業や小規模企業者であり、かつ自治体には財源や行政権限があります。分野横断的に地域政策をつくり、それを実行するための主体として、大いに期待される存在です。

## 中小企業・小規模企業（地域経済）振興基本条例と地域内再投資力

地域経済にはこのような地域内資本だけでなく、誘致企業に代表される外部資本も存在し、地域経済の一端を担っています。この外部資本についても、地域内再投資力の主体として活躍してもらおうとするならば、上述のような地域内産業連関を強めるように誘導する必要があります。アメリカのローカルコンテンツ法では、外国資本の立地に対して、国内からの一定の原材料調達を義務づけていますが、同様の政策手法が地域レベルで必要になってきているといえます。その際、原材料だけではなく、労働力調達や、資本の再投資などでの地域経済への貢献度を高める政策が必要ですし、アメリカの工場閉鎖規制法のような安易な工場撤退を牽制する法的枠組みも求められます。

このような法制度は、アメリカのように国レベルで作られるべきですが、残念ながら日本政府は、一貫して企業活動の自由を優先しており、このような住民の生活やコミュニティを重視した政策はすぐにできそうにありません。けれども、地方自治体の条例という形では、ある程度可能であるといえます。実際、中小企業・小規模企業振興基本条例とか地域経済振興基本条例という形で、地域経済の主役である中小企業、小規模事業者の地域経済での位置づけを明確にしたうえで、地方自治体の責務と具体的事業を明文化している地方自治体が増えてきています。

実は、それまでも、ほとんどの自治体に、一九六三年に制定された中小企業基本法に基づいた条例がありました。ただし、それらの多くは、ある特定の分野や経営革新をしていこうとしている特定企業に補助金を出したり、減税したり、低利融資をする根拠を定める条例でした。いわゆる「実施条例」といわれるものです。ここで新たに注目されてきた「基本条例」、あるいは「理念条例」は、地域づくりの担い手として地域の中小企業全体を政策対象に位置づけ、地方自治体の役割だけでなく、中小企業、大企業、金融機関、経済団体、教育機関、住民の役割を明記するとともに、地域産業や地域社会の目指すべき方向や理念の下に、行財政のあり方の基本を定めた条例です。私は、これを「地域づくりの憲法」だと位置づけています。

この中小企業振興基本条例が一気に広がっていった法制度的なきっかけは、地方分権の流れが強まる中でなされた、一九九九年に中小企業基本法の改正と、農業基本法の廃止及び食料・農業・農村基本法の制定でした。ふたつの法律のなかに共通した言い回しがでてきます。例えば、中小企業基本法六条のなかには、「地方公共団体は、基本理念にのっとり、中小企業に関し、国との適切な役割分担を踏まえて、その地方公共団体の区域の自然的経済的社会的諸条件に応じた施策を策定し、及び実施する責務を有する」とあります。それまでは、地方自治体には、国の政策に「準じた」施策が求められ、結局、補助金や融資「上乗せ」「横出し」に留まる自治体がほとんどでした。これが、大きく変わり、すべての自治体は、その地域の「自然的経済的社会的諸条件」、つまり個性に合わせた中小企業・農業振興策の立案と実施を行う「責務」が求められるようになったのです。したがって、地域産業のなかに農業や水産業もある自治体では、地域の個性に合わせて、香川県丸亀市のように「産業振興条例」としているところもあります。

## 中小企業振興基本条例の制定

日本で最初に中小企業振興基本条例を制定したのは、東京都墨田区（人口二七万人）でした。墨田区では、一九七四年に区長が公選制で選ばれることになり、区が独自の行財政権限を得たことがきっかけで、一九七九年に、早くも中小企業振興基本条例を制定しています。しかも、同区では、自らがよってたつ地域の産業の実態を知るために、条例制定前に、係長級の全職員一八〇人が地域の商工業事業所を悉皆(しっかい)調査し、事業所の台帳をつくるとともに、商工業振興政策のニーズを把握しました。さらに具体的施策を検討する諮問機関として学識経験者、事業者、行政の代表からなる産業振興会議を設置します。ここでの議論を通して、産業会館をはじめとする拠点整備や異業種交流、ファッション産業への支援、商店街振興とまちづくり支援をはじめさまざまな事業を実施するとともに、その中心的な組織として中小企業センターを設置し、その機能を拡充しました(7)。

なかでも、地域の個性である三つのＭ（小さな博物館、マイスター、モデルショップ［工房ショップ］）をつなぐ3Ｍ運動、次世代後継者を要請するフロンティアすみだ塾、スカイツリー誘致とあわせた回遊性のある街づくり、地域の「ブランディング戦略」などで、注目すべき成果をあげてきました。けれども、製造業が衰退するなかで、新たな成長政策の起爆剤を誘致する動きが、二〇一五年に当選した山本亨区長の下で推進され、二〇一七年には中小企業センターが廃止され、その跡地に専門職大学が誘致されることになりました。今後、墨田区のものづくり、地域づくりが、どのようになっていくのか、気がかりでもあります。

大阪府八尾市では、中小企業者の運動が実って二〇〇一年に中小企業地域経済振興基本条例が制定されました。同条例では、「市の活力ある発展に重要な役割を果たしている市域中小企業の振興について基本となる事項を定めることにより、市の産業集積の維持発展を促進するとともに、社会経済構造の変革に的確に対応した地域の健全な発展を推進することによって、調和のとれた地域社会の発展に寄与する」ことを目的とし、産業集積の基盤強化、高度化推進、ネットワーク強化、「生活と産業が共存し高め合うまちづくり推進」を基本的施策に掲げています。これらは、地域中小企業の再投資力を高める具体的施策を市の基本施策として方向づけています。同時に、同条例には、市や中小企業の責務に加え、「大企業者の努力」という規定があり、「大企業者は、中小企業と大企業が共に地域社会の発展に欠くことのできない重要な役割を果たすことを認識し、地域経済の振興に努めるものとする」と明記しています。その後、ある大手メーカーの工場閉鎖問題が起きたのですが、この条例に基づき、市長が工場の操業継続と閉鎖計画の再考を要請することができました[8]。

もっとも、条例をつくっているだけで、実効力を伴わない地方自治体も多くあります。地元の事業者、学識経験者、自治体職員の三者が定期的に集まり、施策の立案、進行管理、点検を行う協議体の設置が必要不可欠です。墨田区や八尾市では、産業振興会議を設けて、その機能を果たしています。

## 条例制定自治体の急増と質的水準の深化

二〇〇一年度までに中小企業振興基本条例を定めた自治体は、一五市区町村に過ぎませんでした。墨田区が制定したことにより、とくに東京都の特別区で多く制定されていました。また、県レベルでは皆無でした。ところが、二〇一二年末には、二三道府県八一市区町、そして二〇二〇年五月一五日現在、四五都道府県五三五市区町村が制定しており（中小企業家同友会全国協議会調べのデータをもとに算出）、急速に広がっていることがわかります。

その理由としては、中小企業家同友会全国協議会や商工会連合会、全国商工団体連合会・民主商工会などの経済団体の主体的かつ積極的な運動があったこと、そして下記のような法制度の深化・拡大があったことが、あげられます。

第一に、二〇一〇年六月に、上記の団体からの強い要求もあり、当時の民主党政権が「中小企業憲章」を定めたことがあります。これは、二〇〇〇年代初頭にEUが定めた「小企業憲章」に相当する憲章の制定を求める声が強まったからにほかなりません。

第二に、二〇一一年三月一一日の東日本大震災と復興のあり方をめぐって、地域経済や社会を担う主体が中小企業・小規模企業であることが多くの住民に共有され、地方自治体が復興をすすめるために中小企業・小規模企業支援に積極的に取り組むための根拠として期待されたからです。また、将来の災害に備えた「事前復興」の視点から「防災」条項を入れた条例制定も進みました。

第三に、二〇一四年六月に、小規模企業振興基本法が制定され、それまで施策の対象外になることが多かった、概ね従業員五人以下の小規模企業を政策対象にした法律が、全国商工会連合会・全商連などの運動によって制定されました。同法では、成長だけでなく、事業の持続的発展を重視するとともに、地方自治体については施策を策定し、実施する「責務」を明記したのです。さらに、二〇一五年五月には、都市農業振興基本法が制定され、市街地周辺の都市農業振興施策を、自治体が策定し、実施することができる法制度ができます。これらの法整備によって、地方自治体が、各地域の実情にあった独自の地域産業振興施策をつくることができるような制度的環境ができたことも大きな要因です。

中小企業・小規模企業振興基本条例を制定する自治体が増えただけでなく、条例の中味も次第に充実してきました。条文の中に、中小企業の育成だけでなく、大企業の努力規程を置き、中小企業育成や地域づくりへの貢献を求める自治体も増えました。さらに二〇一二年には、金融機関の役割規程を初めて書き込んだ、愛知県条例も制定されました。愛知県の場合、かつて東海銀行がありましたが、金融ビッグバンの結果、東京に本店機能が移ってしまいます。愛知県内の中小企業に責任をもって情報や融資を行う大きな地域金融機関がなくなってしまいました。小さな金融機関はありましたが、全県の需要をカバーできない状況でした。その結果、近隣の府県から銀行がやってきて、草刈り場になってしまう一方、中小企業から見るときめ細かな情報提供や信用供与が得られなくなるという不満が高まっていました。そこで、州外から進出した金融機関に対して州内の中小企業への投融資を求めるアメリカの地域再投資法に学びました。結果、愛知県条例では、「金融機関は、基本理念にのっとり、中小企業者の特性及びその事業の状況を勘案した信用の供与、中小企業者の事業活動に有用な情報の提供その他の方法により中小企業者の経営の向上に配慮するよう努めるとともに、県が実施する中小企業の振興に関する施策に協力するよう努めるものとする」（第九条）としたのです。この金融機関の役割規定は、今やスタンダード（標準）化して、各自治体の条例に盛り込まれてきています。

そのほか、中小企業・小規模企業振興基本条例の前文に、農商工連携や地域内経済循環という言葉を入れたり、条項に、大学や教育の役割、福祉、医療、環境保全、防災の視点を入れる自治体も増えてきています。教育については、地域の将来の働き手や担い手を考えてのことで、教育委員会と連携した取り組みを行っている自治体が増えています。また、病院・診療所や福祉事業所は、地域住民の健康づくりになくてはならない存在であるだけでなく、雇用の確保、工事や商品、サービス、食材の発注を通して、地元地域経済と深い関係があり、これを支援する取り組みが、北海道別海町や京都府与謝野町で行われています。

## 帯広市での条例を活用した地域づくりと地域内経済循環

北海道十勝地方にある帯広市では、帯広民主商工会や中小企業家同友会帯広支部、帯広商工会議所の条例制定運動が実って、二〇〇七年に中小企業振興基本条例が制定されました。条例制定後、中小企業経営者一八名からなる中小企業振興協議会が設置されるとともに、より詳細な産業振興ビジョンをつくるために四つの部会を設け、協議員と部会員四〇名体制で、一年間にわたり議論しました。二〇〇八年八月には提言書をまとめて、市長に提案します。市はそれに基づいて産業振興ビジョンをつくり、順次予算づけをして施策を具体化していきました。

帯広市の場合、この協議会のなかに参加していた帯広信用金庫理事長が、地域金融機関、協同金融組織としての自らの役割を自覚し、地域経済振興部を設置し、その責任者として日本銀行から秋元和夫元帯広事務所長を招へいします。同振興部では、調査研究だけでなく、異業種交流やそれに基づくプロジェクトづくり、東京都内や中国企業との商談会企画など、積極的な役割を果たしていきます[9]。

例えば、十勝酒文化再現プロジェクト（農商工・産官学連携）では、地元の酒米や深層水を生かした清酒「十勝晴れ」の製造、販売にこぎつけました。また、十勝産小麦の「麦チェン！」プロジェクトでは、域内企業の共同出資によって製粉工場もつくり、それを原料に付加価値をつけた商品づくりがなされていきます。その代表格が帯広市街地にある満寿屋というパン屋さんです。同社は、すべて十勝産の食材を使ったパンを製造し、十勝管内だけでなく、東京都内にもお店を出して一〇億円の売上を達成しています。パンで使う食材は、地元の帯広市や十勝の農家から契約生産によって調達した農畜産物であり、パンの売上高の少なくない部分が、これらの農家や牧場に還流し、地域内に循環することになります。

ここで地域内経済循環について、改めて述べておきたいと思います。言葉だけを見て、「循環するといっても、結局、付加価値は生まれないので、結局域外に売るしかないんじゃないか」という質問をする人がいます。しかし、実際には、**図10－4**のような取引がなされているのです。十勝は農業王国ともいわれる地域で、それまで良質の小麦が大量に生産できたので、素材のまま出荷してい

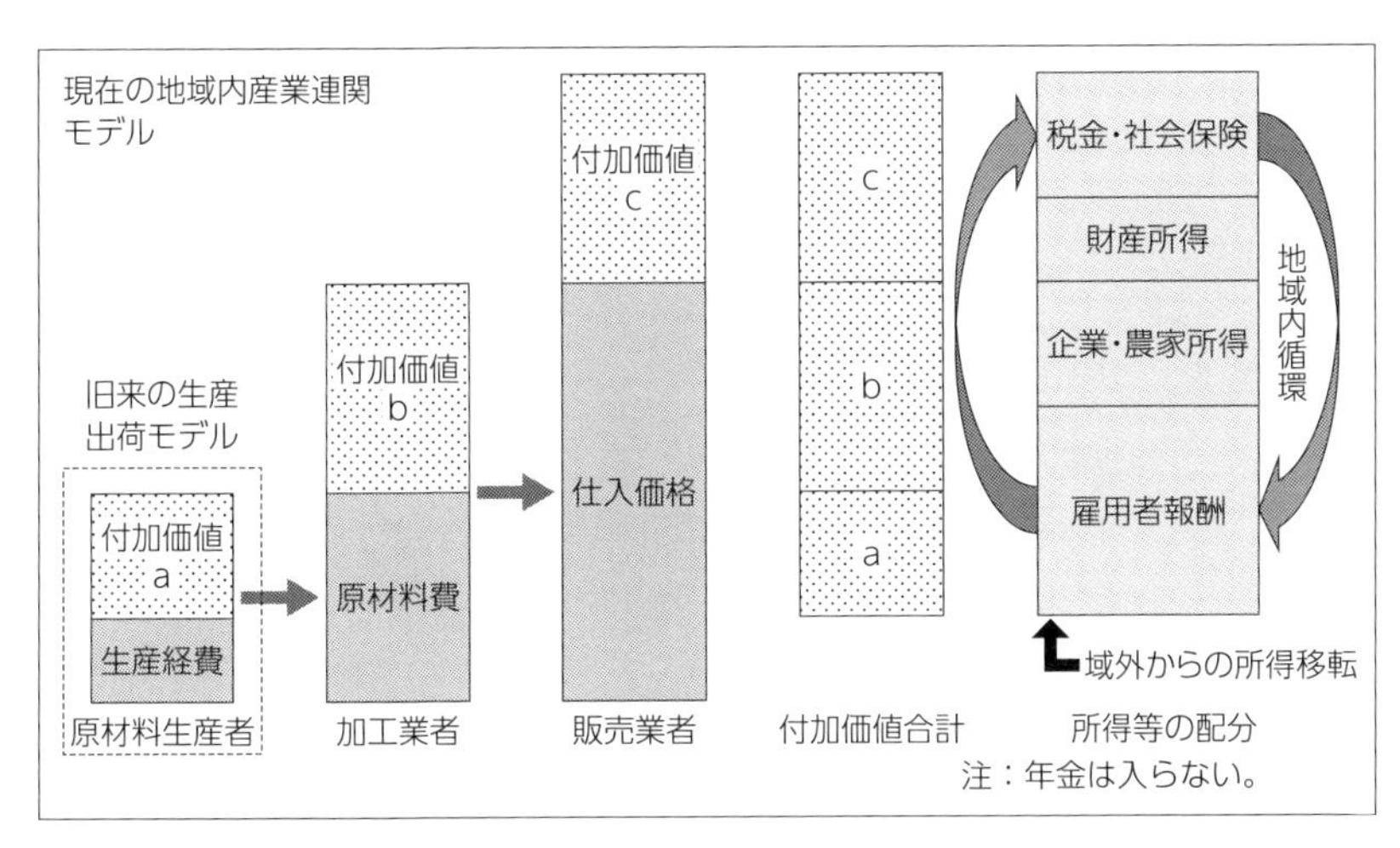


**図10－4　付加価値と地域内経済循環**

出所：著者作成。

ました。生産するために機械や肥料などが必要なのでそれが生産経費となりますが、農作業によって新たな付加価値が加わります。もし、このような素材段階でとどまって域外に販売したならば、わずかな付加価値しか地域には残りません。その点に着眼し、地域内に製粉所という加工工程を担う工場をつくり、そこで加工された小麦粉やパン粉を活用したパン屋やお菓子屋さん、食堂などが、地域内で生産し、販売すると、その第二次産業、第三次産業の売上の中に含まれる付加価値がすべて地域内に循環することになります。この付加価値の合計が地域内総生産となり、市民所得の源泉となるのです。その際、買い手は、地域の他の産業で働いたり、経営している人たち、あるいは年金はじめ社会保障給付金で生活している人たちであり、それぞれの分野で所得が増えていけば、地域内で循環する付加価値の総量は増えていくことになります。域外に販売した場合は、輸出と同じように域外から所得が移転してきます。重要な点は域外への販売だけで付加価値が増えたり、実現しているわけではないということです。

この点に関して、政府が「地方創生」政策の一環として作成した「地域経済分析システム」（RESAS）で使っている「地域経済循環率」という計算式について検討しておきたいと思います。また、この計算式を基にした「漏れバケツ」理論による地域づくり論についても触れておきます[10]。「地域経済循環」という言葉や地域からの「富の流出」を抑制しようという考え方は、それだけとれば違和感がありません。しかし、数字の扱い方や、地域づくりの一般理論としては、いくつかの疑念を抱かざるを得ません。

例えば、「地域経済循環率」は、市民所得を市内総生産で割った数字で表現されています。二〇一三年時点で帯広市の場合八七％、東京都二三区は一八五％です。この数値は、市民所得のうち市内総生産額でどれだけ賄えているかを表現していると解説されています。しかし、このような数字の取り方では、例えば、ある自治体のなかに市内取引がない一つの事業所が市内総生産のほとんどを占め、他方で他地域にある事業所に通勤する人が市民所得の大半を占める雇用者報酬を持ち帰ったとしても、つまり実質的な「地域内経済循環」がなかったとしても、あたかも一定の「循環」があるかのように錯覚してしまう数字ができてしまうのです。正確に表現するならば、「地域内総生産と地域受取所得の乖離率」とすべきです。しかも、元になっているデータそのものが、推計に推計を積み重ねているので、常にデータは古く、小さな自治体ほど実態とのずれが大きくなってしまうという問題があります。大事なことは、実際に、どれだけ地域内取引がなされているかを、由布院や墨田区のような現地調査を定期的に行って、実態を把握することです。

また、「漏れバケツ」理論というのは、地域を一つのバケツとみなし、そこに入ってくる企業、観光客、政府の補助金等の支出・投入額と、域外流出する金額の差を求め、漏出する経済的富を最小化すべきだという議論です。これも、地域内経済循環論のひとつとして理解されているわけですが、この理論の決定的な問題は、経済的な富・付加価値は誰が、どこで、どのように生産しているのかということを軽視している点にあります。水道の蛇口で、他地域からの資金の流入を表現する喩えも使われますが、その水道水は誰が、どこで作っているのでしょうか。そのような生産の視点が軽視されていることが、産業政策を考えると大いに気になります。

帯広の事例で述べたように、新たな付加価値を生む主体は地域で活動する農業、工業、商業、サービス業の各経済主体です。それらが相互に取引し、地域内再投資を繰り返すことで、地域内経済循環、つまり資本の回転が促進され、付加価値は増えていくのです。それを担う中小企業や農家、協同組合の地域内再投資力を、地方自治体と地域金融機関が連携して高めることが基本であり、そのうえで外部からの進出企業には地域経済貢献を求めるという政策が必要になるわけです。帯広市の事例は、それをよく示していますし、その結果、人口をある程度維持し、第二創業といわれる起業も増えていることが、注目されます。

## 横浜市での取り組み

一方、自治体と中小企業振興基本条例との関係で、注目されるのが人口三七〇万人を超える日本最大の基礎自治体である横浜市の取り組みです。横浜市では、二〇一〇年に、議員提案で中小企業振興基本条例が制定されました。同条例には、「市が行う工事の発注、物品及び役務の調達等に当たっては、予算の適正な執行並びに透明かつ公正な競争及び契約の適正な履行の確保に留意しつつ、発注、調達等の対象を適切に分離し、又は分割すること等により、市内中小企業者の受注機会の増大に努めること」（第七条二項）とともに、第八条に「市長は、毎年、市会に中小企業の振興に関する施策の実施状況を報告しなければならない」という規程が盛り込まれています。

この条項に基づいて、同条例事務を担当している横浜市経済局政策調整部では、毎年八〇ページ以上の「取組状況報告書」をまとめています。その一部を取り出したのが、**表10-6**です。これは、同市財政局契約部が契約した工事、物品、委託サービス発注分に占める市内中小企業向け発注件数及び同金額を、時系列で示しています。このほか、契約部署別、区役所別に市内中小企業への発注件数と

契約部契約締結分）

件数（件）・金額（百万円）下段：構成比率（%）

| 委　託 | | | |
|---|---|---|---|
| 市内中小企業<br>契約実績 | | 契約実績 | |
| 件　数 | 金　額 | 件　数 | 金　額 |
| 1,231<br>93.0% | 8,793<br>80.2% | 1,323<br>— | 10,969<br>— |
| 1,250<br>94.5% | 9,047<br>94.4% | 1,323<br>— | 9,586<br>— |
| 1,209<br>93.9% | 9,221<br>93.1% | 1,288<br>— | 9,901<br>— |
| 1,244<br>95.2% | 9,534<br>83.9% | 1,307<br>— | 11,363<br>— |
| 1,263<br>93.7% | 11,859<br>94.0% | 1,348<br>— | 12,620<br>— |

約実績額等の調査」と同様に、競争の余地が
きない「大規模契約（政府調達協定（WTO）

6日による。

表10－6　横浜市の市内中小企業者への発注状況の推移（横浜市財政局

上段：

| 年度 | 工　事 | | | | 物　品 | | | |
|---|---|---|---|---|---|---|---|---|
| | 市内中小企業契約実績 | | 契約実績 | | 市内中小企業契約実績 | | 契約実績 | |
| | 件　数 | 金　額 | 件　数 | 金　額 | 件数 | 金額 | 件　数 | 金　額 |
| 2014 | 2,530<br>93.7% | 97,825<br>76.2% | 2,701<br>— | 128,344<br>— | 2,991<br>91.2% | 4,578<br>77.0% | 3,280<br>— | 5,947<br>— |
| 2015 | 2,493<br>94.8% | 104,732<br>84.2% | 2,630<br>— | 124,322<br>— | 2,955<br>91.6% | 4,833<br>78.9% | 3,227<br>— | 6,127<br>— |
| 2016 | 2,431<br>94.3% | 109,328<br>79.8% | 2,577<br>— | 136,943<br>— | 2,901<br>92.3% | 4,816<br>82.4% | 3,143<br>— | 5,842<br>— |
| 2017 | 2,471<br>94.9% | 115,473<br>81.7% | 2,605<br>— | 141,391<br>— | 2,900<br>93.9% | 5,136<br>85.0% | 3,089<br>— | 6,043<br>— |
| 2018 | 2,326<br>94.5% | 117,328<br>86.0% | 2,462<br>— | 136,393<br>— | 2,812<br>94.1% | 4,867<br>83.3% | 2,989<br>— | 5,842<br>— |

注：「契約実績（単独随意契約及び大規模契約を除く）」は、経済産業省が行っている「官公需契
ない「単独随意契約」及び中小企業者の参入の余地が少なく入札参加者を市内事業者に限定で
対象契約）」を除いたもの。

資料：横浜市「平成30年度横浜市中小企業振興基本条例に基づく取組状況報告書」2019年9月

金額も発表しています。これによって、市役所職員の公共調達に際しての意識変化が起きており、自治体の主要財源である、住民から受け取った税金の地域内経済循環を高める取り組みになっているわけです。横浜市の財政規模は、一般会計だけでも一兆七〇〇〇億円もありますので、公共事業や公契約による発注額が地域経済に与える影響力はかなり大きいのです。二〇〇〇年代初頭に栄村でなされていた自治体や第三セクターの地元発注額・率の公開が、日本最大の基礎自治体でもできるわけですので、ぜひ、都道府県レベルも含めて、多くの自治体で、同様の取り組みをしてもらいたいものです。

なお、この表の注記を見てもらいた

いのですが、ＷＴＯ協定によって、現在、都道府県や政令市における一定金額以上の調達については、「政府調達」条項に基づいて、国際調達が義務付けられています。ＴＰＰ協定では、締結後五年経った時点で、地方自治体の対象を広げ、かつ限度額の引き下げを再協議することが約束されています。また、二〇一九年に発効した日本とＥＵの経済連携協定では、なんと中核市では工事以外の発注を国際調達することができるようになりました。このように、公共調達をめぐるグローバル企業と地元中小企業とのせめぎあいも続いていることに留意してもらいたいと思います(11)。

## 公契約条例や官公需適格組合制度の活用

横浜市で中小企業振興基本条例活用の一分野となっていた公契約の地元調達という点については、新たに公契約条例を定める自治体も増えています。二〇一九年時点で、公契約条例や公契約に関わる要綱類を制定している自治体は七〇余りに広がっています。同条例は、自治体が地域内の賃金、労働条件の改善を図り、地域経済の振興を図るために、自治体が定める最低の賃金等を支払わなければ公共調達の入札に参加できないという趣旨のものです。二〇一〇年の千葉県野田市の条例制定開始後、これも急速に増加しています。

東京都世田谷区では、二〇一五年に区公契約条例が制定されました。当初は対象業種を限定していましたが、徐々に対象を広げ、建設や物品関係だけでなく、印刷業や指定管理者等にも拡大してきています。同条例は、公共調達と関係する民間企業の利益に留まらず、地域の賃金や労働条件の改善、地域貢献型企業の涵養といった直接効果だけでなく、地域内取引の拡大による経済波及効果、公共施設や行政サービスの安全や質の向上に結び付いています。また、世田谷区では、産業振興基本条例（一九九九年）に基づく「区産業ビジョン」も策定していますが、そこでは、区民生活の視点、産業活性化の視点、まちづくりの視点から、作業ビジョンを検討し、とくに首都直下型地震に備えた建設業の育成を図ることが重視されるようになってきていることが注目されます[12]。

公契約に関して、もうひとつ活用できる制度があります。それは、一九六六年に制定された「官公需についての中小企業者の受注の確保に関する法律」（官公需法）に基づく制度であり、簡単にいえば、条例の制定とは関係なく、中小企業の事業協同組合が官公需を共同受注しやすくする制度です。同法に基づいて、官公需を共同受注する能力と資質をもつ事業協同組合を、中小企業庁が「官公需適格組合」と認定しています。二〇一五年時点で、全国に八一八組合があり、WTO協定で政府調達の国際開放がなされるまで、国や地方自治体の発注する工事、物品、委託サービスを特命随意契約や指名競争入札によって比較的順調に受注することができました。ところが、WTO協定発効後は一般競争入札が広がり、これらの組合への発注は減っていくことになりました。これに対して、二〇一四年、全国官公需適格組合協議会は、個々の組合が持つ優れた技術力、専門性を生かして、防災をはじめ地域社会・経済に貢献することを、「京都宣言」として発表します。とくに神奈川県、北海道などで活発な事業展開を行うことで、自治体と連携しながら、地域経済・社会の維持・発展に貢献していることにも、注目したいと思います[13]。

## 地域内経済循環、再生可能エネルギーへの注目

グローバル化や大災害、感染症が頻発する時代に、一人ひとりの住民が健康に輝く地域を再生し、持続させるにはどうしたらいいのでしょうか。それを効果的にすすめるために、地域に一体として存在する農業、製造業、建設業、商業、金融業だけでなく、医療・福祉や環境・国土保全を担う民間企業、農林漁家、協同組合、自治体等の経済主体が相互に連携しながら地域内経済循環を太くして、地域内再投資力を育成することが必要不可欠であるといえます。その中心に座るのが地方自治体であることも、これまでの事例で見たとおりです。

これらの経済主体には、地域の就業者のほとんどが関係しているので、地域全体が再生していくことになります。足元の地域で生活しながら、経済主体としても活躍する中小企業や農林漁家の経営者・従業員やその家族は、たんに経済的な側面での役割だけでなく、地域コミュニティの形成者、地域の文化活動の担い手、さらに地方自治体の主権者でもあります。このような担い手が自覚的に存在することで、総体としての地域は持続できるわけです。

いま、地方自治体のところでは、中小企業振興基本条例や公契約条例だけでなく、地域の個性に合わせて、地域内経済循環、六次産業化、再生可能エネルギーを積極的に推進する自治体も増えています。岩手県紫波町や滋賀県湖南市では、条例を定めて、自然エネルギーと地域内経済循環を基本に生活・福祉・景観・環境政策を結合し、所得の域内循環と経営維持、地域社会、景観形成、環境保全の相互連関を図ろうとしています。また、年金を出発点にした資金循環と仕事おこし、福祉

の連関性を追求する取り組みも各地でなされています。

資金・所得の循環、物質・エネルギー循環、人と自然との循環から構成される地域内経済循環が形成されることで、一人ひとりの住民の生活の維持・向上を図ることができるといえます。これらの動きは、自治体と地域の経済主体の連携による産業自治、エネルギー自治の発展として大いに注目することができます。このような地域づくりは、住民や地元経済主体の地域づくりへの積極的参加なしには実現しません。また、そのような取り組みは国によって主導されるべきものではなく、広い意味での社会教育の場で絶えず学ぶことから持続可能な運動となります。

## 注

（1）大阪の動向については、岡田知弘「大都市における地域経済政策の方向性」『阪南論集　社会科学編』第四五巻第三号、二〇一〇年三月、同「現代道州制論の歴史的位置―『グローバル国家』論と関西州・大阪都構想―」『歴史科学』第二一三号、二〇一三年六月、参照。

（2）東京の動向については、東京自治体問題研究所・山本由美・寺西俊一・安達智則編『図説　東京の論点―小池都政を徹底検証する―』旬報社、二〇二〇年、池田利道『23区格差』中公新書クラレ、二〇一五年、参照。

（3）「一〇万円給付、先払いあり二カ月先あり　各自治体の事情」『朝日新聞』二〇二〇年四月三〇日付。

（4）東京における開発の歴史については、岩見良太郎『再開発は誰のためか』日本経済評論社、二〇一六年、源川真希『首都改造―東京の再開発と都市政治―』吉川弘文館、二〇二〇年、参照。大都市再生の現状と問題点については、建設政策研究所編『「都市再生」がまちをこわす―現場からの検証―』自治体研究社、二〇〇四年、参照。
(5) 詳しくは、ナニワ企業団地協同組合『ナニワ企業団地協同組合における地域高度技能活用雇用安定事業推進に向けた調査報告書』(岡田知弘、芳野俊郎、田端一哉筆)一九九八年八月、参照。
(6) 松井洋一郎『まちゼミ―さあ、商いを楽しもう!―』商業界、二〇一七年。
(7) 墨田区の三〇年にわたる取り組みについては、高野祐次「条例に魂を入れてきた墨田区の商工観光行政」及び「東京スカイツリー開業後の墨田の胎動」岡田知弘他『増補版　中小企業振興基本条例で地域をつくる―地域内再投資力と自治体施策―』自治体研究社、二〇一三年、参照。
(8) 『中小企業家しんぶん』二〇〇四年一〇月一五日。なお、植田浩史『自治体の地域産業振興政策と中小企業振興基本条例』自治体研究社、二〇〇七年、参照。
(9) 帯広市については、渡辺純夫「中小企業振興基本条例から産業振興ビジョンへ」、秋元和夫「産業振興ビジョンの着実な実践に向け官民一体の取り組みへ」前掲『増補版　中小企業振興基本条例で地域をつくる』、稲葉典昭「帯広市の地域経済政策と地域再生」『住民と自治』二〇二〇年三月号、野地秋嘉『世界に一軒だけのパン屋―地産地消で年商十億円　北海道『満寿屋』三代の奇跡―』小学館、二〇一八年、参照。
(10) リーサス・ホームページ https://resas.go.jp/#/13/13101 及び枝廣淳子『地元経済を創りなおす―分析・診断・対策―』岩波新書、二〇一八年、参照。
(11) 岡田知弘・自治体問題研究所編『TPP・FTAと公共政策の変質―問われる国民主権、地方自治、公共サービス―』地域と自治体第38集、自治体研究社、二〇一七年。
(12) 永山利和・中村重美『公契約条例がひらく地域のしごと・くらし』自治体研究社、二〇一九年、田中耕太「世田谷区産業ビジョンと経済産業政策」『住民と自治』二〇二〇年三月号、参照。
(13) 岡田知弘「災害の時代における中小企業と自治体との戦略的連携」岡田知弘・秋山いつき『災害の時代に立ち向かう―中小企業家と自治体の役割―』自治体研究社、二〇一六年。

# Ⅳ部　地域内再投資力と地域住民主権

# 第11章　市町村合併で地域は豊かになったのか

## 1　「平成の大合併」をふりかえる

### 市町村合併を検証する意味

二〇二〇年三月末日で期限が切れる予定だった市町村合併特例法が、一〇年延長されることになりました。政府は、引き続き「自主的」な市町村合併を支援する体制を崩していません。他方で、小泉内閣期から、「平成の大合併」推進の旗振り役を務めた西尾勝・元地方制度調査会会長（東京大学名誉教授）ですら、合併や「三位一体の改革」が地方を惨憺たる状況に追いやったと認めざるをえない状況が明らかになっています[1]。

実際、日本弁護士連合会が、二〇一九年一一月に開催したシンポジウム「平成の大合併を検証し、地方自治のあり方について考える」では、同連合会公害対策・環境保全委員会から「合併・非合併市町村の人口動態の分析」及び「現地調査で判明した実態」について報告がなされ、合併した旧町村の人口減少率や衰退傾向が、合併しなかった自治体よりも大きいことが明らかとなり、その内容を多くのマスコミが報じました(2)。

一方、すでに述べたように、道州制導入論の一環として、最終的に人口三〇万人規模の三〇〇基礎自治体に再編すべきであるという政財界からの圧力も続いています。そのために、「増田レポート」の「自治体消滅論」を使って、地方の中心都市と周辺町村が連携を組んだ連携中枢都市圏に代表される「圏域」行政サービス体の形成も、「自治体戦略二〇四〇構想」の一環として推進されています。これも、周辺町村の行財政・自治権限を制限し、それを中心都市に移す構造になっており、ソフトな形での自治体合併政策といえます。つまり、市町村合併問題は、過去の終わった問題ではなく、現在進行形の問題でもあります。

したがって、なぜ、「平成の大合併」のような大掛かりな自治体再編政策が進められ、どのような帰結になったのかを、正確に捉えることが重要になっているといえます。この点を理解することなしに、個別の地域での合併問題と地域づくりのあり方だけでなく、今後の地方制度改革の内実を正しく理解することができないと考えるからです。

また、「平成の大合併」をすすめるにあたって、その論拠のひとつとして「市町村合併をすれば地域は活性化する」ということがいわれました。果たして、それは本当なのでしょうか。本章では、これまで述べてきた地域内再投資力の視点から、この議論を検証していきたいと思います。

## 「平成の大合併」を振りかえる

まず、「平成の大合併」について、振り返ってみましょう。近代社会になって以降、日本では三度に及ぶ国主導の基礎自治体の再編が行われました。最初が「明治の大合併」であり、近代国家の行政の末端機構をつくるために地方統治機構整備の一環として推進されました。次が「昭和の大合併」であり、戦後憲法と地方自治法の施行、さらに六・三制の教育改革のなかで中学校の建設と運営が必要となり、人口七〜八〇〇〇人規模の市町村が最小規模とみなされました。一九五三年から三年の期限を切って政府が強力に推進し、市町村数を三分の一に集約しました。

それから、ほぼ半世紀を経て、一九九九年に市町村合併特例法が制定され（二〇〇四年度末までの時限立法）、「平成の大合併」が始動しました。

法制定直後の二〇〇〇年度には三二三二市町村を一〇〇〇に集約する方針が閣議決定されます。しかし、当初はほとんど進まず、二〇〇一年に発足した小泉純一郎内閣の下で、財政面での「アメ」（合併特例債、地方交付税の算定替え特例）と「ムチ」（小規模自治体向け地方交付税段階補正の削減、三位一体の改革）の活用によって、強引に合併政策が推進されることになりました。

この結果、二〇〇四年四月一日に三一〇〇となった市町村数は、一年後の二〇〇五年四月一日には二三九五に、さらに特例期限を一年延長した結果、〇五年度末には一八二一となりました。この数字から、合併協議が不十分なまま見切り発車した「駆け込み合併」が多かったことが推察されます。

その後、「平成の大合併」は、合併新法の下で五年間延長した形で推進され、二〇一〇年三月末日の市町村数は一七五一となります。しかし、第一次安倍政権の下に設置された第二九次地方制度調査会は、二〇〇九年六月に最終答申をまとめ、「平成一一年以来の全国的な合併推進運動については、現行合併特例法の期限である平成二二年三月末までで一区切りとすることが適当である」と結論づけたのです。

同調査会では、当初、安倍首相が推進する道州制導入を視野に入れて、市町村の「更なる合併」を進めるべきだという官邸側の思惑がありました。しかし、委員の多くが「検証なき合併はすすめるべきではない」と発言し、政府が主導する「平成の大合併」は一旦終了することとなったのです。ただし、「一区切り」という表現にも見られるように、政治情勢次第では、自治体再編政策が再開される可能性も残されたといえます。

この結果、一九九九年四月一日から二〇二〇年四月一日までに、**表11－1**のような市町村数の増減がありました（このほか、東京都に二三の特別区もあります）。全体で四六・七％の減少ですが、それは町村で六割以上も減少したからであり、逆に政令市や一般の市が増えたことがわかります。

**表11－1　「平成の大合併」下の市町数の変化**

| | 政令市 | 市 | 町 | 村 | 市町村計 |
|---|---|---|---|---|---|
| 1999年4月1日 | 12 | 659 | 1,990 | 574 | 3,235 |
| 2020年4月1日 | 20 | 772 | 743 | 189 | 1,724 |
| 増減数 | 8 | 113 | -1247 | -385 | -1511 |
| 増減率 | 66.7% | 17.1% | -62.7% | -67.1% | -46.7% |

資料：総務省ホームページ掲載資料による。

## 総務省の理由付けと大いなる矛盾

　では、なぜ政府は、強引ともいえる手法で市町村合併を推進したのでしょうか。その手がかりとして、総務省のホームページに示されている合併「理由」の検討から始めることにします。そこには、「今、市町村合併が求められる理由」として、①地方分権の推進、②高齢化への対応、③多様化する住民ニーズへの対応、④生活圏の広域化への対応、⑤効率性の向上、の五点が掲げられています。これらの論点は、合併を進めるため、各都道府県や市町村、合併協議会が作成した資料に、そのままコピーされて、流布されていきました[(3)]。要するに、一九五〇年代の「昭和の大合併」以後、交通の発達により日常生活圏が市町村の区域を越えて広域化するとともに、住民の高齢化やニーズの多様化が進行しており、地方自治体が自らの創意工夫で地方分権的な行政を行うためには、合併によって行財政基盤の強化と効率的な行政運営を図る必要があるという論理でした。

　これらの理由は、一見もっともらしいものですが、よく考えてみると、それほど説得的なものではないことがわかります。第一に、いずれも、合併の必要性を一般論として指摘しているだけであり、なぜ今急ぐ必要があるのかを語っているわけではありません。第二に、地方分権の推進といいながらどうして強制合併をするのでしょうか。このこと自体が矛盾しています。第三に、高齢化への対応という点でいえば、狭い方が合理的であるといえます。一般に七五歳以上の後期高齢者の一日の行動範囲は半径五〇〇メートル圏、つまり本書の冒頭で述べたような「人間の生活領域」に相当する広がりだと言われています。このように考えると、高齢化への対応という点では、狭い範囲の基礎自治体がふさわしいといえます。仮に、介護保険等の高齢化に伴う財政負担が懸念されるとしても、市町村が共同したり、県が補完する広域連合等で対応すればすむことです。

ちなみに、総務省の地方自治体の捉え方は、「行政村」あるいは「総合行政サービス体」というものです。そもそも、地方自治は、団体自治と住民自治の両側面からなります。右の見方は、団体自治、とりわけ「総合行政サービス体」という一側面からしか地方自治体を捉えておらず、住民の自治組織であるという住民自治に対する認識が極めて弱い点で大きな問題があるといえます。つまり、あくまでも国の行政組織の末端、中央から見た「地方統治機構の末端」としてしか基礎自治体を捉えておらず、住民が主権者として自ら統治する自治体という側面が、意図的に無視ないし軽視されているといえます。

ちなみに、憲法上の基礎自治体の広がりについては、最高裁の判例（一九六三年三月二七日）に、「単に法律で地方公共団体として取り扱われているだけでは足らず、事実上住民が経済的文化的に密接な共同生活を営み、共同体意識をもっているという社会的基盤が存在し、沿革的にみても、また、現実の行政の上においても、相当程度の自主立法権、自主行政権、自主財政権等地方自治の基本的権能を附与された地域団体であることを必要とする」とあります。今回の大合併では、岐阜県高山市のように人口一〇万人近くの市でありながら、二〇〇〇㎢を超える「自治体」が出現し、右に規定された自治の範囲を大きく超えてしまったのです。これが、住み続けることができない地域を生み出すことにつながっていきました。

## 行政改革と市町村合併

このように考えてくると、市町村合併を急ぐ理由は、総務省が公式に掲げているものとは違うところにあると考えられます。結論を先取りすれば、最大の理由は、国の財政危機と、それからの脱却策としての行政改革にあるといえます。国の財政危機の一環として地方財政危機があります。市町村合併は、一〇年単位で見れば、地方交付税交付金の削減につながるものです。

けれども、財政危機だけでは説明できない理由があります。これらの疑問は、市町村合併が「究極の行政改革」であると位置づけた総務省官僚の発言を聞けば氷解します。平成の市町村合併は、一九九〇年代初頭からはじまる国の行政改革の一環として位置づけられてきた歴史的経緯をもっています。その端緒は、一九九一年七月の臨時行政改革推進審議会（第三次行革審）・第一次答申に見ることができます。そこでは、バブル期に拡大した地域間格差を解消し地域の活性化を図るために、「広域的な行政需要に対応し得る自立的な地方行政体制の確立」を提言するとともに、「基礎自治体」を「日常生活圏の核となる市町村及びその周辺の市町村の範囲とし、例えば現行の広域市町村圏のような広がり」に再編すべきであるとしたのです[4]。その後、不況が長期化し国家財政の赤字が累積するなかで、政府は地方債の発行条件を緩和することによって景気対策として地方自治体主導の公共事業を拡大します。これが、地方財政の危機を深化させることになるわけです。

当時、行革国民会議は、人口三〇万人規模の三〇〇の「市」と、全国で一〇の「州」からなる二段階の自治制度を提案しましたが、一〇年後にそれが再浮上する形で推進されたといえます。

さらに、一九九六年の橋本行革ビジョンは、「企業に選んでもらえる国づくり・地域づくり」を目標に、六大分野での行政改革をすすめましたが、そのなかで国と地方の行財政権限の見直しが行われ、地方分権一括法及び中央省庁等改革という形で二〇〇〇〜〇一年にかけて次々と具体化されていきます。その際、最後に残された課題が、市町村合併と都道府県制度の見直し（都道府県合併あるいは道州制の導入）、そして公務員制度の改革でした。

## 都市再生と合併推進

一九九八年の参議院選挙で、自民党が都市部選挙区で大敗を喫し、参議院で単独過半数を割り込んだことは、市町村合併推進の決定的要因となりました。すなわち、地方交付税交付金などの財源を、市町村合併によって地方から大都市へ重点移動し、大都市での政治基盤の「再生」を図ろうとしたのです。こうして、一九九九年には地方分権一括法と同時に、地方交付税交付金の算定替え期間の延長、合併特例債の創設などを盛り込んだ合併特例法の改正が行われます(5)。

さらに、二〇〇〇年一二月には、「市町村合併後の自治体数は一〇〇〇を目標とする」という与党行財政改革推進協議会の方針を、そのまま数値目標として取り入れた「行政改革大綱」が閣議決定されます。国の視点から見るならば、地方交付税交付金をはじめとする地方財政負担が軽減できるとともに、より効率的な地方行財政のコントロールが可能となるわけです。けれども、地方分権論が高まるなかで強制的な合併は受け入れられるはずがなく、地方分権の受け皿論と市町村合併論を結びつけ、「自主的な市町村合併を積極的に推進」というように、「自主性」や「住民投票制度」の導入という一文を入れざるをえませんでした。もっとも、ここで住民投票制度を取り入れたのは、日本青年会議所会員をはじめとする地方の開発志向的企業家による広域合併推進運動の存在を念頭に入れてのことです。ここに、政府による「地方分権論」の強調と、それと相反する強制的な合併推進という、矛盾きわまりない姿勢が生まれる根源がありました。

小泉内閣の発足とその後の「骨太の方針」（経済財政諮問会議「今後の経済財政運営及び経済社会の構造改革に関する基本方針」二〇〇一年六月）のなかでも、「すみやかな市町村の再編」が特に強調されました。そこでは、「個性ある地方」の自立した発展と活性化を促進することが重要な課題であり、そのために市町村合併を促進しなければならないとされていました。そして、財政的にも自立するためにということで、地方交付税交付金の削減と、過疎地域の小規模自治体ほど手厚くしている同交付金の段階補正の見直しを求めたのでした。

これは、一九九八年度予算で具体化し、人口五万人未満の地方自治体の交付金が削減され、他方で「都市再生」ということで大都市へと財政支出を移す方向が打ち出されました。こうなれば、交付金に依存している人口小規模自治体ほど財政危機が深刻となり、合併へと追い込まれることになります。いわゆる「兵糧攻め」のなかで、自治体首長や議会筋は、無理矢理合併へと追い立てられていることになりました。「三位一体の改革」は、それに拍車をかけました。

以上のように、市町村合併の真のねらいは、「国のかたちのつくりかえ」と地方向けの財政支出を削減し、これを大都市再生に振り向けるところにあったといえます。

## 2 「グローバル国家」への国家改造と自治体大再編

### 多国籍企業時代における「グローバル国家」への旋回

では、経済のグローバル化とともに推し進められている「国のかたちのつくりかえ」とは、いかなる歴史的意味をもつものなのでしょうか。

日本が近代国家を形成してから現在に至るまで、過去二回の市町村「大合併」がありました。最初が町村制の発足に合わせて実施された「明治の大合併」であり、次が一九五〇年代前半の「昭和の大合併」でした。かつて、島恭彦は、前者を資本主義体制の下に七万の小農村を引きずり込むもの、後者を独占段階の資本主義が地主勢力消滅後の農村支配網を再編するものと、端的に特徴づけました(6)。

このような視点を踏襲して「平成の大合併」を特徴づけるならば、経済のグローバル化のなかで急速に進んだ「住民の生活領域としての地域」と「資本の活動領域としての地域」との乖離を、後者の論理によって強制的に再編統合するものであるといえます。すなわち、多国籍企業が主導する「グローバル国家」づくりの一環としての国内支配体制の再編、と位置づけることができるのではないでしょうか。

「グローバル国家」への再編とは、すでに述べたように、多国籍資本段階に照応した国家の政策体系及び官僚機構の再編成です。これによって、一国内部の独占資本主義が金融寡頭制によって当該国の政治を掌握した「国家独占資本主義的」な政策体系や支配体制を破壊し、国内外の多国籍企業の蓄積活動を支える「グローバル国家」の政策体系・支配体制への「構造改革」が強制されることになります。つまり、農民や中小企業に対して一定の保護を講じてきた従来の政策を根本的に修正する必要に迫られます。その典型例が、一九九〇年代末からの農業基本法、中小企業基本法の大幅見直しです。こうして、内外の多国籍資本の市場開放要求に協調して市場原理主義的な政策に切り替え、少数のより強い経営体に資源（財政支出）を集中し、圧倒的多数の弱小経営体を切り捨てる政策を次々と導入することになります。これは、必然的に「地方」支配体制の変更もともないます。それが、人口小規模自治体の地方交付税交付金の削減と強制的な市町村合併による、財源の大都市への集中と農村支配体制の広域再編であるわけです。

### 合併推進・受容の基礎過程

他方、このような上からの「国のかたちのつくりかえ」を、地域の側で受容し、それを積極的に推進する基盤も存在することを見ておく必要があります。

二〇〇一年に、総務省の市町村合併推進の別働隊として、「二一世紀の市町村合併を考える国民協議会」が設立され、政府と一体となって推進運動を行っています。同協議会の役員には、会長の樋口廣太郎・アサヒビール相談役名誉会長をはじめとして、関西経済連合会会長（関西電力）、日本商工会議所会頭（旭化成）、経団連副会長（ソニー）、日本経営者団体連盟会長（トヨタ自動車）、経済同友会代表幹事（富士ゼロックス）といった財界人、日本青年会議所会頭、連合会長、マスコミ代表らに加え、全国農協中央会会長も名を連ねていることに注目しなければなりません。いわば、多国籍企業を中心とした中央財界から、地域の足下で開発志向型提案運動を行っている青年会議所や商工会議所、そして広域合併しつつあった農協組織をも含む地方経済団体が重層的に組織されていたのです。

では、この財界ラインの合併推進理由は、一体どこにあるのでしょうか。二〇〇〇年一二月に、経団連が「地方行財政改革への新たな取組み」と題する文書を発表しています。そこには、市町村合併を進める理由として、以下のような点があげられていました。「例えば、中小規模の自治体における電子化への取組みの遅れとともに、地方自治体毎の煩瑣な許認可等の申請手続きや庁内の縦割り行政等が、効率的・合理的な企業活動の展開を阻害し、事業コストを押し上げ、グローバルな市場競争面での障害となっている[7]」と述べられています。

つまり、先述の「グローバル国家」論と同様、グローバルな市場競争の障害として地方自治体毎の煩瑣な許認可手続きによる「事業コスト」をやり玉にあげ、それを取り除くために市町村合併、さらには道州制導入が必要であるという論理です。とりわけ大規模開発を進める際に、複数自治体にまたがる場合が多いわけですが、そのこと自体が障害と認識しているのです。このことは、各地で複数自治体にまたがって事業所を展開したり、あるいはグローバルな展開をしつつある青年会議所企業のところでも、共通の問題意識になっていたといえます。

同時に、最近の企業の立地活動を見ると、複数事業所をもつ東京系企業、大阪系企業、愛知系企業とも、大都市圏、地方拠点都市、県庁所在地に事業所を集中する傾向にあります(8)。九〇年代以降、郡部への分工場の新規立地は急激に減少し、むしろ上記都市への支店やオフィスの立地が顕著となってきています。地方の自治体側も、このような域外資本の立地を受け入れるための都市再開発を競うことになります。町村であれば市への昇格、一般市であれば特例市、特例市であれば中核市、中核市であれば政令指定都市というように、一ランク上と見られるステータスを求める競争が組織されることになるわけです。その誘因は、この間整備されてきた上述の都市規模別のランク分けと、開発権限の違いにあるといえます(9)。

このように「平成の大合併」は、単に地方財政危機を理由にした小規模な自治体の農村型合併だけではなく、開発志向性の高い政令都市型合併や中核市型合併も含めて、ともに総務省・都道府県ラインの官僚的統制と、アメとムチの財政政策の活用によって進められたことに注意しなければなりません。

## 合併「特需」に期待した建設業とＩＴ産業

加えて、合併「特需」に直接関わる企業群の存在も無視できません。旧合併特例法に基づく合併特例債では、新市建設の名の下に大規模な公共事業が可能となりました。静岡市と清水市の合併（人口約七〇万人）の場合は上限四〇〇億円、潮来町と牛堀町との合併（人口三万人）の場合は上限五八億円でした。もっとも、そのうち国が負担するのは約七割であり、残りの三割は地元負担になります[10]。これらの大規模事業のほとんどが、ハコモノであり、その建設需要が見込まれたわけです。

例えば、合併特例債の最初の適用都市のひとつとなった、兵庫県篠山市（一九九九年四月合併、二〇一九年から丹波篠山市に改称、人口四・二万人）の場合、「一九九九年度から二〇〇八年度までに約一九〇億円の特例債を一二事業につぎ込む予定」であり、具体的には「廃校になった中学校を改築した『篠山チルドレンズミュージアム』（総事業費一八億五〇〇〇万円）、蔵書二三万冊の『中央図書館』（同一九億九〇〇〇万円）、市役所の隣に建設される『市民センター』（同二六億六〇〇〇万円）」などの建設需要が生まれました。このような合併特例債による建設市場の創出は、「長引く不況にあえぐ建設業界にとっても千載一遇のチャンス」であり、「ゼネコン各社は、虎視たんたんと各地域の動向をうかがっている」と報じられていました[11]。構造不況に陥っているゼネコンが、起死回生の一つの市場として、合併特例債市場を位置づけていたといえます。

合併特例債にともなう建設事業規模は、現行の普通建設事業の一・三倍程度とされ、そのうち約三分の二を政府が交付金として後年度負担することになりました。仮に、三二〇〇自治体が、政府の目標どおりに一〇〇〇の自治体に集約されるならば、一〇兆円余りの行政投資が新たに発生することになります。このような「アメ」の大盤振る舞いは、政府の進めようとしている行政コストの

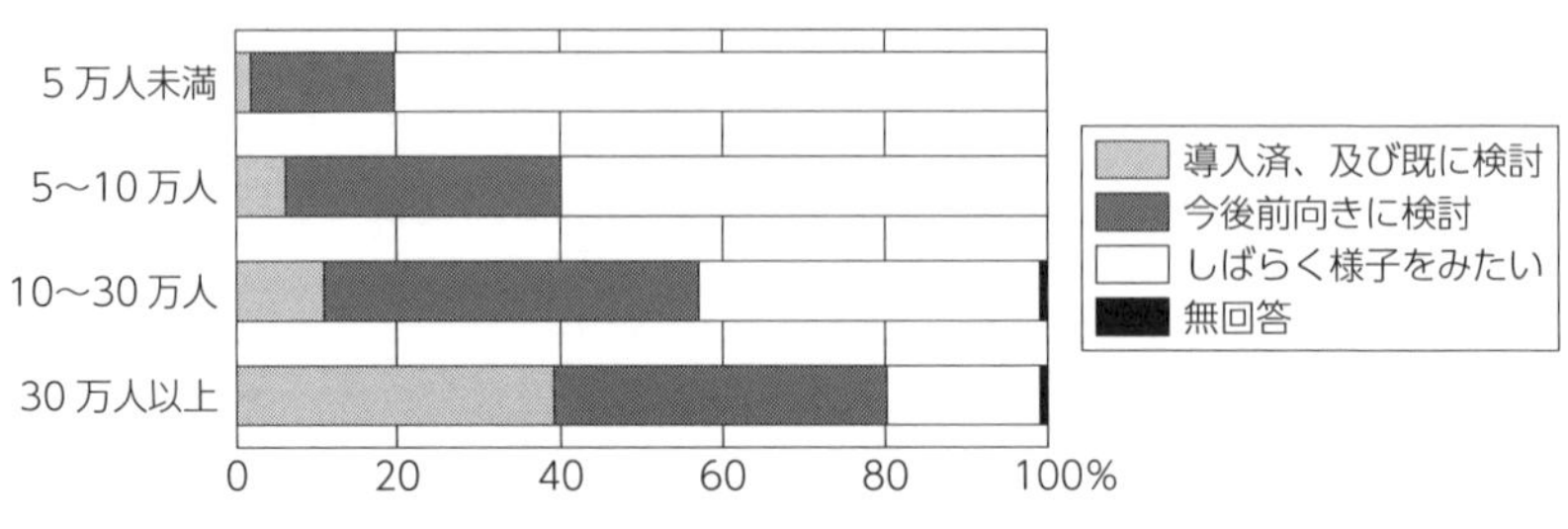


**図11－1　自治体におけるPFIの導入可能性（人口規模別）**

資料：平成13年度内閣府委嘱調査「PFIに関する全国自治体アンケート」（回答率81.3%）

削減論と矛盾する、不合理な支出であるといえます[12]。

さらに、以上の新市建設計画にともなう建設需要に加え、大規模化した新自治体によるPFI市場形成への期待も高まっていました。というのも、**図11－1**から分かるように、PFI事業は、自治体の人口規模が大きくなればなるほど、その導入を検討したり、現に導入したりする比率が増大していたからです。

第二に、「平成の大合併」については、建設業と同様に不況に喘いでいた情報関連産業が積極的な市場拡大に乗り出していることが大きな特徴です。これは、例えば五〇〇㎢を超えるような広域合併が行われることになると、市役所から遠く離れた周縁部の旧町村の住民への行政サービスが格段に低下することになるため、総務省が率先して、情報技術を活用することで市役所からの行政情報ネットワークの端末を支所や郵便局において対応することを推奨しているからです[13]。このため、例えば、日立製作所の情報サービス部門が出版した著作には、「平成の大合併が何より明治や昭和のそれと大きく異なっているのは、行政運営に情報システムが深く関っており、情報システムの統合抜きには考えられないということである」という表現が自覚的になされていました[14]。

こうして、「平成の大合併」は、単に国からの「強制的押し付け」ではなく、成長志向型企業家や建設業、情報産業など特定産業への利益誘導による受容基盤の創出によって、「自主的」に推進されることになっていきました。だが、これらのビジネスチャンスも、大型プロジェクト型開発の場合と同様、地元企業ではなく、大手企業によって受注される傾向にあったことはいうまでもありません。

## 3　市町村合併で地域は「活性化」したのか

### 小泉流「構造改革」の論理

では、政府がいうように、市町村合併で地域は「活性化」したのでしょうか。そこで、まず、小泉流「構造改革」において、市町村合併がどのように位置づけられていたかを、二〇〇一年六月の「骨太の方針」によって確認することにしましょう。

同方針には、「『個性ある地方』の自立した発展と活性化を促進することが重要な課題である。このためすみやかな市町村の再編を促進する」（傍点・岡田）と書かれていました。「市町村の再編」というのは、合併のことです。しかし、本書で述べてきたように、当時の地域経済の衰退の原因は地方自治体にあったわけではありません。明らかに前川レポート以来の経済のグローバル化と経済構造調整政策に原因がありました。ところが、それにメスを入れずに、自治体を大きくすることで地域は活性化できるとして、市町村合併を推進した結果、地域経済も地域社会も惨憺たる状況になったのです。

では、なぜ、市町村合併をすれば「地域は活性化する」と考えたのでしょうか。当時の総務省のホームページには、次のように書いてありました。「より大きな市町村の誕生が、地域の存在感や『格』の向上と地域のイメージアップにつながり、企業の進出や若者の定着、重要プロジェクトの誘致が期待できます」と。重要プロジェクトというのは大きな公共事業のことです。

この文章を検証してみましょう。「存在感」や「『格』の向上」、地域の「イメージアップ」という言葉が使われていますが、これらはすべて主観の話です。最後は「期待できます」とあり、客観的に「必ずこうなります」とは一切書いてありません。実は、市町村が合併して、地域経済が活性化するということを客観的には約束できなかったのです。

しかも「活性化」とは、「企業の進出や若者の定着、重要プロジェクトの誘致」であると考えています。これらは、すでに述べてきたように、戦後の日本の地域開発の歴史によって、失敗を重ねていたことでした。そのまじめな検証もなしに、大きくなれば、「活性化」が期待できますという実に空疎な議論だったわけです。

## 市町村合併と地域内再投資力

すでに述べたように、地域の活性化にあたっては、地域内再投資力が決定的な要素となっています。とりわけ、その再投資主体として、基礎自治体の果たす役割は、過疎地域の小規模自治体であればあるほど、重要であったことは、第7章で説明しました。

では、市町村合併で、地域内再投資力は、どうなるのでしょうか。一見、市町村の規模が拡大すると、投資の規模が大きくなり、地域内再投資力が増大するように見えます。また、合併特例債が認められて、大規模な建設投資が可能になることから、それへの期待も地域の建設産業関係者には存在していました。だが、これは大きな誤解であったといえます。

実際に、例えば、町村が合併して市になったとしても、大きく変わる点は、社会福祉事務所を必ず置く必要があること、商工会議所をおくことができること、都市計画区域に市街化農地がある場合、条例で措置しない限り自動的に宅地並み課税がかかることぐらいでした。「地域活性化」につながる可能性があるとすれば、商工会議所の設置ですが、町村におかれている商工会も商工会議所も、都道府県や市町村からの補助金で事務局体制も事業も運用されています。市町村合併によって将来的に交付金が削減されることはわかっているために、ほとんどの合併地域では商工会の合併や商工会議所の再編が必要となります。そうなると人員削減やサービスポイントの減少によって、商工業者の支援体制も弱化することになるわけです。

このように、市町村合併それ自体では地域経済の「活性化」を必然的にもたらす要因は、もともと存在しないといえます。そのために、あえて時限付の特例措置を財政的に行うことが必要になったといえます。合併それ自体に経済活性化効果があるならば、手厚い財政措置はそもそも不要のはずです。

## 合併による地域内再投資力の収縮

そこで合併によって実際に地域経済がどうなるのかという点を見ていきます。ここでは、京都府北部にある丹後地域の六つの町が合併して二〇〇四年四月に発足した京丹後市の例を図11－2に示しました。合併前、六つの自治体はそれぞれ四〇～七〇億円程度の財政規模を持ち、地域に資金を供給するいわば心臓のような役割を果たしていました。弥栄町では特に財政への依存度が高かったわけですが、これが合併すると市役所だけの一つの心臓になります。京丹後市の場合、中央に位置する峰山町に市役所が置かれました。財政規模がどうなるのかということですが、交付金については、旧合併特例法の地方交付税交付金の算定換え特例によって将来的に縮小していきます。図11－3は丹後六町の合併協議会の資料に基づいた交付金のシミュレーション図です。ここでは、合併特例債の発行を前提に、その償還に当てられる交付金も含めて推計をしています。けれども、算定換え特例が終了する一六年後には合併しない場合と逆転します。さらに、特例債の償還分や合併のための必要経費となる特別交付金を差し引くと、合併一一年後から、合併しない場合を大きく下回ることになります。したがって、合併して大きな面積になりながら、交付金の「真水」部分は減少することになってしまうのです。実は、これこそが総務省が地方交付税削減の手段として市町村合併を推進した理由のひとつであったわけです。さらに、二〇〇四年度からの「三位一体の改革」によって、京丹後市の交付金は、推計値よりも、実に四〇億円以上も減額されてしまい、新市建設計画は初年度から破綻してしまったのです。同様の事態は、多くの合併自治体で起り、強い反発が広がりました。

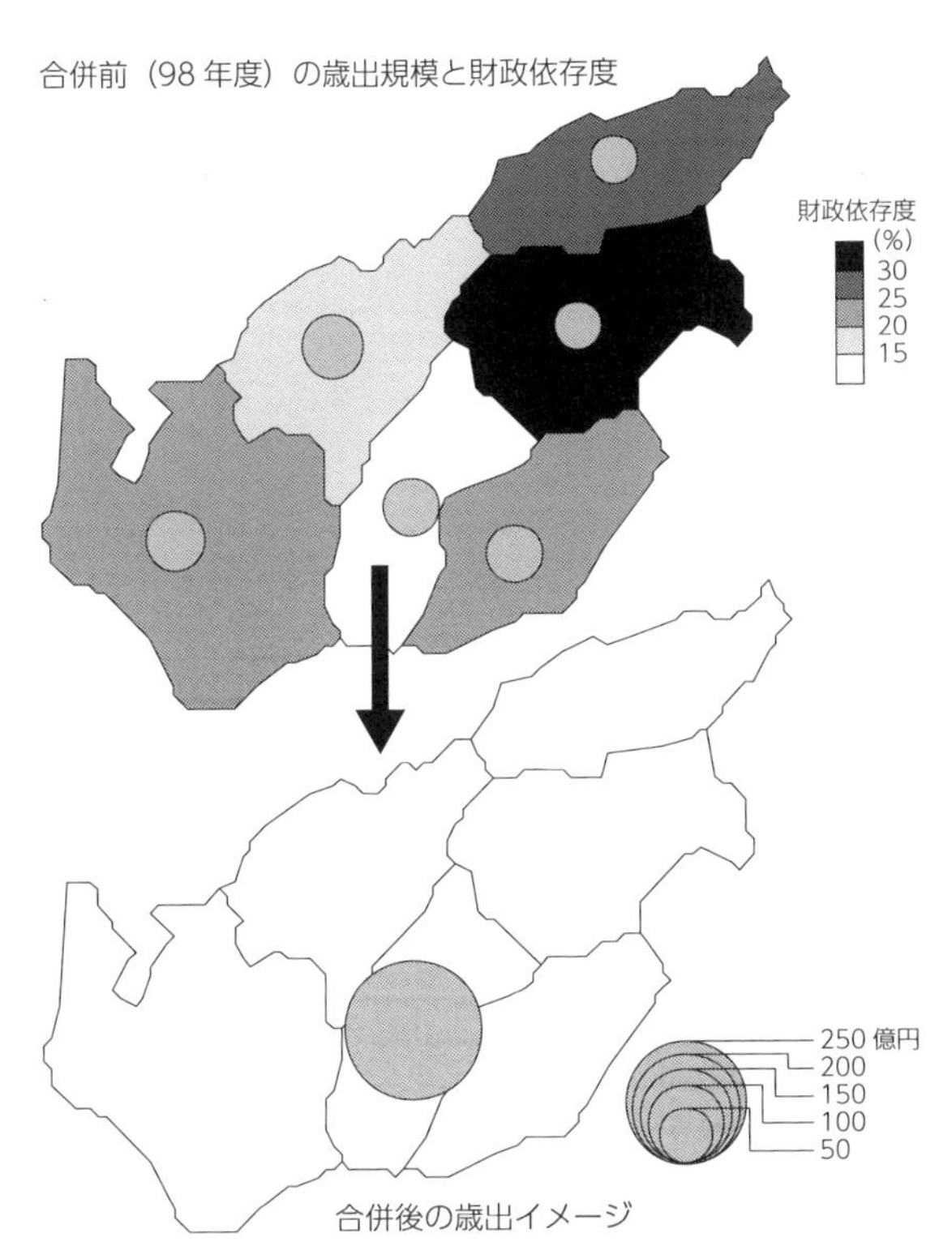


**図11－2　京丹後府丹後6町（京丹後市）における自治体歳出の変化イメージ**

注：財政依存度＝98年度普通会計歳出額／98年度町内総生産。
資料：丹後6町法定合併協議会資料から作図。

なお、合併新法においては、合併特例債は認められませんが、五年間の激変緩和期間とは別に最大五年間の算定替え特例が適用されました。新法施行初年度に合併を決めれば五年間適用となりますが、年度ごとに期間は短縮される仕組みです。したがって、旧合併特例

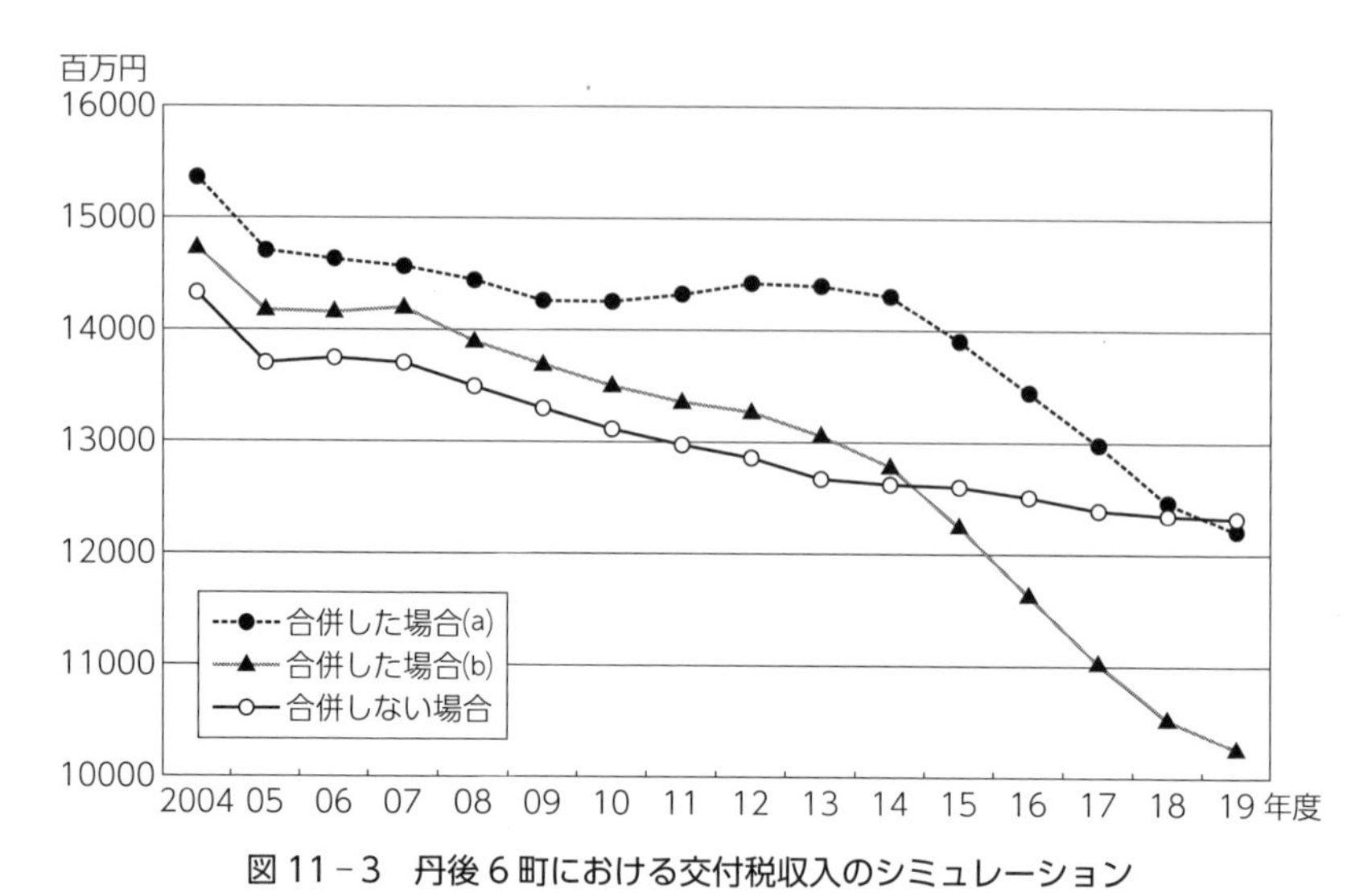


**図 11－3　丹後６町における交付税収入のシミュレーション**

合併した場合(a)は、合併協シミュレーション値。(b)は(a)より特例債措置分（合併協の資料をもとに武田公子氏が試算）・合併補正・合併にかかる特別交付税を除いた額。

資料：岡田知弘・京都自治体問題研究所編『市町村合併の幻想』自治体研究社、2003 年、94 頁。

法と比べると、財政的な「アメ」はかなり縮小することになりました。

それはともかく、一般に、過疎地域に行けばいくほど、町村役場は最大の雇用力をもった事業所であり、建設工事の発注からはじまり、事務用の文房具、職員の昼食や夕食サービスにいたるまで、役場を中心とした資金循環で生計をたてている事業所も多くありました。合併して役場がなくなるということは、当然、これらの旧役場と取引のある事業所の経営活動に衝撃を与えることになります。いわば、これまで地域の各細胞に血液を循環させていた心臓がなくなり、それがより大きな身体の中心部に一本化されて移されるようなものです。周縁部の細胞組織は、血液の循環径路から断たれて、「壊死」するしかなくなります。したがって、新しくできる広域自治体の周縁部に位置する地域ほど、地域が衰退する可能性が強まったといえます。そうなれば、これまで周縁部においても担税力や雇用力をもちえた民間経営主体も、役場がなくなることにより、再投資する力を弱めたり、失っていき、合併後の地域における民間企業の担税力は、さらに低下していくことになります。

一方、中心部に投資力が集中したとしても、その集中した資金が地域内にくまなく循環することも、期待できません。すでに篠山市や「さいたま市」の事例[15]でも明らかになっているように、多くの場合、合併特例債にもとづく大型事業の受注先は地元企業ではなく、バブル崩壊後経営危機に陥っている大手ゼネコンでした。大規模な投資を行ったとしても、その果実が地域外に流出してしまい地域内再投資力の源泉とはならないのです。同時に、そのような建設投資は、地域内に満遍なく行われるのではなく、開発重点地域に集中する傾向があります。

この結果、合併後は役場がなくなった周縁部から人口減少の幅が大きくなり、そのうち中心部においても人口を維持できなくなります。京丹後市でも表11－2で示したように、周縁部で役場への依存度が高かった丹後町や網野町、久美浜町などで人口減少率が高くなっていますが、中心部の峰山町や大宮町も緩

**表11－2　京丹後市の旧町別人口推移（2005～15年）**

| | 2005年 | 2015年 | 増減数 | 増減率 |
|---|---|---|---|---|
| 峰山町 | 13,258 | 12,028 | −1230 | −9.3% |
| 大宮町 | 10,757 | 10,122 | −635 | −5.9% |
| 網野町 | 15,361 | 12,931 | −2430 | −15.8% |
| 丹後町 | 6,545 | 5,316 | −1229 | −18.8% |
| 弥栄町 | 5,705 | 5,058 | −647 | −11.3% |
| 久美浜町 | 11,097 | 9,599 | −1498 | −13.5% |
| 京丹後市計 | 62,723 | 55,054 | −7669 | −12.2% |

資料：『京丹後市統計書』各年版。原資料は「国勢調査」。

やかですが人口減少局面に入り、市全体としても一二%を超える減少率となっており、とても「地域が活性化」したとはいえない状況になっているのです。このような周縁部での地域経済、社会の衰退は、冒頭で述べたように、他の自治体でも共通してみられる現象です。

## 4　合併で住民サービス・自治機能は高まるのか

### 合併と住民サービス

前述したように、旧合併特例法による財政効果は特例期間のみのことであり、交付金算定特例は合併一六年後には、合併しなかった場合と逆転します。合併特例債についても約三分の一の地元負担がつきまといます。すでに見た合併特例債による「合併バブル」によって、財政危機から脱出できるどころか、むしろ借金地獄に陥ることになります[16]。

例えば、篠山市の場合、合併特例債の発行によって、合併前の一九九八年時点では一人当たり五八・六万円だった長期債務残高が、合併後の二〇〇〇年には九七・一万円に膨らみ、財政状況が非常に厳しくなってしまいました。そこで、篠山市では合併後三年にして小学校の統合を打ち出し、通学バス料金も一律二五〇〇円負担に値上げすることになってしまいました。

そして、二〇〇七年には、地元紙が「篠山市が将来の財政見通しを発表した。赤字が続いて、貯金も三年後には底をつき、四年後には単年度で予算が組めない。よほどリストラをやらない限りは、六年後の二〇一三年には財政再建団体に陥る可能性がある[17]」と指摘せざるをえない事態となります。篠山市はその後、行財政改革をすすめますが、二〇一八年度決算においても、実質公債費比率一八・八％、将来負担比率一七七と、兵庫県内市町村のなかでもワースト二位の状態にあります。[18]

合併が住民に与える影響で、最もわかりやすいのは、行政サービスの変化です。合併前の時点においては、行政の各分野において、それぞれの自治体が個性をもった独自施策を展開してきました。市町村合併は、対等合併方式であるか編入合併方式であるかを問わず、これらの行政サービスを一本化しなければなりません。このため、合併協議会において、夥しい項目の調整協議がなされることになります。

しかも、その場合、合併協議をスムーズに進行させるために、「負担は低く、サービスは高く」を目標として掲げながら、調整が難航する課題については合併後に先送りするというケースが目立ちました。けれども、財政危機が理由で合併する自治体がある以上、「負担は低く、サービスは高く」という目標は早晩崩れざるを得ません。むしろ、「サービスは低く、負担は高く」となる公算の方が大きいといえます。ちなみに、政令指定都市型合併の典型である「さいたま市」でさえ、政令指定都市の準備のために経費が嵩み、国保税や介護保険料の引き上げという行財政リストラを実施しているのです。[19]

## 総務省の合併効果分析

また、合併によって財政効率性が増す、特に人件費の節約効果が期待できると、よく言われます。確かに首長の数が減り、議員の数も減ります。

合併の効果を演出するために、総務省は、二〇〇五年一一月に「市町村の合併に関する研究会」を設置し、その報告書を二〇〇六年三月にとりまとめました[20]。同報告書の特徴は、最初の分析枠組みにおいて、市町村合併による効果を、①国民からみた効果、②市町村から見た効果、③都道府県から見た効果、④国から見た効果に区分しつつも、本論ではもっぱら「市町村合併による効率化効果」を財政面と人員削減面のみから検討している点にあります。

試算方法は単純であり、一九九九年四月から二〇〇六年三月までに合併した五五七市町村を対象に、合併前の構成団体の歳出額（二〇〇三年度決算）と合併後の市町村の類似団体の歳出額（同年度）を比較し、概ね合併後一〇年経過した二〇一六年度以降、人件費や物件費、投資的経費がどれぐらい「効率化」されたかを計算する方法です。結論は、一年で約一・八兆円の「効率化」が図られるというものであり、そのうち人件費が約五四〇〇億円であり、職員数にすると約一二万七〇〇〇人の削減になるとしました。

以上のように、この報告書は、「市町村合併の効果等の総括」としては、あまりにも空疎な計算値しか示していませんでした。合併特例債の効果さえも考慮に入れられておらず、推計値としても疑問な点が多々目立ちます。もっとも、地方への財政支出の削減を目標としている国の視点から見ると、そのような削減＝「効率化効果」にしか関心がなかったことの証左であるともいえます。

## 人員削減とサービス低下

しかし問題は、合併した地域において、一体どれだけ公務員が減り、どのような公共サービスの変化が起きるかということです。

新潟県の十日町地域の任意合併協議会では、詳細なシミュレーションを行い、表11－3のように部門別の職員数の変化まで予測していました。二〇〇二年度の合併市町村の合計職員数は八四〇人ですが、これを特例措置の期限が終わる二〇二〇年までに、当時の類似都市自治体平均の五〇〇人体制にする必要があるという結論でした。実に四〇％の削減でした。これを部門別で見ると、最も減り方が激しいのは農林関係で、約三分の二のカットという数字がでていました。十日町市は、二〇〇五年四月に合併して、新市になりました。したがって、二〇一七年度は、まだ地方交付税の算定替え特例が存続している時点ですが、この時点で職員数は五〇八人まで削減していました。ほぼ四〇％の減少率ですが、部門別にみると、議会、病院、水道・下水道、教育、農林水産、民生、総務で四割を超える削減率となっています。逆に商工で増加しているほか、衛生、国保・介護保険他、土木での減り方が小さいことが特徴的です。農業を基盤にした農村部の市町が合併して人口五万人余りの「市」になったのですが、職員配置から見る限り行政の力点は商工や土木に移ってきているといえるでしょう。とりわけ基盤作業である農業関係の担当職員に加え、農業委員も減らされているので、農業支援が弱まっていると容易に想像することができます。このような点からも、地域内再投資力を高める実質的な支援業務ができなくなってくるということがいえると思います。

ちなみに日本の公務員数は、先進国と比較すると最も少ない状況でした。二〇〇五年時点での人口一〇〇〇人当りの地方公務員数は、アメリカ六四・〇人、ドイツ四七・三人、フランス四二・七人、イギリス三五・九人に対して、日本はわずか二九・五人に留まっていたのです(21)。それがさらに少なくなり、外部化（アウトソーシング）や民営化、指定管理者制度の導入によって公務の「市場化」が図られていくわけです。また、「地方創生」政策が開始されるとともに、総務省が公共施設等総合管理計画の立案と遂行を地方自治体に求めた結果、公民館や学校を含む公共施設の統廃合や民営化が進みました。

実際、小泉構造改革以来の「平成の大合併」政策と「三位一体の改革」による地方財政支出の大幅削減と市場化政策は、地方公務員数を大きく減らすことになりました。この結果、表11－4で示したように、合併政策が始まる前の一九九八年から二〇一九年の間に、市町村の公務員数は一八・八％、都道府県職員数は二六・六％も減少しました。県職員数の減少は、市町村の数が減る中で、地域

県十日町市）

| 2017年度定員数(B) | 増減数(A)－(B) | 増減率 |
|---|---|---|
| 508 | -332 | -39.5% |
| 4 | -7 | -63.6% |
| 90 | -70 | -43.8% |
| 27 | -14 | -34.1% |
| 91 | -74 | -44.8% |
| 43 | -5 | -10.4% |
| 2 | -1 | -33.3% |
| 36 | -31 | -46.3% |
| 29 | 6 | 26.1% |
| 52 | -17 | -24.6% |
| 69 | -71 | -50.7% |
| 6 | -10 | -62.5% |
| 26 | -34 | -56.7% |
| 33 | -4 | -10.8% |

員の給与・定員管理」2017年度

表11－3　市町村合併による自治体一般職員の削減予測と実際値（新潟

| | 2002年度 | | | | | | 2020年度<br>類似団体 |
|---|---|---|---|---|---|---|---|
| | 十日町市 | 川西町 | 中里町 | 松代町 | 松之山町 | 合計(A) | |
| 合計 | 404 | 144 | 109 | 87 | 96 | 840 | 500 |
| 議会 | 4 | 2 | 2 | 2 | 1 | 11 | 6 |
| 総務 | 74 | 22 | 22 | 19 | 23 | 160 | 81 |
| 税務 | 22 | 7 | 6 | 4 | 2 | 41 | 26 |
| 民生 | 77 | 36 | 23 | 16 | 13 | 165 | 92 |
| 衛生 | 20 | 11 | 9 | 4 | 4 | 48 | 29 |
| 労働 | 3 | 0 | 0 | 0 | 0 | 3 | 1 |
| 農林水産 | 25 | 11 | 10 | 10 | 11 | 67 | 23 |
| 商工 | 10 | 3 | 2 | 3 | 5 | 23 | 13 |
| 土木 | 40 | 13 | 6 | 5 | 5 | 69 | 46 |
| 教育 | 78 | 21 | 15 | 13 | 13 | 140 | 83 |
| 病院 | 0 | 6 | 4 | 0 | 6 | 16 | 16 |
| 水道･下水道 | 37 | 6 | 6 | 7 | 4 | 60 | 50 |
| 国保･介護保険他 | 14 | 6 | 4 | 4 | 9 | 37 | 36 |

資料：十日町広域圏合併任意協議会『長期財政の見通し』2003年9月及び十日町市「十日町市職
から作成。

振興局などの出先機関の再編統合もすすんだからです。ここで重要なことは、災害や農林水産業振興、そして感染症をはじめとする保健業務を担当する公衆衛生行政職員が大幅に減少したことです。土木及び農林水産業を担当する市町村職員数がそれぞれ四分の一から四割近くも減少したのです。土木及び農林水産業担当の都道府県職員数は、いずれも三割以上減少しています。しかも、地方公務員の給与が低水準に抑えられるなかで、その新規補充が困難になり、非正規雇用で公共サービスを維持している自治体がほとんどです。今や、技術系職員がいない自治体は、三割に達しているといいます。これでは、災害対応ができないのは、当然です[22]。また、新型コロナウイルス感染症が拡大するなかで、保健所のＰＣＲ

表11－4　土木及び農林水産業・衛生担当地方公務員数の激減

| 一般行政関係職員 | 区分 | 1998年 | 2019年 | 増減数 | 増減率 |
|---|---|---|---|---|---|
| 合　計 | 都道府県 | 315,625 | 231,615 | -84,010 | -26.6% |
| | 市町村 | 847,500 | 687,979 | -159,521 | -18.8% |
| うち土木 | 都道府県 | 68,336 | 47,600 | -20,736 | -30.3% |
| | 市町村 | 122,753 | 91,129 | -31,624 | -25.8% |
| うち農林水産業 | 都道府県 | 72,107 | 49,036 | -23,071 | -32.0% |
| | 市町村 | 49,053 | 30,037 | -19,016 | -38.8% |
| うち衛生 | 都道府県 | 48,915 | 29,688 | -19,227 | -39.3% |
| | 市町村 | 133,520 | 98,056 | -35,464 | -26.6% |

注：いずれの年も、4月1日時点の数値。
出所：自治省『地方財政の状況』1999年及び総務省『地方財政の状況』2020年。

検査能力の低さが問題になりました。実は、この間に、保健所等の公衆衛生の職員数が都道府県で四割近く、市町村で四分の一以上減少していることが、構造的な問題として存在していたのです。

自治体の保健所の数も、一九九八年の六六三カ所から二〇一六年の四八〇カ所にまで集約され、保健所の職員数も同じく三万二一一人から二万八一五九人へ、同医師数は一一三二人から七二八人、検査に従事する検査技師数は一三〇九人から七四六人へと大きく減少しています[23]。これでは、十分なＰＣＲ検査ができないのは当然です。

## 旧役場の支所化で問題になる防災力の低下

さらに、合併によって広大な面積になった自治体においては、周縁部の役場を統合し、地元のことをあまり知らない少人数の職員が支所で窓口サービスをしている場合が多くなっており、当該地域での災害対応には無力となっています。

再び篠山市の例を取り上げたいと思います。篠山町を中心として、旧篠山藩域に属していた四つの町が合併しましたが、周縁三町では、合併しても役場職員は残してほしいという要望が出されました。その結果が、**表11－5**です。合併直後の時点では合併前に三〇九人いた職員が八五人になったのですが、これでは余りにも効率性が悪いということで行政改革が行われ、二〇〇一年度には三四人になりました。西紀町（にしきちょう）では七四人いた職員がわずか九人になってしまいました。さらに、二〇二〇年度の旧三町の職員数は、合計しても一六人であり、各々住民係と公民館係だけになってしまいました。災害がおきても、対応する組織能力はもはやありません。

**表11－5　篠山市の支所（旧役場）別職員数の推移**

| | 1998年度 合併前 | 1999年度 合併時 | 2001年度 合併後 | 2020年度 |
|---|---|---|---|---|
| 西紀 | 74 | 24 | 9 | 5 |
| 今田 | 66 | 22 | 9 | 3 |
| 丹南 | 169 | 39 | 16 | 8 |
| 合計 | 309 | 85 | 34 | 16 |

資料：篠山市（現・丹波篠山市）資料から作成。
注：いずれも年度当初の数字である。

この問題は、東日本大震災の被災地である気仙沼市本吉地区をはじめ各地で表面化してしまいました。「平成の大合併」で気仙沼市に合併した本吉地区には支所がおかれましたが、職員数は四割近く削減され、その少なくない部分が診療所職員でした。一般行政職員は数が少なくなったうえ、地元の事情を知らない職員も増えたため、地区内の集落単位での安否確認、支援物資の配給、避難所運営、復興計画の策定など、災害時から復興にいたるまで、町役場がなくなったことによる問題が次々と出てきてしまいました。これは、前述した由布院での熊本地震対応でも見られたことであり、被災地の多くで指摘されている点です(24)。

表11－6　唐津市における合併に対する全体的評価（%）

| | 良かったと思う | 良くなかったと思う | どちらともいえない | 分からない | 総計 |
|---|---|---|---|---|---|
| 総　計 | 10.2 | 37.2 | 42.7 | 9.9 | 100.0 |
| 旧唐津市内 | 11.3 | 22.2 | 52.6 | 13.9 | 100.0 |
| 旧町村小計 | 9.3 | 50.0 | 34.2 | 6.5 | 100.0 |
| 浜　玉 | 11.9 | 37.3 | 41.8 | 9.0 | 100.0 |
| 七　山 | 12.1 | 51.5 | 33.3 | 3.0 | 100.0 |
| 厳　木 | 10.7 | 64.3 | 21.4 | 3.6 | 100.0 |
| 相　知 | 6.1 | 51.0 | 34.7 | 8.2 | 100.0 |
| 北波多 | 20.4 | 38.8 | 36.7 | 4.1 | 100.0 |
| 肥　前 | 2.3 | 52.3 | 38.6 | 6.8 | 100.0 |
| 鎮　西 | 3.9 | 60.8 | 29.4 | 5.9 | 100.0 |
| 呼　子 | 6.1 | 57.6 | 27.3 | 9.1 | 100.0 |

資料：地域循環型経済の再生・地域づくり研究会『地域循環型経済の再生・地域づくり研究会中間報告』2008年10月。回答総数724。

## 合併自治体周縁部の衰退と合併への厳しい評価

災害時だけでなく、平時を含めて、合併した自治体の周縁部では、その衰退が大きな問題になりました。この点については、「平成の大合併」直後から各種の調査で指摘されてきたことです。例えば、総務省過疎対策室の調査によれば、合併で周縁地域となったところほど、地域社会崩壊の危機が高まっていることが、自治体担当者へのアンケートによって知ることができます[25]。具体的には、①過疎対策に関する行政対応力低下、住民サービス低下、②公共施設やインフラの整備・維持管理に支障、③地域コミュニティや集落等の各種機能・活動の低下、④市町村内における各区域間格差、住民意識格差等々が指摘され、周縁過疎地域の衰退が問題視されていました。総じて市町村合併によって周縁部となった過疎地域において、早くから広域合併の矛盾が集中して現れたといえます。

私が関わった佐賀県唐津市での市町村合併に関わる住民アンケートでも、旧唐津市街地から離れた周縁部の旧町村の住民ほど、合併に対する否定的評価が、肯定的評価をはるかに上回ることになりました。唐津市は、旧唐津市を中心に一市八町村が合併した新設市で、面積四八七㎢、人口一二万人余りの自治体です。二〇〇八年夏に住民アンケートを実施し、旧市町村別に合併に対する全体的評価を尋ねたところ、「良かったと思う」と回答した比率は、一割に過ぎず、「良くなかったと思う」比率が、旧唐津市内でも二割、旧町村部では五割に達しました（表11－6）。市役所のおかれた唐津市街地から遠隔の厳木地区や鎮西地区では実に六割を超える比率となっていました。同調査において、「良くなかった」点として多くの人が指摘しているのは、「周縁部の小さな町や村が軽視される」、「住民サービスが低下した」、「財政状況が悪化した」、「役所や議員が遠い存在となった」、「保育園や学校の統廃合計画が進んでいる」、「地域経済が衰退した」といった点でした。また、地域振興をはじめ各種行政サービスの後退と負担の増大、さらに役場が廃止されたあと設置された支所機能や、地域審議会の権限の弱さに対して強い不満が表明されていた点が特徴的でした[26]。

## 5　住民自治の空洞化と小規模自治体

### 住民自治の空洞化

合併にともなう人件費の削減は、一般職員だけでなく、議員定数の削減も含みます。一般に、三分の一の議員数になるといわれましたが、これは住民自治の点からいえば大きな問題です。例えば、中越大震災で大きな被害を受けた山古志村は、二〇〇五年四月に長岡市と合併しましたが、議員枠は一人しかありませんでした。合併特例による旧町村単位での小選挙区制がなくなれば、単純人口比でいくと一人も出せないことになります。合併前にもっていた行財政運営の自己決定権がなくなってしまい、地域づくりの重要な主体を失うわけです。同時に、人口当りの選出議員数が減少するということであり、それだけ住民の多様な要求が届きにくくなるということです。他方で、首長のリコールや直接請求の成立要件をクリアすることも、人口が多くなれば困難になります。

二〇一五年に、いしかわ自治体問題研究所の皆さんと、石川県白山市の合併検証調査を行いました。合併後の同市山ろく地域の一〇年を追跡してみました。白山市の合併時の人口は一一万人余りで、面積は七五五㎢です。そのうち六五〇㎢が白山ろく地域と呼ばれる旧四村（河内村、吉野谷村、鳥越村、尾口村、白峰村）です。住民の生活領域をはるかに超えた広大な行政空間ができたといえます。この結果、白山ろく地域では二〇人の特別職、五〇人の村会議員に加え、役場が支所に変わることにより二〇〇四年四月時点で二五八人いた職員が二〇一四年四月にはわずか四二人に大幅減少することになりました。鳥越村では、七〇人の職員体制がわずか七人の支所職員になってしまったわけです。こうなると、自治会がこれまでの行政サービスの一端を担って地域社会の維持をしなければ、とくに降雪期において住民の命と暮らしを守ることができない事態になってしまうのは必然的結果であるといえます。また、山ろく地域から選出された市議会議員は、二一人の議員定数に対し一人にしかすぎません。財源を白山市に移したうえで、地域選出の議員は市議会の極少数派になってしまったわけです。

白山ろく地域の区長アンケート結果をみると、「行政機関での手続きやサービスの利用が不便になった」、「除雪等の防災対応が遅くなった」、「役場がなくなり旧役場周辺が寂れた」、「地元選出議員が少なくなり住民の意見が行政に反映されにくくなった」、「町内会（区）活動への財政支援が少なくなった」、「区長の仕事・責任が増えた」といった声が多数を占めています。

つまり、国からみると「行財政の効率化」と見えることが、白山ろく地域の住民の視点から見ると行政サービスの低下や負担の増大であり、「白山ろく切り捨てのようで信頼できない」という言葉に象徴されるような地域的疎外感の深まりにつながっているといえます[27]。

旧合併特例法では、地域審議会制度を設けて、合併される周辺自治体の意向に配慮する組織の設置をすすめましたが、これは時限つきであるうえ、勧告権しかない組織であり、あまり人気がありませんでした。そこで、地方制度調査会の答申にもとづいて、合併特例区という法人格をもった内部自治組織の設立を認めることにしました。これも、時限つきであるうえ、首長の任命で委員を決めることになっているほか、行財政権限もかなり限定されていました。もっとも、合併した地域では、後に述べるように条例措置等で、より柔軟に地域自治組織制度を活用する動きもでてきています。けれども、独自の議会と行財政権限をもった基礎自治体の方が、地域づくりの面においても力を発揮しうることはいうまでもありません。

## 小規模自治体の自治権を奪うことは何につながるのか

では、逆に、第二七次地方制度調査会の西尾私案で提案され、合併新法の下での合併政策の基本方針として示されたような、人口一万人未満の小規模自治体の合併を強引に進めることは、社会経済的にはどのような問題に帰結するのでしょうか。

**表11－7**を見てください。この表は、「平成の大合併」を間にはさんで、人口規模別の自治体数、人口、面積、普通交付金がどのように変化したかを示しています。自治体数では人口一万人未満及び一万人以上三万人未満自治体の比重が、七七・七％から五五・八％へと大きく減少し、それ以外の自治体の数が増えていることが確認できます。人口のウェイトを見ると、とくに一万人未満層は合併後二・一％しか占めておらず、五万人未満自治体では二〇〇一年度よりも人口の比重が低下しています。しかし、面積ではそれほど大きく減少はしていません。一万人未満では二六・六％を占め、三万人未満を合計すると、四八・八％も占めているのです。つまり、災害の時代に入り、国土保全が大きな問題としてクローズアップされるなかで、小規模自治体の果たすべき役割がこれまで以上に高まっているといえます。ところが、地方交付税の普通交付金の比重は、一万人未満で一二・三％にすぎず、三万人未満をとったとして三〇・九％にすぎません。相対的に人口の少ない自治体への普通交付金を削減して、その分をより規模の大きな自治体に再配分する形になっています。

度：%)

| 普通交付金 | |
|---|---|
| 2001年度 | 2018年度 |
| 8.1 | 5.7 |
| 3.5 | 4.9 |
| 8.9 | 11.1 |
| 6.8 | 13.7 |
| 9.4 | 18.7 |
| 9.2 | 15.0 |
| 24.7 | 18.6 |
| 29.4 | 12.3 |
| 100.0 | 100.0 |

表11－7　自治体合併と地方交付税普通交付金の推移（2001年度～2018年

| | 自治体数 | | 人　口 | | 面　積 | |
|---|---|---|---|---|---|---|
| | 2001年度 | 2018年度 | 2001年度 | 2018年度 | 2001年度 | 2018年度 |
| 100万人以上 | 0.3 | 0.6 | 20.1 | 17.2 | 1.4 | 1.6 |
| 50万人以上～100万未満 | 0.3 | 0.9 | 6.1 | 9.5 | 0.9 | 2.3 |
| 20万人以上～50万人未満 | 2.5 | 4.9 | 20.7 | 23.0 | 4.9 | 7.2 |
| 10万人以上～20万人未満 | 3.8 | 9.0 | 13.0 | 18.2 | 3.9 | 10.3 |
| 5万人以上～10万人未満 | 7.0 | 14.8 | 12.4 | 15.1 | 6.7 | 16.0 |
| 3万人以上～5万人未満 | 8.3 | 14.0 | 8.1 | 7.9 | 7.8 | 13.8 |
| 1万人以上～3万人未満 | 29.6 | 26.0 | 12.7 | 6.9 | 26.3 | 22.2 |
| 1万人未満 | 48.1 | 29.8 | 6.5 | 2.1 | 48.0 | 26.6 |
| 合　計 | 100.0 | 100.0 | 100.0 | 100.0 | 100.0 | 100.0 |

資料：地方財政調査研究会『市町村別決算状況調』各年版から計算。

「三位一体の改革」によって、地方交付税や国庫補助金の削減とあわせて、税源移譲がなされました。都道府県ベースでは唯一東京都だけが、財源を増加させたのではないかといわれていますが、都市重視という政策がこのような形で具体化しているのです。

右のような財政改革によって国土の約半分を管理している人口小規模自治体を切り捨てて、その地域への財政投資を削減すると、将来的に国土の保全が保障されなくなってしまいます。広域合併の場合も、周縁部への投資が引上げられるという点では同じ効果をもっています。これは、日本社会とりわけ都市社会にとって、人間生活の安全性を脅かすことに直結する問題です。というのも、この間の経済のグローバル化のなかで、すでに見たように、日本の食料及びエネルギーの自給率が極端に低下し、その供給をめぐる不安定性も拡大しています。そうなると、日本の国民、とりわけ都市住民の食料やエネルギーをどのように安定的に確保するかが重大な問題として登場することになります。

この点で、国内に食料やエネルギー基盤を温存しながら「投資国家」となっているイギリスやアメリカとの決定的な差異があります。

大都市住民が生きていくための食料、きれいな空気や水、エネルギーの供給は、一体どのように保障されるのでしょうか。大都市住民の生活の安全は、農山村の人口小規模自治体なしにはあり得ないのです。このような認識に立つならば、今こそ、日本の農山村に投資を向けなければならない時ではないでしょうか。ところが、現在の政府は、多国籍企業が活動する大都市の再生を最優先し、そのために地方への支出を削りとって大都市に投入するという姿勢を強めるばかりです。これでは日本の未来は、経済的な再生産という点だけでなく、人間の生命活動の安全という根本的な点でも、立ちゆかなくなる危険が増すだけではないでしょうか。人口小規模自治体を切り捨てる市町村合併や、自治体再編のあり方は、ただ単に個々の地域の問題であるだけでなく、日本の都市と農村の物質代謝関係を大きく崩す、国土構造の問題でもあるといえます。

## 地域の持続的発展と住民自治

以上述べてきたように、市町村合併問題は、その地域のみに限定されたものではなく、列島上の人間の生命の安全にも関わる、日本の未来を規定づける重大問題でもあります。また、いま政府が進めようとしている「自治体戦略二〇四〇構想」では、ＡＩ（人工知能）やロボティクスの導入、シェアビジネスの活用によって自治体職員を半減し、さらに「圏域行政」の名の下で中核市を中心とした自治体に周辺町村の権能を集約する連携中枢都市圏の拡充を企図しています。けれども、ＡＩやロボティクス、あるいはウーバーイーツのような「プラットフォーム」型自治体では、肝心の災害現場や感染現場での対応はできません。

また、「コンパクトシティ」という「選択と集中」政策によって農山村を抱えた周辺町村の財源や職員を減らし中心都市に集約してしまうと、主権者である住民の命と財産を守ることができないことは、この間の事態を見れば明らかなことです。

地域経済学の視点から言えば、連携中枢都市圏は市町村合併の亜種ともいえます。さらなる行政領域の拡大と、財政や公務員、公共投資の「選択と集中」によって、疲弊しきった地域経済や社会の持続的発展、さらに災害が頻発する国土の保全を図ることは不可能です。「平成の大合併」の科学的総括とともに、前章で述べたような小さくても輝く自治体、後述する上越市などの地域自治組織の優れた事例から率直に学んで、地域の持続的発展における自治体と住民自治の役割を根本的に見直すことこそ、求められています。[28]

地方自治体の重大な岐路において、誤った判断をしないように、住民一人ひとりが、地域及び国の主権者として、賢明な判断を下すことが求められているといえます。現に、埼玉県上尾市をはじめとして、住民自身が住民投票を行うことで、地域の未来のあり方を自己決定している自治体が三八〇を超えました。[29] そのなかで、福島県矢祭町や山梨県早川町、岐阜県白川村をはじめとして、個性あふれる地域づくりを行ってきた多くの自治体の議会や首長が、合併しないことを宣言しました。

これらの「小さくても輝く自治体フォーラム」参加自治体の取り組みについては、第9章で述べたとおりです。

このような事態は、かつての「明治の大合併」や「昭和の大合併」でも見られなかった事態であり、「合併史の上に、新たな段階を画する意義をもつもの[30]」といえます。つまり、日本における地域住民主権の定着と新たな地域づくりへの気運が、合併問題を機に一気に広がったといえます。これは、「資本の活動領域」に合わせて地方自治体の広さを拡大しようとしたことが、「住民の生活領域」そして「自治の領域」との矛盾を引き起こした必然的な結果であるといえます。

このように考えてくると、地域の持続的発展と住民自治の結合が、極めて重要であることがわかってきます。地域経済の発展のためには、住民の生活領域をベースにした「自治単位」で地域内再投資力と地域産業連関を構築していくことがもっとも重要であり、それを基礎細胞として、より広域的な投資主体を積み重ねて、重層的な地域産業構造をつくることが望ましいといえます。そうすれば、広域的な規模での地域経済力も強化されることになります。

地方自治体のもつ団体自治の権能と住民自治とを、住民の生活領域に近い広がりのなかで、住民生活の向上をはかるためにいかに再結合するかが、とくに合併して広域化した自治体では求められているといえます。

## 地域自治組織制度をつくる

地域自治組織制度の活用は、その点で注目すべきものです。一四市町村が合併し、一〇〇〇㎢の面積と二〇万人近くの人口を擁するようになった新潟県上越市では、二八の地域自治区・地域自治組織と公募公選制度による地域協議員の選定に加え、地域自治区での独自予算の決定を行い、個々の自治区の個性に合わせた一定の予算支出ができるようにしています。旧上越市内では、「昭和の合併」の際の旧村を単位に、地域自治区がつくられました。これは、住民の生活の領域に近く、各種団体が連携をとりながら活動しやすい地域単位だからです。上越市の場合、豪雪地域と積雪がない地域が市内に並存しており、それぞれの個性に合わせた市政を小地域単位ごとに行うことを志向したため、条例措置でこのような仕組みを生み出したわけです。合併して政令市となった新潟市でも、区に区自治協議会が設置され、市民が公募委員として参画できるうえ、例えば農業地域の区役所への農業行政担当者の加配や農業支援施設の設置もなされており、大都市内部での団体自治と住民自治との新たな結合の工夫が見られます(31)。

同様の動きは、全国各地の広域合併自治体で見ることができます。それは、行政領域が生活領域をはるかに越えて拡大したため、住民の生活基盤が崩れていくことに対して、下から地域社会や経済を維持していこうという、人間が生きるための必然的な動きだといえます。大規模合併都市では、このような地域自治組織や地域づくり協議会の形成が必要不可欠であるといえます。

広域合併自治体や政令市では、以上のような重層的な地域自治組織構造でもうまくいかない場合、改めて主権者である住民の意向に沿って自治体の「分離・分割」も検討すべき時機にあるといえます。これは、唐突なことではなく、法的には認められていることでもありますし、「昭和の合併」の際にもいくつかの自治体が、いったん合併した自治体から分離していきました。

さらに、「平成の大合併」を進めて、その失敗を認めた西尾勝前地方制度調査会会長が述べているように、大合併政策が、「国会議員主導」で行われたという事実があります[32]。政策をすすめた当事者が、明らかに「政治の失敗」を認めているわけです。だとすれば、その失敗を認め、政策を根本的に転換することが国会議員等の政治家の務めではないでしょうか。

今必要なのは、グローバル企業が活動しやすい制度空間としての道州制やその前提となる連携中枢都市圏のような広域的な都市行政体ではありません。むしろ、高齢化がすすみ、災害が頻発している国土において、誰もが住み続けられるような、小規模自治体をベースにした重層的な地方自治制度であり、何よりも憲法や地方自治法の理念に基づき、住民の福祉の向上を最優先する地方自治体ではないでしょうか。

**注**

（1）『参議院　国の統治機構に関する調査会会議録　第一号』二〇一五年三月四日。
（2）『朝日新聞』二〇一九年一一月七日付など。
（3）総務省ホームページを参照。なお、「平成の大合併」については、加茂利男『市町村合併と地方自治の未来―「構造改革」の時代のなかで―』自治体研究社、二〇〇一年、保母武彦『市町村合併と地域のゆくえ』岩波ブックレット、二〇〇二年、室井力編『現代自治体再編論―市町村合併を超えて―』日本評論社、二〇〇二年、岡田知弘・京都自治体問題研究所編『市町村合併の幻想』自治体研究社、二〇〇三年、岡田知弘「グローバル経済下の自治体再編」『経済論叢』第一七三巻第一号、二〇〇四年一月、参照。

(4) 岡田知弘「行革審路線で地域は本当に『豊か』になるのか」『賃金と社会保障』第一〇六四号、一九九一年八月、岡田知弘「『平成の大合併』・道州制論の歴史的位置」『歴史学研究』第八四三号、二〇〇八年八月、参照。

(5) 以上の政治的動向については、加茂利男「『平成市町村合併』の推進過程」『都市問題』第九四巻第二号、二〇〇三年二月、参照。

(6) 島恭彦編『町村合併と農村の変貌』有斐閣、一九五八年。

(7) 日本経済団体連合会ホームページ、参照。

(8) 詳しくは、岡田知弘「地方自治と地域経済の発展」室井力編、前掲書、参照。

(9) 二宮厚美「新自由主義改革路線と市町村合併の戦略的位置」『自治と分権』第六号、二〇〇二年一月、参照。なお、中核市は一九九五年度から施行された制度で、人口三〇万人以上を要件の一つとしていました。また、特例市は二〇〇〇年度から施行された制度で、人口二〇万人以上を要件の一つとしていました。

(10) 合併特例債については、川瀬憲子『市町村合併と自治体の財政』自治体研究社、二〇〇一年、及び同「財政効率からみた市町村合併」『中小商工業研究』第七二号、二〇〇二年七月、参照。

(11) 以上の引用は、『読売新聞』二〇〇三年二月二二日付　特集記事「特例債を逃すな　ゼネコン東奔西走」から。

(12) 合併特例債の歳出規模については、重森暁『入門現代地方自治と地方財政』自治体研究社、二〇〇三年、一一四～一一五頁、参照。

(13) 前掲、総務省ホームページ、参照。

(14) (株)日立製作所・前田みゆき他『市町村合併と情報システム』日本経済評論社、二〇〇二年。

（15）川瀬憲子、前掲書、及び定方弘光「合併後のさいたま市を検証する」自治労連・地方自治問題研究機構『季刊　自治と分権』第九号、二〇〇二年一〇月。
（16）川瀬憲子、前掲書、参照。
（17）『丹南新聞』二〇〇七年五月一三日付。
（18）兵庫県企画県民部企画財政局市町振興課「県内市町の平成三〇年度決算見込み（普通会計）及び健全化指標等」二〇一九年。
（19）定方弘光、前掲論文、参照。
（20）総務省「市町村の合併に関する研究会　平成一七年度報告書」二〇〇六年。
（21）野村総合研究所『公務員の国際比較に関する調査報告書』二〇〇五年一一月。
（22）中村智彦「『役所の職員が来るのが遅い』のはなぜ？―自然災害が明らかにする人員不足―」ＹＡＨＯＯニュース、二〇一九年九月一七日。
（23）国立社会保障・人口問題研究所「社会保障統計年報データベース」から。
（24）岡田知弘『震災からの地域再生―人間の復興か惨事便乗型「構造改革」か―』新日本出版社、二〇一二年、二八頁。また、室崎益輝・幸田雅治編『市町村合併による防災力空洞化―東日本大震災で露呈した弊害―』ミネルヴァ書房、二〇一三年も参照。
（25）総務省過疎対策室『市町村合併による過疎対策への影響と振興方策に関する調査報告書』二〇〇六年三月。
（26）地域循環型経済の再生・地域づくり研究会『地域循環型経済の再生・地域づくり研究会　中間報告』日本自治体労働組合総連合・自治体問題研究所、二〇〇九年。
（27）横山壽一・武田公子・竹味能成・市原あかね・西村茂・岡田知弘・いしかわ自治体問題研究所『平成合併を検証する―白山ろくの自治・産業・くらし―』自治体研究社、二〇一五年。
（28）岡田知弘『公共サービスの産業化と地方自治―「Society 5.0」戦略下の自治体・地域経済―』自治体研究社、二〇一九年、参照。

(29) 岡田知弘・自治体問題研究所編『住民投票の手引き―市町村合併は住民の意思で―』自治体研究社、二〇〇四年。

(30) 山田公平「市町村合併の歴史的考察」室井力編、前掲書、日本評論社、二〇〇二年。

(31) 地域自治組織については、岡田知弘・石崎誠也編『地域自治組織と住民自治』地域と自治体第31集、自治体研究社、二〇〇七年、西村茂編『住民がつくる地域自治組織・コミュニティ』地域と自治体第34集、自治体研究社、二〇一一年、参照。

(32) 西尾勝『自治・分権再考―地方自治を志す人たちへ―』ぎょうせい、二〇一三年、六九頁。

# 第12章　地域づくりと地域住民主権

## 1　グローバル化と地域住民主権

### グローバル化の矛盾と地方自治体の役割

すでに繰り返し述べてきたように、経済のグローバル化のなかで、少数の多国籍企業の利益＝「経済性」「効率性」を第一にするか、それとも人々の人間らしいくらし＝「人間性」を第一にするかの対立が、急速に広がってきています。そして、その対立が地域の現場で、地域経済の衰退、雇用の不安定化、孤立化や自殺の広がり、環境問題の激化といった深刻な社会的矛盾として顕在化しています。今や、人間の尊厳だけでなく、命そのものが、グローバリズムによって蝕まれつつあるといってよいでしょう。

このような矛盾が地域の現場で現れている以上、人間自身が、自ら生活している地域を自覚的に形成していく地域づくりのとりくみが必要不可欠な課題になっています。地域において、人間らしい生活を維持、発展させようとすれば、住民自身が主権者の一員である地方自治体や国の政策を通して、多国籍企業や巨大資本の活動を「成長の管理」のような考え方によって制御することが必要となります。同時に、一人ひとりの住民の生活が向上するように、また地域の持続的発展が可能なように、地域内産業連関を組織し、地域内再投資力を高めることが重要な課題になります。このような地域づくりの重要な主体こそ、地方自治体であり、とりわけ基礎自治体だといえます。

実際、これまで紹介してきた長野県栄村をはじめ全国の優れた地域づくりを見ればわかるように、小規模自治体だからこそ、地域社会における生産と生活、人間の活動と自然との関係を総体として捉え、さらに一人ひとりの住民に目配りした行政が展開できるといえます[1]。そこでは、住民はもはや、地方自治体に対し文句をいったり、「観客」として傍観している存在ではなく、自ら地域づくりの内容を企画、提案し、そして実践する「実践的住民自治」（高橋彦芳・栄村元村長のことば）の担い手となっています。これによって、高齢者も生涯現役として働きながら、きめ細かな在宅医療・在宅介護のサービスを受けられるために、人間の尊厳をもって「大往生」できる条件が整うとともに、一人当たり老人医療費や介護保険料、国民健康保険料も大都市と比べ極めて低く抑えられるよう「社会的な効率性」も同時に実現できるといえます[2]。

## 地方分権の限界と地域住民主権

このような地方自治体権限の拡充を名目に「地方分権」が声高にいわれ、その「地方分権」を担うだけの行財政基盤を確立するためとして、「市町村合併」が国の手によって強力に推進されてきました。けれども、ここでいわれている「地方分権」は大きな限界を抱えたものでした。国が財政危機に対応するために、「地方」に対して行政権限を移すことを先行させ、財源の移譲はしませんでした。地方自治体からの反発に対応して「三位一体の改革」を行いますが、これも総額としてはむしろ地方自治体の財源が縮小するものであるほか、交付金制度の改悪により小規模な自治体ほど住民サービスのナショナルミニマムさえ維持できないほどの行財政改革を迫るものとなってしまいました。

地方自治は、団体自治と住民自治の両側面が備わってはじめて意味をもちます。「地方分権」というのは、団体自治の側面での国と地方自治体との権限分配関係の変更にしか過ぎません。問題は、住民自治の側面です。市町村合併は、前章で述べたように、この住民自治の空洞化を確実にもたらすことになります。住民自治をないがしろにして団体自治の機能を高めたとしても、住民生活や地域の持続的発展が困難になるだけです。したがって、「地方分権」ではなく、住民自身が、自らの生活領域のあり方を決定し、自ら実践していく「地域住民主権」が必要不可欠な時代となっているといえます。「地域住民主権」という言葉も私の造語ですが、これは「地方分権」の限界を意識してのことです。国が上位にたって、「上から目線」で「地方」に対して権限を下げ渡すという「地方分権」ではなく、地域のことは住民が主権を発揮して決定できることこそが重要ではないかという意味をこめたものです。「地域主権」ということばも民主党政権時代に使われましたが、これも誰に主権があるかが不明なことばです。「地域」は、客観的にいえば、地球の一区画でしかなく、どの範囲であるかも不明確な言葉です。場合によっては、広域化された地方自治体の団体自治さえ整っていればよいという意味にもとれます。そうではなく、憲法上にも規定された主権者としての住民が、積極的に自治活動を行い、地方自治体のあり方を方向づけることが重要ではないかと考えます。

このような地域住民主権論の視点にたつと、前章の最後に述べたように「平成の大合併」を契機にした住民自治の高まりは注目すべきものがありました。具体的には、住民投票運動の画期的な広がり、自立を決めた多数の市町村の存在、合併した広域自治体内における地域自治組織の内実化、さらには分離・自立をめぐる新たな動きなど、多様な形態での地域住民主権の発揮が見られたのです。これらの取り組みは、「地域の将来のあり方は住民自身が決める」という住民自治の新たな地平を切りひらき、地域づくりをすすめるための「創造力」にもなっているといえます。

## 2　合併問題を契機にした住民投票の歴史的広がり

### 合併をめぐる住民投票

「平成の大合併」をめぐる住民投票には、制度的には二種類ありました。ひとつは、一九九九年に改正された市町村合併特例法（以下、特例法）に基づくものであり、もうひとつは法ではなく自治体の条例制定によるものです。

前者の特例法に基づく住民投票は、合併協議会の設置を求める直接請求が有権者の五〇分の一以上からなされた場合のみ認められるものであり、例えば合併の是非を問う住民投票や合併協議会からの離脱を求める住民投票はあてはまりません。つまり、合併促進のために設けられた法制度だといえます。

実は、法律に基づく住民投票制度は、戦後の初期にも存在していました。この点は上田道明『自治を問う住民投票』に詳しいので、この本に基づいて簡単に紹介しておきます(3)。

まず、一九四八年に施行された地方自治法の附則には、二年間の期限付きで、GHQの意向もあって戦時中の強制合併前の状態に回復するための住民投票制度を盛り込んでいました。住民投票は、境界の変更に関わる地域の有権者の三分の一以上の請求があれば、実施されるというものでした。

続く「昭和の大合併」時の町村合併促進法（一九五三年施行）及び、その後の新市町村建設促進法（一九五六年施行）にも、住民投票制度が盛り込まれていました。これらの制度は、いくつかの相異がありますが、基本的に住民が自らの意思で合併の是非を決定するものではなく、知事の合併勧告に対して当該自治体の議会が異なった判断をした場合、知事が住民投票を請求できるというものでした。地方自治法の制定当初から比べると、住民の請求権が認められなくなったことに象徴的に示されるように、明らかに住民自治が否定されたといえます。それは、何よりも国策としての市町村合併の推進を最優先するために、住民投票も利用するという性格のものだといってよいでしょう。

ちなみに、これら三つの法律に基づく、市町村合併や境界変更をめぐる住民投票は、延べ一〇〇件以上行われたそうです。

このような流れから見ると、一九九九年の合併特例法の改正による住民投票の一部法認も、一面では国策としての市町村合併を促進することを目的として盛り込まれたといえます。けれども他面では、一九九六年の新潟県巻町での原発立地をめぐる住民投票以後急速に強まった住民投票の制度化要求や、折からの地方分権改革の流れに対応せざるをえなくなったことも重要な要因として捉えておく必要があります。周知のように、日本の地方自治法では、住民投票制度は法的な位置づけが与えられておらず、それを実施するには地方自治体が条例を定める必要があります。条例は、首長や議員が提案する場合もありますが、住民が条例制定の直接請求という手段によって提案することができます。

### 合併問題を機に広がった住民投票

日本で最初に住民投票条例が制定されたのは、一九八二年の高知県窪川町の原発立地をめぐるものでした。しかし、実際に投票が実施されたのは、九六年の新潟県巻町の原発立地の是非を問う住民投票が最初です。その後、原発や産業廃棄物施設などの立地をめぐる住民投票が全国各地で展開されていくことになります。そこでは、地域の将来にとって原発や産業廃棄物施設、あるいは可動堰が必要かどうかをめぐって、地域ぐるみの学習と討論を行い、住民自身が自らの地域の将来のあり方を決定しており、住民自治の新しい地平を切り開くものとして注目を浴びるようになりました。[4]ところが、「平成の大合併」が政府の手によって強行に推進されるなかで、この新しいタイプの条例制定型住民投票制度の要求と制度化、投票の実施が、燎原の火のごとく広がったのです。その最初の事例が、埼玉県上尾市での住民投票であり、住民は「さいたま市」と合併しない道を選びました。[5]これまで「迷惑施設」の立地箇所に限局されていた住民投票運動が、全国のどの地域の住民にも関係した市町村合併政策を機に、面的に一気に拡大したわけです。

ちなみに上田道明の集計によると、住民投票条例の制定件数は、二〇〇二年以後一挙に増え〇一年の二五件から〇三年には二六二件まで一〇倍化しました。そのなかで圧倒的部分を占めるのが合併関係の条例です。また、二〇〇二年と〇三年の二年間における合併関係住民投票条例案の提案者別議案成立率は、住民による直接請求一四・二%、首長提案九三・五%、議員提案四六・一%となっています。[6]住民による直接請求がなされても、八五%は否決されてしまっている状況です。さらに、たとえ直接請求による条例が採択されたとしても、成立条件や投票資格を厳しくするなどの修正が加えられることも多くありました。しかしながら、住民提案の条例を否決したとしても、民意を完全に否定することはできず、首長提案あるいは議員提案の条例案が可決されたり、住民投票の代わりに合併の是非そのものを問う住民意向調査やアンケートが実施されるところも少なくなくありませんでした。

結局、二〇〇五年三月末日の旧合併特例法の期限切れまでに、全国の自治体数の一割を超える三七九市町村で、住民投票やそれに準ずる投票方式による住民意向調査が実施されたほか、合併協議会への参加を問う住民投票も六九市町村で実施されました[7]。住民投票の結果、一三九市町村で自立あるいは単独が、多数を占めることになりました。

## 地域の未来は住民自身が決める

今回の「平成の大合併」にあたって、住民投票を実施した自治体の数は、合併問題を機にした住民自治の高まりという点から見ると、氷山の一角といえます。その背後には住民投票条例を要求する一回り大きな住民運動の広がりがあります。例えば、京都府内で住民投票条例が議会の賛成多数で可決され、実施されたのは、伊根町の一件だけとなっています。けれども、住民投票条例を制定する直接請求運動は、京都府下の一三自治体に及びました。とりわけ、大江町、夜久野町、美山町では、住民団体が取り組んだ住民投票条例制定の直接請求署名数が、軒並み有権者数の六〇％を超える数字に達しました。京都府では、最も早く合併話がすすんでいた丹後地域の六つの町で対有権者比平均四〇％に及ぶ直接請求署名が集めましたが、いずれも町議会で否決されてしまった経過があります。各町長が議会に提出した意見書は、ほぼ同じ内容であり、住民には住民説明会などで説明しているうえ、合併問題のような複雑な問題は住民投票になじまず、地方自治法どおり町議会で決定すればよいという趣旨でした。以上のような直接請求運動に至らないまでも「合併問題を考える会」方式の無数の住民団体の運動が全国津々浦々に展開されたのです。

このような多様で多彩な住民運動の積み重ねの結果、市町村合併は政府の当初の目標通りには進みませんでした。二〇〇五年三月末日の旧合併特例法期限切れ時点で二三九五市町村となりました。さらに〇四年の同法改正で駆け込みを認めた分を加えても、〇六年三月末日までに一八二二市町村が残ることになりました。政府が当初掲げた目標である一〇〇〇自治体にほど遠い数字です。ちなみに、「昭和の大合併」の際の政府の目標達成率は、三年間で九八％に達していました。これと比べると極めて大きな違いです。戦後の日本国憲法及び地方自治法の理念が全国各地で定着し、政府や都道府県の半強制的な合併政策に疑問をもち、自らの地域の未来は住民自身が判断し決定するという本来の地方自治の流れが確実に広がったといえます。

しかも、自らの地域の未来を自分たちで決定するために、さまざまな障害にぶつかりながらも、住民投票条例の制定を求める請願や直接請求、そして首長や議員リコール、さらには首長選挙に至るまで実に多彩な民主主義の手段が次々と実行に移されていることに驚かされます。滋賀県日野町では、住民投票条例制定運動から町長リコール運動に発展し、住民運動の代表が町長となり、自立の道を選択しました。また、青森県浪岡町では、やはり合併反対の住民運動が、町長をリコールしたあと、新町長を当選させ、すでに合併協議が終了していた青森市との合併の是非を問う住民投票を実施したのち、地方自治法に基づく分離の道を模索したところもありました。

まさに、主権者としての住民自身による地方自治の創造的発展といってよいでしょう。しかも、その際、これまでの住民運動とは異なり、社会階層や政治信条に関係なく、「村を愛する」「町をなくしてはいけない」の一点で集まった幅広い住民のネットワークが作られていることも大きな特徴となっています。とりわけ、住民投票条例制定運動や住民投票・意識調査で非合併・自立を選択する運動に取り組んだところでは、このような幅広い住民層の共同が必ず存在していました。

## 市町村合併問題は住民投票になじまないか

ところが、住民の圧倒的多数が住民投票を望んでいるにもかかわらず、「合併問題は住民投票になじまない」として、首長や議会がかたくなに条例化を拒否するところもありました。

右の議論にもあるように、はたして合併問題に住民投票はなじまない制度なのでしょうか。結論を先に言うと、そうではありません。実は、政府の第一六次地方制度調査会の答申（一九七六年）において、「いうまでもなく、わが国の地方自治制度の基本的な仕組みは、議会及び長による代表民主政であるが、事案によっては住民投票により住民全体の意思を直接に確認することが適当なものがあると考えられる」とし、その「適当なもの」の最初の例として「地方公共団体の配置分合」をあげ、これについて「住民投票制度を導入する必要があろう」と明記しているのです。さらに、住民投票制度の制度化が議論の対象となった二〇〇〇年の第二六次地方制度調査会答申においても、住民投票を代表民主政の補完的制度として引続き検討する余地があるとしながら、「ただ、市町村合併については、①まさに地方公共団体の存立そのものに関する重要な問題であること、②地域に限定された課題であることから、その地域に住む住民自身の意思を問う住民投票制度の導入を図ることが適当である」とはっきりと述べているのです[8]。問題は、この答申を受けた政府が、住民発議による合併協議会設置の住民投票しか法的に準備しなかったところにあります。答申を文字通り読むならば、合併の是非を含めた住民投票は、まさに市町村合併問題に最も適切な地方制度上の法的手段であるといえます。

## 住民投票運動から地域づくり運動へ

住民投票は決して単に合併問題について○か×かを選択するだけのものではありません。合併すると地域の未来はどうなるかについて、住民が集まって、多方面から検討し、さらに自立するためにはどのような財政改革や地域づくりが必要なのかを、学習し、考え、議論しあう取り組みが多くの地域で行われました[9]。もちろん、合併を推進するために、首長あるいは議会が中心となって、合併協議会で何も議論しない前に「財政危機だから合併しかない」という抽象的で不正確な情報だけを流して、住民投票によって合併枠組を固めてしまう事例もありました。しかし、そのような場合でも、合併について住民が自主的に学習したり、自立の方向性や地域づくりの方向性を真剣に議論する取り組みが、各地でなされました。自治体の存立について考える以上、地域づくりをどうするかという問題は必ず考えなければならないからです。

したがって、住民投票を求める運動や合併問題を考える運動は、必然的に地域づくり運動につながっていくことになります。実際、住民投票によって、個々の住民が合併について何らかの判断を下したところでは、地域づくりへの住民の主体的な参加意識が大いに高まりました。

その一つの例として福島県鮫川村の場合を紹介したいと思います。鮫川村では、二〇〇三年七月に「合併の是非を問う住民投票」を実施し、合併反対が七一％と圧倒的多数を占めました。この時、村内では村職員労働組合と商工会青年部に加え、地域づくりの任意団体である「ときめき村づくりの会」、「夢楽会議二一」の四団体が「村づくりと合併を考える会」を結成し、幅広い合併反対運動を展開しています。この投票結果を受けて、合併協議会は解散し、前村長は辞職しました。翌月、村長選挙が行われ、「任期中には合併しない」との公約を掲げた村長が当選します。

この村に、調査に出かけたおり、村役場や議員、そして住民の皆さんと懇談する機会がありました。「地方交付税交付金が大幅にカットされ村財政が厳しい中で、どのように地域づくりを望んでいますか」と尋ねたところ、役場近くで飲食店を営みながら特産品開発に取り組んでいる女性の方が、「財政削減は商売のことを考えると正直堪えます。けれども自分たちが住民投票で自立を決めたのだから自分たちにも責任があると思う。今やっているエゴマづくりを一層広げていきたい」と発言されたことが今も忘れられません。また、有機農業に取り組んでおられる専業農家の方も、「農業や商売をしていたら景気のいいときも悪いときもある。景気が悪いからといってジタバタするのは一番問題だ。こういう時はじっとがまんして、足元をしっかりすることが最も重要だ」と言って、日本一といってもよいくらい清浄な鮫川村の水と土をいかした農業経営、村づくりの夢を熱く語っておられました。財政が厳しい状況だからこそ、このような住民の知恵や経営感覚に学び、住民と協働した地域づくりを展開する必要があります。その際に、住民自身が、地域や市町村の厳しい実情を正確に認識し、それを打開するための知恵と力を出し合うために、住民投票は大変重要な学習の場になったといえます。

これは、住民投票で合併を決めた場合についてもいえることではないかと思います。少数の首長や議員が一方的に決定してしまい、住民が意思決定に参加しない場合と比べて、合併した後の地域づくりに対する参加意識も責任感も大きく異なることになります。合併によって地域の「活性化」を図ろうというのであれば、むしろ住民投票によってしっかりと住民とともに学習して、決断した方がはるかに効果的だといえます。

## 3　広域自治体で広がる新たな住民自治の仕組みとせめぎあい

### 合併自治体で広がる多様な住民自治組織

では、住民投票をせずに合併してしまった多くの広域自治体、あるいはすでに存在している政令市をはじめとする人口大規模自治体において、地域の持続的発展を図るためには、どのようにすればよいのでしょうか。この点でも、地域住民主権の強化を図りながら、住民自治の実質化を図る、創意あふれる取り組みが、地域の現場で広がっています。

合併を推進するために、合併される地域を対象にした地域審議会や合併特例区という制度を合併特例法で設けたことはすでに述べたとおりですが、これは時限つきであり、役員も首長による任命制であるうえ、行財政権限も限られたものでした。

このような限界を乗り越えるために、例えば、岐阜県恵那市に合併した旧山岡町では、合併後の「地域自治政府」の担い手となる全世帯加盟の特定非営利法人（ＮＰＯ）「まちづくり山岡」が作られました。同法人内部に、総務企画、財務、産業経済、スポーツ振興、防災・交通、環境保全、女性活動組織など一六委員会を設け、旧町の行政分野をほぼ網羅する仕組みとし、発足当初、役員・委員として一三〇名が参加しました。山岡町では、昭和の大合併後、旧八村が区議会制度をもち、区長会が大きな役割を占めてきた歴史があり、このような「地域自治政府」づくりにつながっていったといえます[10]。

あるいは、昭和の合併時の「旧村」単位や集落単位に、自主的な住民組織をつくり、そこで地域内部での助け合いや経済活動を行う地域自治組織が生まれました。その代表例が、京都府大宮町（現・京丹後市）常吉地区での「常吉村営百貨店」の創設や、京都府美山町（現・南丹市）での地域振興会の創設と住民出資型の地域運営会社の設立でした。美山町は、市町村合併を見越して、昭和旧村単位に役場の支所機能をもつ地域振興課も配置し、各地の住民自治組織である地域振興会との協働の取り組みを行うことを考えたのでした[11]。これらの京都での取り組みは、直接のきっかけは旧村単位で置かれていた農協支所と店舗が、農協合併のなかで廃止されていくなかで、地域での暮らしや営農を守るために、住民主導で行ったものでした。

## 地域運営組織と住民自治・団体自治

同様の取り組みは、その後、中国地方を中心に全国に広がっていきました。その代表格が島根県雲南市です。雲南市は、二〇〇四年に六町村が合併して新設された自治体です。面積が五五三㎢で、人口は約三・八万人です。雲南市では、合併時から住民主体の「地域自主組織」づくりに取り組み、二〇〇七年に市内全域に四四の組織がつくられます。これを、二〇〇八年に定めた「まちづくり基本条例」で制度的に位置づけ、各々の地域の公民館を「交流センター」とします。その後、三〇の組織に再編され、市はセンターの運営を地域自主組織に委託し、それぞれのセンターごとで多様な事業を展開しています。実は、ここでも地域づくりの起点は、社会教育活動の拠点であった公民館でした。雲南市での、このような取り組みは、他の自治体からも注目され、今や「全国小規模多機能自治全国ネットワーク」にまで発展してきています[12]。

このような雲南市などでの取り組みは、「地方創生」政策が開始されるとともに、「地域運営組織」として認知され、農山村での「小さな拠点」づくりのターゲットに据えられます。総務省は、二〇一九年三月に、全国の自治体及び「地域運営組織」を対象にした調査結果を公表しました[13]。同調査は、二〇一八年九月から一〇月末日にかけて、全市区町村向けに実施され、九八・六％（一七二二市区町村）という高い回答率でした。あわせて地域運営組織を対象にしたアンケートも実施し、四七八七団体が回答しています。まず、同調査での「地域運営組織」の定義は、表12－1のように「地域の生活や暮らしを守るため、地域で暮らす人々が中心となって形成され、地域課題の解決に向

**表12－1　総務省が調査対象とした「地域運営組織」の定義と活動例**

<table>
<tr><th colspan="2">定　義</th></tr>
<tr><td colspan="2">地域の生活や暮らしを守るため、地域で暮らす人々が中心となって形成され、地域課題の解決に向けた取組を持続的に実践する組織</td></tr>
<tr><td colspan="2">具体的には、従来の自治・相互扶助活動から一歩踏み出し、次のような活動を行っている組織</td></tr>
<tr><th colspan="2">活動の例※</th></tr>
<tr><td>総合的なもの</td><td>市区町村役場の窓口代行、公的施設の維持管理（指定管理など）</td></tr>
<tr><td>生活支援関係</td><td>コミュニティバスの運行、送迎サービス、雪かき・雪下ろし、家事支援（清掃、庭の手入れなど）、弁当配達・給配食サービス、買い物 支援（配達・地域商店運営、移動販売など）</td></tr>
<tr><td>高齢者福祉関係</td><td>声かけ・見守り、高齢者交流サービス</td></tr>
<tr><td>子育て支援関係</td><td>保育サービス、一時預かり</td></tr>
<tr><td>地域産業関係</td><td>体験交流事業、名産品・特産品の加工・販売（直売所の設置・運営など）</td></tr>
<tr><td>財産管理関係</td><td>空き家や里山の維持・管理など</td></tr>
</table>

※以下のように一般の経済活動の一環として行われているものは調査の対象外。
- ・民間事業者による交通事業
- ・生活協同組合、農業協同組合等による店舗運営、配達・移動販売等
- ・主として介護保険の適用を受ける事業を行っている事業者による介護事業等
- ・学校法人、医療法人、社会福祉法人等による事業（学校・保育所、病院、介護施 設等）やそれに付帯する送迎等

※加えて、社会福祉協議会については、社会福祉法に基づく事業を実施することにより、地域福祉の増進を図ることを目的とした法人組織であり、地域運営組織の構成員として重要な役割が期待されるものの、本件調査において対象とする地域運営組織からは除外している。

資料：総務省地域力創造グループ地域振興室『地域運営組織の形成及び持続的な運営に関する調査研究事業報告書』2019年3月。

けた取組を持続的に実践する組織」とされていました。これだけでは、抽象的なので、具体的例示が、下段に書かれています。行政の出先機関的な仕事から始まり、高齢者や子育ての生活支援、さらに経済事業や交通事業、そして財産区などの管理まで、幅広い実践を行っている地域住民組織であるといえます。ただし、民間企業や農協や生協、あるいは社会福祉法人や医療法人、学校法人、あるいは社会福祉協議会による地域貢献的な活動は除かれています。そ

の意味では、かなり絞り込まれているともいえます。

さて、この調査から、次のようなことが明らかになりました。①地域運営組織がある自治体は、全市区町村の四一・三％であること、②地域運営組織のある七一一組織のうち、自治体の全エリアに設置されている自治体の比率は三三・八％であり、一部地域だけにある自治体は六三・六％であること、③設置根拠として条例がある自治体は二九・七％であること、④行政から見ると、地域運営組織を「対等なパートナー」とみなす自治体が八一・九％と圧倒的であること、⑤地域運営組織への行政からの支援として最も多いのが、助成金などの活動資金支援の七三・〇％であり、次いで活動拠点施設の提供の五六・四％であり、国や県に対して、財政的支援を強く求めていること、⑥財政的支援として一括交付金制度がある自治体は、四四・九％と半数に満たないこと、⑦今後の課題として、住民側の今後の担い手の確保が最も大きな問題になっていること（七〇・五％）、などです。

一方、地域運営組織へのアンケートからは、①組織設立の母体として、自治会連合会等の比率が四四・三％と最も多く、以下、自治会二四・七％、公民館活動一八・二％となっていること、②組織の機能としては、協議組織と実行組織の両面をもっている団体が全体の八二・三％と圧倒的部分を占めること、③取り組んでいる事業としては、イベントの運営、広報紙の作成発行、防災訓練・研修、高齢者交流、声かけ・見守りが多いこと、④組織形態としては「任意団体」が六二・四％を占め、法人形態は少ないこと、⑤活動範囲としては、小学校区が四七・三％と最も多く、旧小学校区かそれよりも狭い範囲が二三・五％となっていること、⑥団体の収入源としては、市区町村からの助成金が六二・三％で、最も大きな比重を占めていること、⑦活動上の問題としては、「担い手の不足」が八二・六％と最大部分を占め、次いでリーダー人材の不足、事務局人材の不足、財源の不足があること、などがわかりました。

地域運営組織は、「平成の大合併」以後に設立されたところが多いのですが、それから一五年が経過するなかで、①人がいない、②資金がない、③地域に必要な事業を展開できていない、④行政の関わりが薄い、という問題がクローズアップされてきています。大きくなりすぎた自治体による、地域住民サービスを補完するものとして、自治会連合会や地区公民館を中心にした地域運営組織をつくったものの、現時点では組織の持続可能性の危機が、さまざまな側面で表面化しているといえるのではないでしょうか。

市町村合併によって大きな自治体になり、「団体自治」の側面からは「強い自治体」なったように見えますが、「三位一体の改革」にともなう行財政改革のなかで、公務員数を大幅に削減し、さらに旧役場を廃止し支所や出張所に置き換えたり、それを統合するなかで、周縁部になるほど、「住民自治」を行使し、積極的な地域づくりができないところが広がっているといえるでしょう。

また、地域内再投資力の主体という視点から見た場合、地域運営組織で経済事業を行い、事業収益を受け取っている団体はわずかであり、むしろ、この調査の対象外となったＪＡ、生協、民間企業、医療・福祉・学校法人や社会福祉協議会が担っていると考えられます。地域運営組織がコミュニティ活動を維持しながら、多様な経済主体と連携をとり、集落、「昭和の合併」や「平成の合併」

の旧町村、そして基礎自治体の範域での地域内経済循環の網の目を増やし、全体としての地域内再投資力を高めていくことが必要だといえます。

## 新潟県上越市の地域自治組織制度と地域住民主権

合併によって広域都市になった自治体において、団体自治と住民自治を結合して、地域づくりをすすめる方法はないのでしょうか。その点、前章で紹介した新潟県上越市の地域自治組織制度は、多くのヒントを与えてくれます。図12－1で示したように、上越市の地域自治組織制度は、地域自治区と地域協議会、そして地域自治区の事務所の三つの構成要素からなります。法的には、地方自治法に基づいて、条例措置によって恒久化しています。合併当初、周縁部の旧一三町村から設置され、その後、二〇〇九年に旧上越市内に一五地域自治区がつくられ、現在二八区体制です。

上越市のこの制度で注目されるのは、第一に、地域協議会の委員が公選で選ばれる仕組みになっていることです。定数は、旧町村の場合は合併前の議員数と同じであり、委員は無給です。市長は、この選挙で選ばれた委員を、法に基づいて「選任」する仕組みです。定数未満であれば、出身分野等を考慮して追加で任命することになります。第二に、市が合併時の新市建設計画を変更しようとする場合や地域自治区内の公共施設等の設置・廃止等を決定する場合は、あらかじめ地域協議会の意見を聞かなければならないことになっています。第三に、それだけではなく、図からわかるように、地域自治組織は市長の諮問機関としての位置づけであり、各地域協議会は市政一般のことにつ

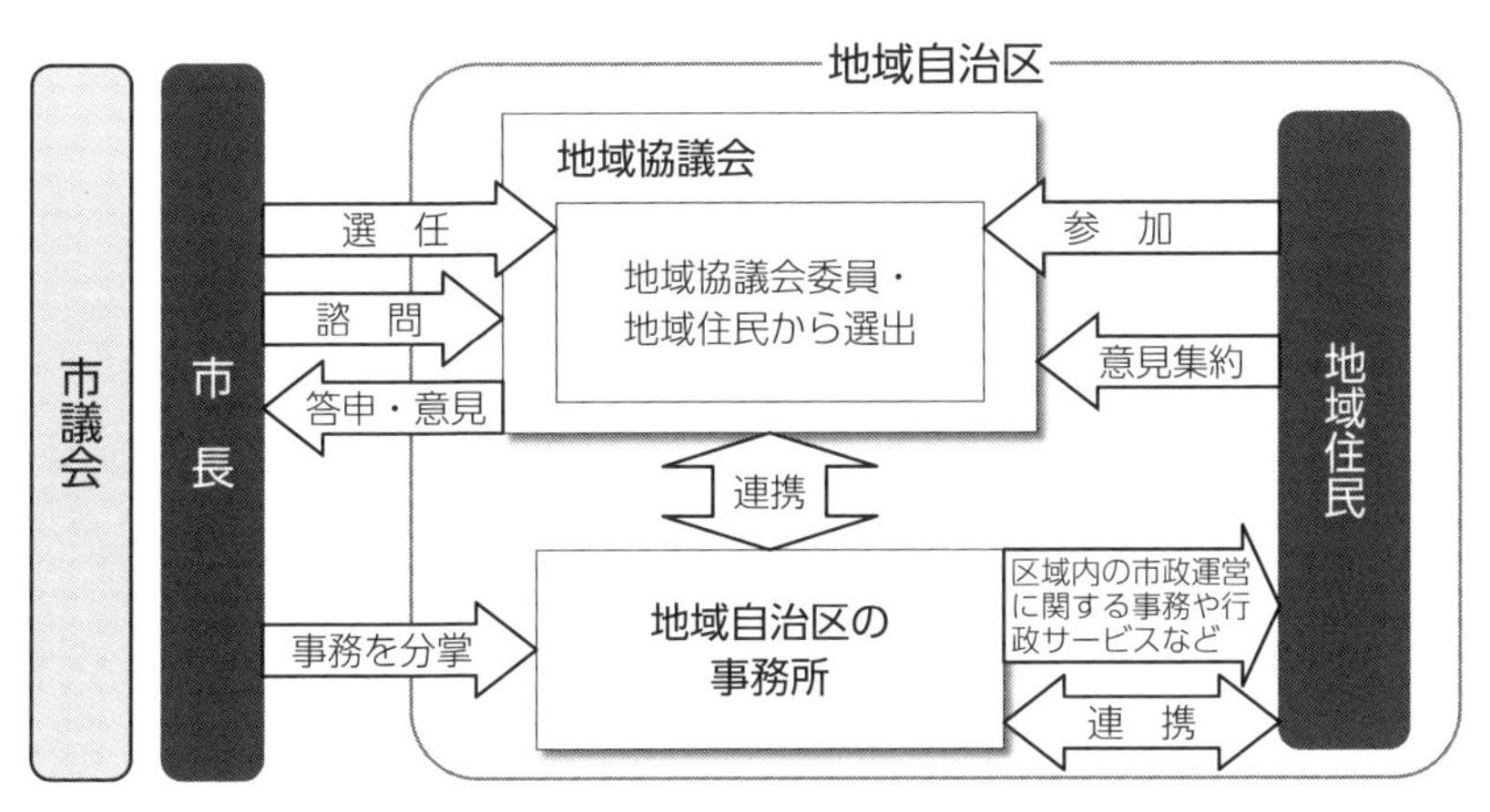


図12－1　新潟県上越市の地域自治組織の概念図

資料：上越市ホームページによる。

いても発言権をもっており、市長はその答申・意見を尊重する責務があります。第四に、それぞれの地域自治区には、人口に応じて地域活動支援金を配分し、ハード事業でもソフト事業でも使えるようにしています[14]。

地域協議会は、多くの地域では有力者を首長が任命し、ただの「ガス抜き」組織に終わる場合が多いのですが、上越市の場合、地域協議委員の熱心な議論をもとに実質的な権限が行使できていることが注目されます。

合併後四年ほど経過したころ、上越市では、大潟自治区における電源立地地域対策交付金の使途、板倉自治区における保育園建設事業をめぐって市の担当部署の原案と協議会の意見が対立します。結局、市長は地域協議会での決定を尊重し、既定方針を変更する裁定をしており、地域協議会での決定が自治権の行使として実質化しているといえます。

しかも、注目したいのは、協議委員は、交通費などの実費弁償はありますが、委員手当てはなく、無報酬である点です。二〇〇六年の秋に上越市で開催された自治体問題研究所とにいがた自治体研究所共催の現地セミナーで聞いた協議委員の皆さんの話は、とても興味深いものでした。市議会のなかでは、当初、無報酬で果たして委員のなり手があるかどうか、疑問の声もあがったそうです。しかし、実際に、協議委員になった人たちの声を聞くと、「無報酬だから立候補した」という意見が少なからず返ってきました。ある自治区では、合併協議会に参加していた女性の方が呼びかけて、四人の女性の仲間が立候補しました。「自分たちは、報酬目的で立候補したのではなく、自分たちの地域をよくしたいから立候補した」と明快に語っておられました。しかも、最初、「はみ出し選挙にはならないから」という説得があって立候補したのに、定数二人オーバーの選挙になってしまい、途中で立候補辞退を考えた人たちもいたようですが、いずれも家族や地域の人たちから「がんばって当選して」と励まされて、選挙にのぞみ、見事当選したということでした。

それからがまた大変だったようです。地域協議会の運営の仕方が、誰もわからず、当初は元町会議員の提案により、理事者に対して質問を行う議会方式を取り入れたそうです。ところが、これは地域のことを住民の代表が相互に討論して決めていく地域協議会の目的とはうまくかみ合わず、結局、車座方式で相互討論することになったそうです。そこで、元町会議員の方が述懐しておられたことが印象的です。「議員だったころは、理事者に対して、与党か野党かという立場で、それを何よりも優先して議論していた。けれども地域協議会では理事者に対する態度ではなく、この地域で起こっている問題をどうするかという点だけを集中して議論することになり、地域に根付いた中身のある議論ができるようになった」。この話は、地域協議会が、その運営の工夫次第で、地域自治の装置として十分機能しうることを示しているといえます。

さらに、地域協議会の議題としては、指定管理者制度や「三位一体の改革」等々、地方行財政をめぐる専門的な用語や新制度が次々と登場してきます。ふつうの住民にとっては、このような専門的な用語は難しいものです。さきの女性委員の人たちは、他の地域協議会の女性委員にも呼びかけ、行財政制度や自治区の地域づくりについて自主的な学習組織もつくり、主権者としての力を確実につけていったのです。

一方、上越市の地域自治組織のうち、旧上越市内につくられた一五の地域自治区の広がりは、「昭和の合併」の旧村単位でした。それは、いろいろな団体の役員が常に顔を合わせることができる「住民の生活領域」の広がりであり、時間の流れのなかでもあまり変化しない広がりだと考えられたからでした。そのような生活領域ごとに、公募公選で地域協議員が選ばれ、住民団体から要望のある予算要求を審議し、予算付けを行い、そして事務所と住民の協力によって予算執行を行うという住民自治と団体自治の結合がなされているわけです。このような協議員に約四〇〇人の市民が参加しています。市会議員は三二名ですが、議員の役割は市域全体に関わる基本的事項が中心になり、いわゆる「どぶ板」的な地域要求については地域協議会が審議するという方向にもつながるわけです。ただし、地方交付税交付金の合併特例措置が切れるということで、残念ながら事務所の統廃合が進められています。

## 大規模都市・政令市における地域自治組織づくりと地域住民主権

広域自治体では、このような地域自治組織を、「平成の大合併」時の旧市町村単位あるいは「昭和の合併」時の旧村を母体にして作りだし、それぞれの個性を生かした地域づくりの拠点として確立していくことが必要となっているといえます。その際に、重要な点は、上越市の仕組みのように、住民の自治組織として委員の公選制などの方法を取り入れるとともに、新市が当該地域の住民の意向を尊重する制度をつくることです。加えて、新自治体における旧町村別統計の整備が必要不可欠です。新市になると統計が一本化されて、旧町村単位での経済、社会、財政状況が全くわからなくなってしまいます。これらが年次別に比較できるようにしなければ、その地域にあった効果的な地域内再投資力の形成はできません。さらに、合併特例債事業及び無駄な地方債発行、建設事業を常時チェックできる体制の整備も必要です。合併して予算規模が大きくなると、大規模な事業を企画する場合が多くなります。行財政投資が、地域の企業にできる限り発注させるように、また一部の地域に集中しないようにチェックすることも大切です。

以上のことは、実は、既存の政令市や中核市などの大規模都市にもいえることです。政令市でいえば、区の行財政権限と住民自治の確立が必要不可欠であるといえます。実は、「平成の大合併」によって新たに政令市となった浜松市と新潟市では、二〇〇四年の地方自治法改正によって可能となった区単位での地域自治組織を、二〇〇七年から制度化しました。ところが、近年、その制度を改変し、住民の声が届かない制度へと改悪されてきています。

浜松市では合併時に浜松市と周辺市町村との間で「一市多制度」の「クラスター（ぶどうの房）型」都市にすることを合意していました。そのために、旧市町村ごとに地域自治区と地域協議会が置かれたうえに、七つの区ごとに区協議会を置く、二層構造を目指しました。これは、地方自治法改正によって、政令市の場合、区及び区のなかの地域単位で地域自治組織をつくることができるようになったからです。

ところが、これに対して浜松の経済界が「不効率である」として、自ら市長候補を押し出して、二層構造の基底にある地域協議会を廃止するにいたります。二〇一二年度末のことでした。これにより、天竜区、西区、北区で地域協議会が消滅し、地域事務所も地域自治センターとなり、人員削減がすすめられました。

とくに小規模町村が多かった天竜区は、九〇〇㎢超の面積を抱えており、地域自治機能やセンター機能の縮小によって、人口減少が加速したのです。さらに、浜松市では、経済界から、区役所の統合要求があったことから、二〇一九年度の統一地方選挙の折に、区役所再編をめぐる住民投票まで提起するにいたります。

実は、この時、もう一つの問題が浜松市政に起こっていました。政府とフランスの水メジャーの要求によって、水道事業の民営化（運営権の売却）をすすめる計画がすすんでおり、これに対して、活発な住民運動がおこっていたのです。大規模都市になると、市議会だけでは、主権者の住民の声は通りにくくなります。旧町村単位での地域協議会、そして区単位での区協議会という二層制の自治組織があり、そしてその自治活動をサポートできる事務機構が配置されておれば、広大な市域において、地域ごとに個性を生かした地域づくりが、地域住民主権の下で実践できたはずです。ところが、このような制度改悪を行うことによって、ごく一部の関係者による政策決定が横行し、市民の貴重な財産や税金を、少数の利益をもとめる民間企業に引き渡すことが追求されつつあるといえるのではないでしょうか。まさに、「せめぎあい」状態にあるといえます。

このことは、新潟市でもいえます。新潟市では、政令市に必要な人口を確保するために、広大な領域の市町村を合併し、八つの区と、区単位での「区自治協議会」を置きました。これは、周辺町村との合併協議のなかで、都市部と農村部が「調和・共存する『田園型政令指定都市』を目指すとともに、区役所へできるだけ多くの権限を移譲し、住民自治の一層の充実を図り、市民の皆さんと行政による協働のまちづくりを推進する分権型の政令指定都市を実現」することを新市建設の基本方針としたからです。

新潟市では、これに対応して区の予算権限と職員配置比率を高めるとともに、区自治協議会を、地域住民や各種団体、ＮＰＯとの「協働の要」として位置づけていきます。また、区自治協議会の委員については、①コミュニティ協議会を代表する者、②公共的団体を代表する者、③市民活動団体を代表する者、④学識経験者、⑤公募による者、⑥その他市長が必要と認めた者から、構成されるとしました。上越市と異なり「公募・公選」制度ではありませんが、「公募による者」も加えられており、住民自治という視点から見ると前進であるといえます。その成果として、中央区自治協議会において、委員からの意見をもとに何度も議論し、この協議会の名の下に、市長に対して地域包括支援センターの分割要望を出し実現したり、小学校の統廃合計画の見直しを求めた例も生まれて、協議会がただの諮問機関や「ガス抜き機関」ではなく、市政に対する要望、提案活動を開始していたことを確認することができます[15]。

ところが、二〇一八年に、区自治協議会条例の大幅改正案が市当局から提案されます。そのポイントは、同協議会設置の法的根拠であった地方自治法上の地域自治組織ではなく、市が独自に置く任意のまちづくり協議会的な組織にすることにありました。条例改正により、区自治協議会は、これまでのように、区役所の業務だけでなく、市役所の施策や業務について議論し、意見をまとめることはできなくなり、区内の地域課題を審議するだけの協議組織にされてしまったのです。

新潟市でも、開発本位の行政を求める経済界の要求が強まっており、合併当初の「地方分権」的な理念に基づく住民自治の保障を否定する方向に舵を切ったといえるでしょう。

このように、政令市の巨大な行財政権限のあり方をめぐって、地域住民主権を行使できる地域自治組織の強化をはかるのか、それともそれを否定しながら一部の関係者による意思決定で開発本位の施策をすすめるのかという、大きな対立構図が表面化してきているといえます。

いずれにせよ、合併して新規に政令市になった自治体だけでなく、他の既存政令市においても、区地域協議会を設置し、区役所に独自の予算や人員を手当てし、住民に近いところで、区政を展開していくことが必要となっているといえます。そうなれば、区役所は、単に市役所の出先機関という役割だけでなく、地域経済振興やまちづくり、住民自治の拠点としての機能を高めることになるといえます[16]。

## 4　地域住民主権と学習の重要性

### 「小さくても輝く自治体」の地域住民主権と社会教育の役割

ここまで、地域住民自治を発揮するための地方制度上の仕組みや方法について述べてきました。けれども、地域づくり一般について言えることですが、モデルといわれる自治体の「仕組み」や「システム」をまねて、自分たちの自治体に適用したとしても、地域づくりを持続し、多くの住民の生活の豊かさを実現することにはなりません。

一番重要なことは、主権者としての一人ひとりの住民の本当の意味での豊かさ、あるいは幸福度をあげていくことです。栄村の高橋彦芳元村長がいうように、「一人ひとりの住民が輝く」には、何が必要なのでしょうか。それは、主権者としての住民自身が、常に学習しながら、自治力をつけていくことではないでしょうか。時代とともに変わる政治経済、社会環境、あるいは災害や感染症被害という地域社会の危機に対して、自分の頭で考え、必要な情報を調べ、適切な判断を行い、他の住民とともに自治体に政策を提案したり、みずから実践していくことができるようにすることが、いっそう求められる状況にあります。

そこで注目されるのが、長野県の阿智村です。下伊那地域にある阿智村は、浪合村（二〇〇六年）及び清内路村（二〇〇九年）とコンパクトな合併を行った、人口六四〇〇人余り、面積二一四㎢の山村です。ここでは、住民主導の村づくりをスローガンに掲げた岡庭一雄前村長とその後継者である熊谷秀樹村長の下で、学習によって培われた住民の自治力を生かした村づくりが行われてきています(17)。

阿智村では、二つのルートで住民主体の地域づくりがなされています。そのひとつが、地域の自治組織を通した地域づくりです。阿智村では、合併後の新しい村づくりをすすめるために、自治会の単位を住民自身の手によって決めました。それは、地域運営組織にありがちな、行政の下請け機関にすべきではないという村民からの声を尊重し、自治会の範囲も自分たち自身で決めるべきだという考え方からでした。そのうえで、地区計画の立案作業がおこなわれました。八つの地区ごとに調査に基づいた一〇年計画を作るために、村の職員も事務局として参加しました。その計画には、産業や福祉、自然環境の保全も入ります。また、地区計画を立てる際には、阿智村が行政としてやるべきこと、地区の自治会がやるべきこと、国や県に要望すべきことを、住民自身が「仕分け」する作業も行いました。村の総合計画は、これらの地区計画と密接な関係の下につくられていきました。

こうして、二〇〇八年に策定された第五次総合計画の目標は、「住民一人ひとりの人生の質を高めれる持続可能な発展の村」とされたのです。イメージ先行の総合計画が多いなかで、なんとも地味な印象ですが、「住民一人ひとりの人生の質を高められる」という本質的で確かな目標が、住民との議論の積み重ねによって定められたことに驚嘆してしまいます。

もう一つのルートが村づくり委員会方式です。これは、地域を限定せず、全村に共通する課題や住民の要求に基づく課題を自主・自発的に解決するためにつくられた組織です。五人以上の住民が集まれば、明らかな政治活動や宗教活動を除いて、事業活動を支援するものです。ただし、飲み食いには使えません。この委員会制度を使って、これまで図書館づくりや障がい者のための通所施設づくりなどが行われました。研修旅行や講師の招へい、シンポジウムの開催を支援し、村民の合意が得られた段階で、村は助成金を出して、事業が立ち上がります。そして、事業の運営も、村づくり委員会のメンバーが担う、まさに「実践的住民自治」（高橋彦芳栄村元村長）です。実は、熊谷現村長も、この村づくり委員会のひとつ「魁志学塾」で地域づくりを学んだ人です。

村づくり委員会から始まった「全村博物館構想」や「阿智学会」、そして県立阿智高校との地域学習での連携、満蒙開拓平和記念館のオープンと平和学習、村民劇の取り組み、そして昼神温泉とスキー場との連携による「日本一の星空の村」づくりなど、住民主体の取り組みは実に多様です。そして、これらの基礎には、阿智村の社会教育の実践の積み重ねがあることに注目したいと思います。もともと、岡庭前村長も、公民館の活動に関わっており、長野県や全国の社会教育運動と強く関わっていました。

一九七三年に村内の智里東地区で温泉が湧き出たとき、昼神温泉をつくるために環境保全条例をつくり、地元では地区公民館で学習した住民たちがホテルや朝市組合、さらに総合商社を設立し、生産から加工、販売を地元主導で行う仕組みを作ります。その時にモデルになったのが、由布院盆地での取り組みであり、その時に職員として関わったのが岡庭前村長でした。阿智村では、一九六七年から地区公民館での学びの成果をもちよって交流、議論しあう、社会教育研究集会を開催しています。今も、若い職員が事務局となって、その開催や運営に携わっています。このような学習の成果が、先ほどのような多様な地域づくりの取り組みにつながっているといえます。

地域の住民が自治力を高めていくと、一緒に学んだり、計画づくりをしている職員も成長しますし、有給で働いている村会議員も、地元の「どぶ板」的な要求だけに目を向けるのではなく、村全体の現状分析や将来のあり方についてより高い水準の議論が求められるようになります。阿智村では、予算を決めた後、地区ごとの説明会で予算の内容を説明するのは、なんと村会議員です。最終議決を行った議会の一員として、その内容を熟知したうえで、住民に説明することが求められ、それが実践されているのです。

### 地方自治をめぐる思想の高み

阿智村のような「小さいからこそ輝く自治体」が示した「互いの顔がみえる自治体」の優位性、上越市で取り組まれている狭域的な地域自治を基にした地方自治体内部組織の形成は、「グローバル国家」論が想定している広大な行政領域の下では、大企業は繁栄したとしても、高齢者や子どもたちも含む住民の命や生活が維持できないことから必然化しているといえます。

「第一〇回全国小さくても輝く自治体フォーラム」の開催にあたって、全国町村会長を務めた黒澤丈夫・前群馬県上野村長が、短文ですが深い内容のメッセージを寄せていました。とても深い言葉ですので、改めて紹介しておきたいと思います。

「我々は平素、『自治』という言葉を安易に使用しているが、それは人間が生きるために構成した社会の経営に関する深遠にして重大な行為の一つである。動物の多くは、成長して独り立ちができる頃になると、一匹一羽で生きて行くが、人間は知性によって、他人と協力して生きることが有利なるを悟り、同じ地域に定住する者たちで扶け助けられつつ、協力して生きてきた。この社会の経営を律する方策は種々あるが、住民の意志に従って方策を決するのが、自治と呼ばれる制度だ。自治する社会においては、常に他人を意識し、協力の恩に感謝する心を持たなければならない。この理を学び育てる教育が、不足しては居るまいか。」

長年、山村で住民の暮らしに思いを馳せて地方自治を実践し、全国町村会長として国や政財界人と渡り合ってきた人物だからこそ言える、重い言葉ではないでしょうか。

人間は社会的動物であり、だからこそ、一人では生きていけないし、生きるためには必ず「自治」という重大な行為をしなければならないのに、今それが破壊されようとしている。黒澤・前村長の言葉は、まさに構造改革と一体となった地方自治破壊の本質をつき、逆に、人間の本質論に立ち戻ったところで、自治の重要性を再発見しているといえます。

このような地方自治の思想の高みに比較して、現代の地方自治破壊の思想はいかほどのものなのでしょうか。例えば、二〇〇六年に経済同友会が発表した『基礎自治体強化による地域の自立』という文章に、次のような記述があります。「親会社【国】への依存体質から脱却し、子会社【自治体】の自助努力による徹底したコスト削減【歳出削減】！」。国と地方自治体の関係を、親会社と子会社との関係にたとえ、「依存体質」からの脱却と自助努力を求めるという、企業経営者としての観念に縛られ、地方自治の原則と企業システムの違いも無視し、お金だけを問題にした極めて浅薄な議論であるといえます。その後、大災害や新型コロナウイルス感染症を経験した時点で、もはやこのような経済主義的な地方自治、公共政策の考え方では、地域社会も日本、世界も持続できないことが明白になっているといえます。

## 5　地域から国の未来を創る

### 多様な地域学習の場の広がり

すでにご紹介した、長野県栄村、照葉樹林の保護運動から始まり「一戸一品」運動で全国に先駆けて有機農業を展開した宮崎県綾町、隠岐の島で高校を核にしながら人口も増やしていった島根県海士町、「葉っぱビジネス」で注目を浴びている徳島県上勝町、そして由布院盆地での粘り強い地域づくりの運動も、公民館を拠点にした社会教育活動の蓄積が生み出したといえます。

多くの住民の「生活の質」が向上し、地方自治が豊かに花開くためには、その担い手である住民一人ひとりが輝くことが大前提です。公民館を中心とした社会教育による学習を通して、世界や日本の動きを理解し、足元の地域をめぐる学習や研究・文化活動によって実践する力をつけることで、地域の中での自治力が培われ、世代を継承しながら持続していくといえます。この学習を基礎にした住民の自治力が高まることで、住民自治は深化し、それによって団体自治も地域づくりも大きく前進する関係にあるといえるでしょう。

もっとも、このような住民の学習の場である公民館が、いま、社会教育法の「改正」や国や地方自治体の市場化政策のなかで、廃止されたり、使いづらくなったり、あるいはただのカルチャーセンターや部屋貸し業になってしまっているところが目立ってきています。公共の財産である公民館を住民自身の手に取り戻す取り組みも必要になってきているといえます。また、公民館だけでなく、いろいろな学習の場が、地域にはあります。オンラインで学習したり議論する場もあります。大学をはじめとするさまざまな団体、労働組合、学習団体が提供している研修会、講演会、公開講座などもそうですし、住民有志で恒常的な学習の場をつくることもできます。

例えば、中小企業振興基本条例を制定する運動を各地で展開している中小企業家同友会は、二〇〇〇年代に入り、全国各地で条例制定についての学習会や例会を系統的に展開し、それに参加した会員が地元の商工会議所や商工会に呼び掛けて、条例制定の学習会を連続して行うこともなされています。帯広市では、十勝まちづくり研究会という地域学習組織があり、大学の教員だけなく、地域の教員、中小企業経営者、農家のみなさんが参加しています。このような研究組織を、自治体問題研究所では「まち研」（まちの研究所・研究会）と呼び、全国に広げていきたいと思っています。十勝のまち研では、この条例を生かし発展させる方策を検討したり、定期的に学習会や研究会を開いて、「こども白書」づくりに取り組んだり、あるいはローカルエネルギー循環システムの提案事業まで行ってきています。

あるいは、東京都世田谷区では、一九九九年に市民や市職員、研究者によって世田谷自治問題研究所が設立され、世田谷区政の課題に関わる調査研究、セミナー、政策提言、著書の出版などに取り組んできました。それが、保坂展人区政の誕生や政策づくりに大きな影響を与えているといえます。その代表例が、すでに紹介した公契約条例の制定の運用です。

また、和歌山県田辺市の上秋津地域に二〇〇八年にオープンした秋津野ガルテンは、同地域の住民が出資してつくった株式会社です。ことの起こりは、上秋津小学校の廃校問題でした。地域の人々が協議のうえ、同校舎を市から取得し、都市農村交流の拠点施設とし、今では、素晴らしい木造校舎を活用して、農産加工施設、スローフードレストラン、宿泊施設、学習施設、農業体験、市民農園機能を備えた地域づくりの拠点となっています。近くには、やはり同地域の人々によって運営されている梅や果樹類を中心とした農産物の直販施設があります。このような取り組みができた歴史的背景としては、社団法人「愛郷会」の存在があります。もともとは明治時代の水害の折に互いに助け合いながら村を再建してきた歴史が出発点で、戦後法人化された組織です。秋津野ガルテンのホームページによると、(18)〈愛郷会は「得られた収益は、地域全体の公益のためだけに使う」ものとして、教育の振興や住民福祉、環境保全等の活動に対して財政支援を行うなど、自主性を尊重するとともに住民同士が一つになった現在の村づくりの基礎を形成しました〉とあります。現在、和歌山大学観光学部と連携した公開講座を毎年行うなど、ソーシャルビジネスとしてのさまざまな挑戦を行っています。

このように、大都市でも、地方の農山村でも、グローバル化と災害の続発のなかで、人間の生活領域としての地域の再生、持続性を確保するための「地域学」と、それを身につけた主権者としての住民の育ちあいが追求されてきています。

そして、地域づくりに多くの住民が主体的に参加しているところでは、共通して、多様な住民の学習活動が存在しています。社会教育学の世界では、「地域学習」という言葉も生み出されてきています。(19)まさに、学習こそ自治力と創造力の源泉であり、事態や情勢の急変に対しても柔軟に対応していける力だといえます。

「地域のことは、住民自身が決め、実行する」こと、つまり地域住民主権が、現在のグローバル化時代ほど求められている時代はないと思います。グローバル競争が激化するなかで、どこの地域でも作れるものやどこにでもある観光施設を作ったとしても、コスト削減の破滅的な競争に陥るだけです。そうではなく互いに個性的な地域や産業、商品をつくることにより、人としても個性を伸ばし、互恵的で豊かな取引・交流が生まれるといえます。自らの住んでいる地域の個性を知り、人と人の輪をつくり、個性的な地域づくり、産業づくりをすることによって、大都市と農村の住民同士、先進国と途上国の国民同士、人間社会と自然が、ともに生きることができるのです。そのためには、自分の頭で考え、地域の個性を知り、分析できる主体づくりが必要不可欠であるといえます。

経済のグローバル化が進行し、多国籍企業の利益拡大のために地域住民の暮らしや地方自治を切り捨てようとすればするほど、人間の生活の場であり自治の領域である地域を守り再生しようという人間としての根源的な運動は、さまざまな政治信条や階層の違い、立場を超えて、かつてない広がりをもたざるをえません。地域があってはじめて国があるのであって、その逆ではありません。住民がそれぞれの地域のあり方を自ら決定し、自分たちの手で地域をつくることによって、この国の未来の姿も創造されていくことになるのではないでしょうか。自由民権運動の旗手であった植木枝盛の「人民ハ国家ヲ造ルノ主人ニシテ国家ハ人民ニ作ラレシ器械ナリ」（『無天雑録』[20]）という言葉は、現代も息づいています。

**注**

（1）保母武彦『内発的発展論と日本の農山村』岩波書店、一九九六年、同監修『小さくても元気な自治体―強制合併を超える「もう一つの道」―』自治体研究社、二〇〇二年、参照。

（2）この点については、色平哲郎『大往生の条件』角川書店、二〇〇三年、参照。

（3）詳しくは、上田道明『自治を問う住民投票―抵抗型から自治型の運動へ―』自治体研究社、二〇〇三年、第三章、参照。
（4）今井一編『住民投票』日本経済新聞社、一九九七年、今井一『住民投票―観客民主主義を超えて―』岩波新書、二〇〇〇年、参照。
（5）詳しくは、合併反対上尾市民ネットワーク・自治労連上尾市職員労働組合編『合併反対を選択したまち―上尾の住民投票と市民の運動―』自治体研究社、二〇〇一年、及び上田道明、前掲書、第四章、参照。
（6）上田道明「『平成の大合併』をめぐる住民投票の中間総括」『季刊　自治と分権』第一六号、二〇〇四年七月、七八頁、参照。
（7）岡田知弘・自治体問題研究所編『住民投票の手引き―市町村合併は住民の意思で―』自治体研究社、二〇〇四年。
（8）以上は、上田道明、前掲書、二六〜二八頁から。
（9）詳しくは、前掲『住民投票の手引き』参照。
（10）鈴木誠「高山市・恵那市（旧山岡町）の地域自治組織」岡田知弘・石崎誠也編『地域自治組織と住民自治』地域と自治体第31集、自治体研究社、二〇〇六年、参照。なお、その後、恵那市では、地域自治区制度の改革をすすめ、一三の地域自治区代表からなる地域協議会が設置され、地域づくりのために交付される補助金は、極力、地域自治区の運営委員会を通して配分される仕組みとなってきています。詳細は、鈴木誠『戦後日本の地域政策と新たな潮流―分権と自治が拓く包摂社会―』自治体研究社、二〇一九年、参照。
（11）大宮町の取り組みについては、多田憲一郎「地域自治組織と住民自治―京都・旧大宮町―」岡田・石崎編、前掲書、美山町については、渡辺信夫「条件不利地域のむらづくり」田代洋一編『日本農村の主体形成』筑波書房、二〇〇四年、岡田知弘「地域づくりと地域自治組織」岡田・石崎編、前掲書、参照。
（12）小田切徳美・尾原浩子『農山村からの地方創生』筑波書房、二〇一八年、参照。
（13）総務省地域力創造グループ地域振興室『地域運営組織の形成及び持続的な運営に関する調査研究事業報告書』二〇一九年三月。

(14) 上越市の地域自治組織については、岡田・石崎編、前掲書、西村茂編『住民がつくる地域自治組織・コミュニティ』地域と自治体第34集、自治体研究社、二〇一一年、参照。
(15) にいがた自治体研究所編『篠田・新潟市政の検証』にいがた自治体研究所、二〇〇九年、参照。
(16) 岡田知弘「地域づくりと地域自治組織」岡田・石崎編、前掲書、参照。
(17) 阿智村の取り組みについては、岡庭一雄・岡田知弘『協働がひらく村の未来—観光と有機農業の里・阿智—』自治体研究社、二〇〇七年、社会教育・生涯学習研究所監修、岡庭一雄・細山俊男・辻浩編『自治が育つ学びと協働　南信州・阿智村』自治体研究社、二〇一八年、参照。
(18) 秋津野ガルテンのホームページ https://www.agarten.jp/sp/garten.html による。
(19) 佐藤一子編『地域学習の創造—地域再生への学びを拓く—』東京大学出版会、二〇一五年。
(20) 植木枝盛『植木枝盛集』第九巻、岩波書店、一九九一年、二〇八頁。

# 増補改訂版　あとがき

本書の初版を執筆した二〇〇五年の夏は、まだ小泉構造改革の真っただ中で、市町村合併問題が全国で問題になっていたころでした。また、当時働いていた京都大学も法人化問題に揺れて、公私ともに激動の時代だったといえます。とりわけ、市町村合併問題については、数多くの講演や調査を行い、全国各地のさまざまな人たちと交流、意見交換をし、刺激や励ましをもらいながら、一気に書き下ろしたことを思い出します。

その翌年、加茂利男先生から自治体問題研究所の理事長職を引き継ぎ、一四年あまりの年月が経ちました。はからずも、この間、民主党政権時代の地域主権改革、第二次安倍政権による「アベノミクス」や「地方創生」政策、そして「自治体戦略二〇四〇構想」の批判的検討だけでなく、「小さくても輝く自治体フォーラム」運動や中小企業振興基本条例制定運動、さらに災害復興の取り組みにも深く関わることになりました。

こうして、さらに多くの市民、中小企業経営者や自営業者、農家、団体役職員、首長、議員、公務員、弁護士をはじめとする専門家や研究者・学生と知り合うことになり、現地や現場でしかわからない事実や地域の歴史、そして地域づくりにかける想いを知ることができました。こうして、地域内再投資力論をさらに発展させるとともに、その理論の政策や運動への応用に、確信を強めることができ、本書を改訂する必要性を強く感じるようになりました。

しかし、本書の改訂作業は、なかなか進みませんでした。次々と押し寄せる学内外の課題に対応する必要があったことに加え、京都大学の退職が近づき、京都橘大学に異動することになり、身辺整理にも時間がかかりました。ようやく新しい職場に慣れた昨秋から改訂作業を再開しましたが、今度は新型コロナウイルス感染症への対応に追われることになってしまいました。

他方で、講演やシンポジウムの予定がほとんど中止になったことで、想定外の執筆時間を確保することができるようにもなりました。また、「コロナショック」に対する安倍首相のあまりにもひどい政治姿勢や政策運営に対する危機感が募るとともに、複数の方から増補改訂版への期待や激励の声が寄せられたことにより、改訂作業に集中することができました。

初版の「あとがき」において、「(本書は)全国各地で地域づくりに真剣に取り組んでいる友人たちとの共同作品といってよいかと思います。したがって、各地での地域づくりが今後活発に展開するにつれて、この本も成長を遂げていくのではないかと思います」と書きました。増補改訂版は、その予想、あるいは期待を現実のものにすることができました。実際に、執筆や校正の過程で、多くの方々のお世話になりました。心から、感謝するものです。あわせて、これからも地域に入ることによって、理論をより発展、精緻化していきたいと考えています。

今回も、自治体研究社編集部の寺山浩司さん、深田悦子さんの粘り強い伴走によって、何とかゴールにたどり着くことができました。改めて、お礼を申し上げます。

二〇二〇年五月

初夏の嵯峨野にて　岡田　知弘

# あとがき（初版）

自治体研究社の編集部から、地域経済に関する出版の企画がもちこまれたのは、五年以上も前のことでした。その後、国立大学の法人化問題や市町村合併問題などと正面から取り組むことになり、落ち着いて一冊の本をまとめるのは不可能な状態が続きました。ただし、合併問題を中心に全国各地に出かけ、そこで地域の未来について真剣に考えている人たちと交流したり、いろいろと見聞することができたことは、私にとってかけがえのない財産となりました。また、大学における自治の問題と地方自治の問題についても、ある共通した部分を見出すことができたように思います。地域や日本の持続的発展にとっても、大学の学問の発展にとっても、共同体の主権者である構成員の自治こそが決定的に重要であるということです。それらを破壊しようとしている点では、今日の「構造改革」政策は、一貫しています。その先にあるのは、やはり憲法九条を改悪しての「戦争のできる国」にすることではないでしょうか。戦争を遂行しようとすれば、大学の自治も、地方自治も、障害物となります。これは、戦前の河上事件をあげるまでもなく、歴史が教えているところです。

さらに、合併問題に取り組んでいる地域の多くの住民が、単に目前の合併の是非を議論するだけではなく、自分たちの住む地域をどうするべきかという、より大きな視野と主権者としての自覚を抱いておられたことに深く感動しました。私の講演に対しても、自分たちの地域で、どのように地域づくりをしていけばいいのかという率直な質問が度々寄せられました。このような問いかけに答える作業を繰り返しながら、私の「地域内再投資力」論もより豊富なものとして発展させることができました。また、市町村合併問題を地域経済論の視点から捉えるなかで、地域の持続的発展と自治、とりわけ地域住民主権との関係も、より明確に整理することができるようになったと思います。

そこで、「平成の大合併」が第一ステップを終了した時点で、合併・非合併自治体を問わず、今後の地域づくり、とりわけ地域経済と地域社会の持続的発展を実現していくために、現場の地域で役立つような本を、思い切ってまとめることにしました。この本は、机上の空論から演繹して書いたものではありません。過去の地域経済論、とりわけ宮本憲一先生の「内発的発展論」に学びながら、地域開発政策の失敗の現場、そして創造的な地域づくりに取り組んでいる地域の人々の現実の実践活動を調査・分析し、それを再構成する方法をとっています。その意味では、全国各地で地域づくりに真剣に取り組んでいる友人たちとの共同作品といってよいかと思います。したがって、各地での地域づくりが今後活発に展開するにつれて、この本も成長を遂げていくのではないかと思います。忌憚のないご批判、ご教示を頂ければ、幸いです。

なお、本書のもとになった論文は、以下の通りですが、それぞれ大幅に手を加えています。

「空港建設と『経済効果』」（遠藤宏一他編『国際化への空港構想』大月書店）、一九九三年

「民活型巨大プロジェクト開発と地域経済・地方自治」『おおさかの住民と自治』第一八二号、一九九四年

「『企業が地域を選ぶ時代』を超えて」（大阪自治体問題研究所編『産業空洞化を超えて』文理閣）、一九九七年
「地域経済の再生に何が必要か」『経済』第三一号、一九九八年
「経済のグローバル化と中小企業」（鈴木茂他編『中小企業とアジア』昭和堂）、一九九九年
「地域振興二一—地域の資源と共同で—」『中小商工業研究』第五八号、一九九九年
「グローバル時代の経済と地域」『経済』第五四号、二〇〇〇年
「栄村の地域づくりから学ぶ」（高橋彦芳・岡田知弘『自立をめざす村』自治体研究社）、二〇〇二年
「地方自治と地域経済の発展」（室井力編『現代自治体再編論』日本評論社）、二〇〇二年
「農山村自立の経済学」（加茂利男編『「構造改革」と自治体再編』自治体研究社）、二〇〇三年
岡田知弘他編『市町村合併の幻想』自治体研究社、二〇〇三年（第一章、第五章、終章）
「多国籍企業支配のなかの地域経済の選択」『ポリティーク』第六号、二〇〇三年
「グローバル経済下の自治体大再編を問う」『農業・農協問題研究』第二九号、二〇〇三年
「農村経済循環の構築」（田代洋一編『日本農村の主体形成』筑波書房）、二〇〇四年
「国際化時代における農村の構造変化と持続的発展の可能性」『年報　村落社会研究』第三九号、農山漁村文化協会、二〇〇四年
「住民自治の新しい時代がやってきた」（岡田知弘他編『住民投票の手引き』自治体研究社）、二〇

〇四年
「グローバル経済下の自治体再編」『経済論叢』第一七三巻第一号、二〇〇四年
「戦後の国土政策、地域政策をふりかえって」『経済』第一一八号、二〇〇五年

最後になりましたが、本書は、自治体研究社の深田悦子さん、竹下登志成さんの、長期にわたる叱咤激励なしには、日の目を見なかったと思います。私の執筆の遅れで、編集実務を担当していただいた長尾敏明さんには、大変な負担をかけてしまいました。自治体研究社の歴代編集スタッフに心から感謝したいと思います。また、本書を書くに際して、前著『住民投票の手引き』を共同執筆した、京都自治体問題研究所の谷上晴彦さん、にいがた自治体研究所の福島富さんと高橋剛さんには、住民投票実績や新潟県内における地域自治組織の動向について、貴重な情報を提供して頂きました。改めて、お礼を申し上げます。

二〇〇五年七月

著者

**岡田知弘**（おかだ ともひろ）

1954年富山県生まれ。京都大学大学院経済学研究科博士後期課程退学。
岐阜経済大学講師、助教授、京都大学大学院経済学研究科教授を経て、
現在、京都橘大学教授、京都大学名誉教授。

主な著書

『日本農村の主体形成』（共著）筑波書房、2004年
『地域づくりの経済学入門』（初版）自治体研究社、2005年
『協働がひらく村の未来』（共著）自治体研究社、2007年
『新自由主義か新福祉国家か』（共著）旬報社、2009年
『震災からの地域再生』新日本出版社、2012年
『増補版　中小企業振興条例で地域をつくる』（共著）自治体研究社、2013年
『震災復興と自治体』（共編著）自治体研究社、2013年
『〈大国〉への執念　安倍政権と日本の危機』（共著）大月書店、2014年
『「自治体消滅」論を超えて』自治体研究社、2014年
『地方消滅論・地方創生政策を問う』（共著）自治体研究社、2015年
『災害の時代に立ち向かう』（共著）自治体研究社、2016年
『TPP・FTAと公共政策の変質』（編著）自治体研究社、2017年
『「自治体戦略2040構想」と地方自治』（共著）自治体研究社、2019年
『公共サービスの産業化と地方自治』自治体研究社、2019年
『「公共私」・「広域」の連携と自治の課題』（共編著）自治体研究社、2021年
『コロナと地域経済』コロナと自治体4（編著）自治体研究社、2021年
『私たちの地方自治』自治体研究社、2022年

**地域づくりの経済学入門―地域内再投資力論―** ［増補改訂版］

2005年　8月10日　初版第1刷発行
2020年　6月25日　増補改訂版第1刷発行
2022年11月25日　増補改訂版第3刷発行

著　者　岡田知弘

発行者　長平　弘

発行所　㈱自治体研究社
〒162-8512 東京都新宿区矢来町123 矢来ビル4F
TEL：03·3235·5941／FAX：03·3235·5933
http://www.jichiken.jp/
E-Mail：info@jichiken.jp

ISBN978-4-88037-711-7 C0033

印刷・製本／中央精版印刷株式会社
DTP／赤塚　修